Vieux logis de Touraine

C.L.D.
42, av. des Platanes
37170 CHAMBRAY

La Chapelle de Roidemont

Vieux logis de Touraine

huitième série

André Montoux

CARTE COMMUNALE DES
VIEUX LOGIS DE TOURAINE
PRÉSENTÉS DANS CE VOLUME

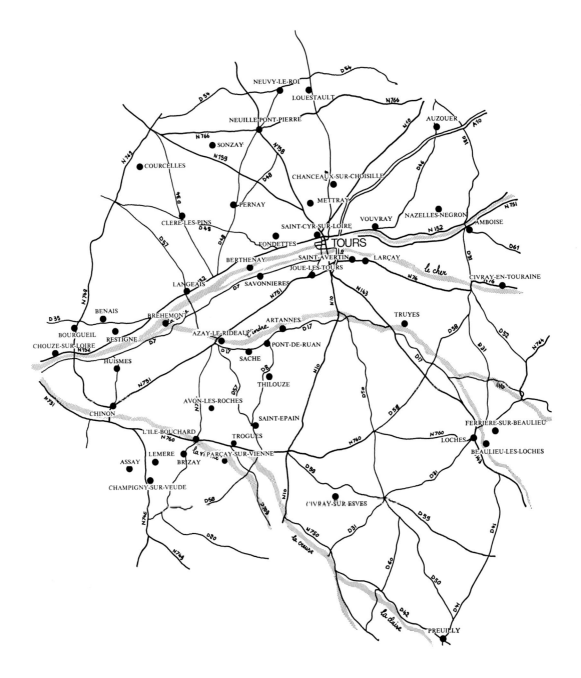

avec la collaboration de

Michel Maître

AMBOISE

La Maison Blanche

En bordure du chemin de « l'Epinetterie » s'élève un grand portail en plein cintre, accosté de part et d'autre d'une porte piétonne dont l'arcature repose sur des sommiers en saillie. Celle de gauche est murée et l'on remarque, à la clef, deux initiales peintes A S et la date, 1880 ?

La « closerie de la Maison Blanche » était reliée, en 1918, par une allée servant de sortie sur la route de Chenonceaux (1). Le tout était sur le territoire de Saint-Denis-Hors, et la comparaison du cadastre de cette commune en 1809 avec l'actuel plan d'Amboise montre une disposition des constructions qui n'a guère varié. Aujourd'hui comme hier, on trouve deux corps de bâtiments parallèles de chaque côté d'une cour intérieure.

Au nord s'allonge une longue dépendance, couverte en tuiles, entre deux pignons triangulaires, dont l'un s'élève au levant « sur le chemin d'Amboise à la Potterie ». Cette vaste grange abritait plusieurs celliers pour « resserrer » le vin et une halle de pressoir. L'une des portes charretières a été modifiée et ses jambages en pierres de taille et briques supportent une sorte de pigeonnier

7

carré en colombage au toit pyramidal. Sur sa face méridionale était cloué un cadran solaire octogonal en ardoise et daté de 1699. Il ne figure pas sur l'inventaire de Dubreuil-Chambardel, et rien ne prouve qu'il appartenait à la maison à cette époque.

Le second corps de bâtiment comprenait d'une part le logement du closier et d'autre celui du maître composé, en 1762, de deux chambres basses et hautes avec escalier en bois et grenier couvert de tuiles. Il apparaît donc que, dans son gros œuvre, il s'agit d'un édifice vraisemblablement ancien, qui a été l'objet d'un sérieux remaniement, sans doute au XIXe siècle. Dans le comble, aujourd'hui sous une toiture d'ardoises, a été aménagée une mansarde éclairée par une magnifique lucarne qui, à elle seule, donne tout son intérêt à la maison. Selon une tradition, elle aurait été récupérée dans les démolitions du château d'Amboise opérées entre 1806 et 1810 par le sénateur Roger Ducos (2). La baie s'ouvre dans un pan de maçonnerie allant en s'évasant vers le bas où il s'encadre de deux pinâcles. Le tympan est entièrement occupé par un F majuscule sous une couronne, tandis que l'entablement supporte une coquille. Il est probable que d'autres éléments de décoration ont la même origine, comme les deux pilastres à chapiteaux Renaissance encadrant la fenêtre du premier étage. Une tourelle quadrangulaire moderne a été ajoutée à l'angle sud, sur la cour.

Le lieu et closerie de la Maison Blanche relevait de la Commanderie du temple d'Amboise, à 16 sols 5 deniers de devoir seigneurial et féodal.

Le dictionnaire d'Indre-et-Loire (3) cite simplement le lieu-dit, avec cette brève indication : « En 1658, Jacques de Chertier était qualifié de sieur de la Maison Blanche » (4).

Fils d'un procureur au grenier à sel d'Amboise, Mathurin Michelin en avait la possession dans le premier tiers du XVIIIe siècle. Marié le 18 août 1698 à Saint-Denis-Hors à Jeanne Fremeau (5), sa succession se régla entre ses deux filles le 19 avril 1734. Cet acte étant perdu, nous ignorons s'il s'agissait d'un bien de famille ou d'un acquêt de la communauté. Catherine Michelin, dont le père est dit « commissaire de police » lors de son mariage, le 2 août 1729, à Saint-Denis avec Michel Deslandes, eut le rez-de-chaussée et la moitié de la maison du closier et de la grange. Sa sœur Françoise, mariée le 16 novembre 1728 à Saint-Etienne de Tours à François Michelin (5), eut le surplus. Toutes deux étaient veuves en 1762.

La première, le 24 mars 1762, vendit sa part à Sébastien Valadon et Elisabeth Chambellan qui en prirent possession le 19 mars et firent faire un état des réparations. Ce document montre que la salle basse était éclairée sur les deux faces par des fenêtres à meneaux et vitraux. Il faudra en effet « remettre du plomb à deux panneaux de celle du nord et 5 dans le haut du quart de celle du midi ». Les portes d'entrée sont à refaire et la « pointe du pinâcle occidental de la grange » (6).

Le 29 mars 1762, madame Michelin aliénait la sienne à Louis Desmée et Catherine Chambellan (7) qui, le 19 avril, en rétrocédèrent la propriété à leur beau-frère Valadon qui eut ainsi la possession de l'ensemble. N'ayant pas eu d'enfant, leurs héritiers demandèrent la licitation des biens et, le 19 janvier 1791, la Maison Blanche fut adjugée à l'un des neveux, Ambroise Billard, mari de Sylvine Berruer (8).

Le XIXe siècle fut marqué par de nombreux changements de propriétaires. Joseph Pinaudier, le 6 octobre 1817, revendit, le 29 novembre de la même année, à Charles-Louis Gaucher dont la petite-fille Sylvie, qui l'eut en héritage en 1864, l'aliéna le 18 octobre 1918 à Joseph Petit. Les mutations se firent alors plus rapprochées : le 3 mai 1920, au profit de monsieur Mucel, le

12 juillet 1921, à monsieur Poussin, ancien maire, qui légua la propriété en 1934 aux époux Desprez. Ceux-ci la revendirent, le 22 septembre 1934, à Solange-Marie Dusser, tandis que son mari Maurice-Louis Grignon, dont elle était séparée de biens, y ajoutait, le 13 octobre, une parcelle de terre au midi sur laquelle était construite une tourelle qui est aujourd'hui dans un état voisin de la ruine totale.

Ce sont leurs enfants, après leur mort, qui cédèrent la Maison Blanche, le 13 janvier 1981 (9), à ses propriétaires actuels.

Cette résidence portant la marque de plusieurs époques se trouve isolée, par les magnifiques arbres de son parc formant écran, d'un vaste quartier pavillonnaire qui s'est développé de part et d'autre de l'allée de la Bondonnière et de celle des « Maisons-Blanches » !

1/ Archives départementales. Registre de transcription des hypothèques de Tours, volume 4425, N° 37. Actes recherchés par Michel Maître. — 2/ Ranjard. Touraine archéologique (1968), page 113. — 3/ Carré de Busserolle. Dictionnaire d'Indre-et-Loire, tome 4, page 146. — 4/ Archives départementales E 51. — 5/ Renseignements de P. Robert. — 6/ Archives départementales. Acte Boureau (Amboise), 24 mars 1762. — 7/ Id. Acte Gillet, 29 mars 1762. — 8/ Id. Registre de transcription des hypothèques de Tours, volume 80, tome I, N° 21. — 9/ Nous remercions Monsieur Raynaud qui nous a communiqué son acte.

Le "Saint-Thomas"

Le Mail de ce nom perpétue le souvenir d'un prieuré qui fut fondé, dès 1107, par Hugues Ier, seigneur d'Amboise, qui le donna peu de temps après à l'abbaye de Pont-Levoy. Il constituait un fief, dont dépendait la maison portant le n° 1 qui lui devait chaque année une redevance de 5 sols 6 deniers, le jour de la Saint-Etienne (1).

Celle-ci appartenait, au début du XVIIIe siècle, à Jean Rouer, officier de la Maison du Roi, d'une ancienne famille d'Amboise qui avait donné plusieurs maires à la ville : Jean Rouer (1658-1661) puis, en 1669, Alexandre Rouer, sieur de Château Gaillard.

Jean Rouer se maria le 12 février 1685, dans la « chapelle du prieuré Saint-Thomas d'Amboise », avec Catherine Pommiers (2) dont il eut au moins une fille, Marie-Antoinette. Il lui donna en dot, lors de son contrat de mariage le 29 mai 1726 : « l'immeuble situé au Grand Marché de cette ville, sur le prieuré Saint-Thomas ». Le 3 juin suivant, en l'église Saint-Florentin, eut lieu la cérémonie religieuse unissant Antoinette Rouer et « François de Boyneau, sieur des Clouzeaux » (3). Celui-ci était également d'ancienne lignée, Gilles de Boyneau ayant été anobli, en 1619, comme maire d'Amboise (4).

Le 13 mars 1776, alors veuve de François de Boyneau, Antoinette Rouer vendit à Jacques Lhomme de la Pinsonnière : « une maison située au Grand marché de cette ville, sur le prieuré Saint-Thomas, consistant en deux corps de logis. Le premier précédé d'une cour à laquelle on entre par une grande porte cochère, composée d'un vestibule, d'une salle, salon, corridor, deux chambres hautes à cheminée, deux caves voûtées dont l'entrée est précédée d'une remise. Le second abritant la cuisine et des dépendances débouchait directement sur la rue par un couloir. Le tout renfermé de murs et touchant au nord à la rivière la "Masse" » (4). Les principaux éléments de cette description se retrouvent, sans modification, dans tous les actes jusqu'en 1858, et le cadastre de 1808 en prouve l'exactitude.

Aujourd'hui encore, l'accès des deux caves voûtées est sous une dépendance qui a remplacé la remise d'antan. Les travaux de rénovation entrepris en 1986 ont permis de retrouver, sous les cloisons de briques qui les isolaient, les anciens murs d'une bonne épaisseur. Sous le papier peint recouvrant celui du couloir à droite a été mis à jour un dessin armorié fantaisiste, accompagné d'une date : 1773 (5). Ceci suffit à attester l'ancienneté de l'édifice qui allait être remanié à la fin du XIXe siècle où il prit son aspect actuel.

Jacques Lhomme de la Pinsonnière, qui comparut en personne à l'assemblée électorale de la noblesse de Touraine en 1789 (6), en tant que seigneur de Villiers (7), légua par testament la maison d'Amboise qui revint, après sa mort survenue le 5 février 1813, à l'un de ses neveux, Amédée-André Lhomme de la Pinsonnière (8). Celui-ci habitait à la Petite Carrée, à Saint-Symphorien, quand il revendit l'édifice, le 23 septembre 1837, à Porphyre Trouvé, négociant. Une nouvelle mutation, le 24 mars 1856, en donna la possession à Armand Lesourd, entrepreneur de travaux publics à Amboise, qui la vendit, le 12 juillet 1858 (9), à Jean-François-Brice Pathault et Marie-Louise Leclaire dont les descendants s'y succédèrent jusqu'en 1986. Cette famille était d'origine blésoise, mais un Louis Pathault était venu s'établir à Amboise où il avait épousé, en juillet 1661, Françoise Carré dont un ancêtre, Denis Carré, avait été maire en 1572-1574.

Sous la Restauration, Jean Pathault-Habert y fonda une manufacture de couvertures qui prospéra et leur amena la fortune (10). Son activité dut cesser vers 1920 où, le 24 avril, certaines parties de leurs installations furent cédées à Monsieur Gounin (11).

En 1881, la maison du Mail Saint-Thomas était devenue la propriété de la petite-fille du fondateur (11), Adeline Pathault, épouse de Raoul Boileau. On peut supposer, comme le veut la tradition familiale, que ce sont ces derniers qui procédèrent à un remaniement profond de la construction. On constate que le plafond de la grande salle, dont tous les chevrons sont peints, porte dans un angle la signature : « Ripault 1887 Tours. » Cette pièce est chauffée par une cheminée néo-Renaissance en bois, qui est un chef-d'œuvre d'ébénisterie, signée : « Bernou, de Tours. » Le foyer est encadré de deux colonnes à chapiteaux composites supportant un entablement orné de rinceaux de feuillage délicatement ciselés. La hotte est accostée de pilastres, décorés de cercles, sur lesquels repose une ample corniche portant le même décor et soulignée d'une ligne de denticules. Le trumeau rectangulaire est quadrillé de losanges portant chacun une fleur de lys. Des cheminées en pierre, dont on a retrouvé les épures sur le plâtre des cloisons, chauffent l'aile sur la rue et une addition en terrasse sur le jardin. Le pignon triangulaire sur la place fut pourvu de dragons ailés à la base des rampants. Tous les percements furent remodelés et dotés de croisées de pierre sur la place. Il semblerait que l'on ait voulu gagner sur le comble un étage supplémentaire, rendu accessible par un escalier tournant logé dans une tourelle en encorbellement accolée à l'angle nord-est. Le tout constitue un pastiche d'un logis du xve siècle qui a franchi allègrement son premier centenaire.

On voit donc que l'histoire de cette demeure ne manque pas d'intérêt, même si son visage a varié au cours du temps. Des travaux importants de rénovation lui ont donné, en 1986, une nouvelle jeunesse pour une destination différente, sous le signe de la gastronomie et la protection de saint Thomas !

1/ Archives départementales. Acte Legendre (Amboise) du 13 mars 1776. — 2/ Chevalier. Archives communales d'Amboise (1874), page 297. — 3/ Acte dû à notre collègue Pierre Robert. — 4/ Carré de Busserolle. Armorial de Touraine, page 180. — 5/ Nous remercions Madame Bernadette Chabretou qui a bien voulu nous relever un calque de ce dessin. — 6/ Mémoires de la Société Archéologique de Touraine, tome 10, page 98. — 7/ Voir «Villiers» dans le tome 5 des «Vieux logis de Touraine», page 155. — 8/ Archives départementales. Minutes de Me Bourreau (Amboise), 12 février 1813. — 9/ Acte du 12 juillet 1858 que nous a confié Monsieur Brice Pathault. — 10/ M.-R. Souty. Une famille blésoise aux XVIe et XVIIe siècles : les Pathault (Blois, 1957), page 62. — 11/ Renseignements dus aux recherches de Monsieur Michel Maître.

ARTANNES

Le Château des Archevêques

« De temps immémorial, les archevêques de Tours possédèrent dans cette localité, une demeure de plaisance et de repos et l'on ignore comment le lieu devint en leur possession » (1). D'abord simple châtellenie, ayant droit de haute, moyenne et basse justice, Henri II, roi d'Angleterre, l'éleva vers 1180 au rang de baronnie.

Le plan cadastral de 1821 montre un vaste ensemble dont les bâtiments, prolongeant l'église au nord, entourent presque complètement une cour intérieure, flanqués extérieurement de trois tours circulaires et cernés par de larges douves en eau, au moins sur deux côtés. Cet édifice a donc subi, depuis ce temps, d'importantes modifications, mais le Moyen Age y a laissé son empreinte de façon spectaculaire. Les deux grosses tours subsistantes, en moellons enduits, coiffées d'un toit conique d'ardoises, sont les témoins d'une forteresse puissante, transformée au xve siècle en une résidence plus agréable. Le grand corps de logis qui les relie est prolongé, au nord et au sud, par deux courtes ailes en retour d'équerre. La première, comme jadis, vient se rattacher au chœur de l'église, percée à la base d'un porche dont la porte cintrée septentrionale est surmontée d'une accolade de crochets à feuillage. Le tympan est occupé par un cartouche aux bords contournés présentant le blason aux deux pattes de griffon d'Hélie de Bourdeilles (1468-1484). Côté cour, dans chaque angle rentrant, une tourelle polygonale abrite un escalier à vis de pierre de dimension différente. Le plus large était l'escalier d'honneur, l'autre était pour le personnel de service. Tous les percements ont été remaniés au xixe siècle qui supprima tous les meneaux pour faire place à des huisseries à petits carreaux et refit à peu près toute la décoration (2). La cuisine a conservé une grande cheminée à hotte sur colonnes demi-cylindriques, linteau limité par une double corniche et arc de décharge. On y a découvert incidemment, dans le foyer, la bouche d'un four à pain intact !

Les combles, couverts d'une charpente en carène de navire inversée, viennent d'être aménagés de façon originale. Cette vaste nef d'environ 25 mètres de long est devenue une salle magnifique pour réunions et concerts. Elle constitue l'élément le plus impressionnant de cet édifice remarquable dont les façades et toitures ont été inscrites à l'inventaire supplémentaire des monuments historiques par arrêté du 14 septembre 1949. Il domine un parc avec pelouse, pièce d'eau rappelant les douves, planté d'arbres magnifiques qui lui constitue un écrin de verdure.

Par ailleurs, ce monument a le « privilège très rare de pouvoir présenter une liste ininterrompue de ses seigneurs puisqu'elle se confond avec celle des archevêques de Tours que l'on connaît de façon certaine » (3). Et plusieurs d'entre eux y séjournèrent effectivement à des époques bien précises. En 1426, les habitants de Tours, voulant s'opposer à l'établissement d'une garnison de 200 hommes, vinrent consulter leur prélat « Jacques Gelu qui résidait en sa terre d'Artannes » (4), qui les encouragea dans leur refus. Son successeur, Philippe de Coetquis, y vint à diverses reprises. En 1477, Hélie de Bourdeilles y demeura pendant huit mois. Il devait y décéder le 5 juillet 1484, et son cercueil fut transporté à Tours pour être inhumé dans la cathédrale. Or, des travaux, en 1748, le mirent à jour. On constata alors qu'il ne contenait que

des habits sans ossements. Suivant une tradition locale, il aurait exprimé le désir d'être enterré à Artannes, « dans un endroit banal où les passants pourraient fouler aux pieds son cadavre » (5). Christophe de Brilhac, qui n'occupait le siège épiscopal que depuis six ans, y mourut également en août 1520 (6).

A la Révolution, le château saisi comme bien ecclésiastique fut adjugé, le 1ᵉʳ avril 1791 (7), à Claude Pavy, propriétaire de la Mothe toute proche, mais ne se retrouve pas dans les biens de sa succession. Pour une raison que nous ignorons, cette vente fut sans doute annulée (8) et, le 9 messidor an IV (27 juin 1796), une nouvelle adjudication l'attribua à Aimé Lefebvre (9), notaire à Tours où il exerça son ministère de 1782 à 1803. Fils de celui d'Artannes, il s'était marié à la Chapelle-sur-Loire, le 14 juillet 1782, à Rosalie-Marie Tascher (10). Leurs descendants vont s'y succéder jusqu'en 1908 !

Son fils aîné Aimé-Louis, juge de paix à Montbazon, mourut à 80 ans, le 31 octobre 1864, laissant deux enfants qui partagèrent entre eux, le 5 avril 1866 (8). Le château échut à Aimé Lefebvre qui était notaire à La Flèche en 1843, mais qui fut élu maire d'Artannes en 1871, 1874 et 1876. Il s'était uni par contrat du 18 juillet 1843 (11) à Marie-Marthe Mahiet qui, devenue veuve en 1882, acheta avec sa mère, Marie-Elisabeth Houssard, le manoir voisin de la Mothe, le 3 juillet 1884 (12). Ainsi, en 1890, sa fille unique Marie Elisabeth Lefebvre, épouse Gobert, hérita-t-elle à la fois du château des Archevêques et de celui de la Mothe. Ayant perdu son mari et habitant à Mer (Loir-et-Cher), elle vendit le second le 12 décembre 1907 et le premier, le 8 novembre 1908, à Mademoiselle Maria Strachan (8).

Celle-ci, à la fin de la Grande Guerre, en céda la propriété, le 26 septembre 1919, à Monsieur Henri Steinbach. Il résidait au château de Lapouche, à Gondrin (Gers), quand il revendit, le 21 avril 1927, à une Genevoise Jeanne-Fanny Constantin qui était veuve de Franck-Berkeley Smith, « homme de lettres ». Cette dernière l'aliéna, le 22 avril 1939, à Monsieur René-Michel-Charles Hoffmann, ingénieur.

Son fils Bernard qui en hérita en 1964, « tout en préservant l'âme de l'endroit » (13), lui a donné une vocation nouvelle, un peu à la manière d'un château-hôtel mais d'une classe différente. Une demie douzaine de chambres peuvent y accueillir, pour un jour ou pour une semaine, des dirigeants d'entreprises ou des groupes dans un lieu confortable et évocateur d'une longue histoire. Une façon originale d'entretenir et de faire revivre ces murs séculaires !

1/ *Carré de Busserolle. Dictionnaire d'Indre-et-Loire, tome 1, page 65.* — 2/ *Ranjard. Touraine archéologique (1968), page 163.* — 3/ *Bulletin de la Société Archéologique de Touraine, tome 27, page 83.* — 4/ *Mémoires de la même société, tome 13, page 341.* — 5/ *J. Maurice. La vallée du Lys, page 48.* — 6/ *Carré de Busserolle. Dictionnaire d'Indre-et-Loire, tome 6, page 200.* — 7/ *Archives départementales Q. PV N° 28-9.* — 8/ *Note de Michel Maître qui a retrouvé tous les actes suivants.* — 9/ *Archives départementales Q. PV N° 206.* — 10/ *Renseignements de P. Robert du CGT.* — 11/ *Archives départementales. Acte Rougé, à Luynes, du 18 juillet 1843.* — 12/ *Id. Registre de transcription des hypothèques de Tours, volume 2307, N° 2995.* — 13/ *Magazine de la Touraine, N° 27, page 69.*

La Mothe

Si « motte » il y eut, comme le nom l'indique, on en chercherait aujourd'hui vainement l'existence. Ses terres auraient été répandues pour remblayer le parc (1). L'édifice est en effet situé en bordure d'un bras de l'Indre dont on peut imaginer qu'il servit peut-être de douves.

Il s'agit d'une construction rectangulaire du XVᵉ siècle, entre deux pignons aigus enrobés de végétation, et très restaurée (2), ce qui a dû faire disparaître beaucoup de caractères architecturaux. Toutefois, la façade septentrionale a conservé la classique tour d'escalier à vis de pierre, de plan octogonal, coiffée d'une pyramide d'ardoise. Au-dessus de la porte, une grande dalle carrée a été encastrée. Elle porte un double blason sous une couronne de comte. Tous les deux sont écartelés : l'un porte aux 1 et 3 un aigle éployé, aux 2 et 4 une croix, une hermine meuble chaque quartier du second. Au midi, une chambre du premier étage est éclairée par une baie avec banquettes dans l'embrasure et qui a gardé sa croisée de pierre, dont on a dû soutenir les traverses, ce qui lui donne un aspect curieux. Bien qu'en partie dissimulée par les panneaux d'isolation, la charpente apparaît ancienne et probablement en carène de navire inversée !

Ce premier corps de logis est prolongé, à l'ouest, par une aile moins élevée, placée sensiblement en oblique, dont le comble prend jour sur chaque face par une belle lucarne de pierre à fronton courbe. Le pignon occidental est flanqué d'une sorte « d'abside semi-circulaire ». Pour Bossebœuf, il s'agirait de la base d'une « grosse tour incorporée au bâtiment, sans doute un ancien donjon » (3) ?

A peu de distance, on retrouve sur les communs le même blason, et un acte de 1884 les dit de « construction plus récente » (4) !

L'existence de « la Motte Fort les Artannes » est attestée depuis le XIIIᵉ siècle (5). « Le mercredi d'avant la saint Michel de l'an de grâce mil trois cent treize », Macé d'Artannes rendit à l'archevêque de Tours « foy et hommage lige et sexante souls de service à muance de seigneur » pour son « herbergement » de la « Motte » (6). Au XVᵉ siècle, le fief appartint à la famille Bernard. Jean Bernard, capitaine de Loches en 1446-1450, était le neveu de Jean Bernard, archevêque de Tours, qui le désigna, en 1466, dans son testament comme l'un des exécuteurs de ses dernières volontés (7). En 1513, Etienne de Bernard, qui était aussi seigneur de Champigny-sur-Yonne, fut maître d'hôtel du roi et de la reine. Il eut, d'Anne de Goux, Jean, marié le 14 novembre 1533 à Jeanne, fille de Denis Hurault, seigneur de Saint-Denis, trésorier de la reine et capitaine de Blois (5).

Le dictionnaire d'Indre-et-Loire cite ensuite François Péguineau en 1550, Philippe de Fouques en 1580, Jacques Gautier en 1604, de Perrien en 1629 (5). A cette liste, J.-M. Rougé ajoute Jacques Pontratz, secrétaire de la chambre du roi, qui aurait fait exécuter, en 1595, par Pierre Clémenceau, arpenteur royal, un plan de la Mothe (8). Lors de l'établissement du rôle de 1639, « le fief de la Motte fort d'Artannes et d'Avalloux » est porté pour un revenu de 60 livres (9). Il appartint vers cette époque à Gabriel Fondrier puis, en 1670, à Pierre Amonet, président au grenier à sel de Tours et sa femme Marthe Fondrier. A la requête de leurs créanciers, ses héritiers se virent saisir leurs biens et la Mothe fut acquise, en 1688, par Dominique Chicoisneau (5) qui rend aveu le 28 février 1697.

17

Celui-ci, né le 4 août 1658 (10), portemanteau du roi, mourut à 62 ans. Le 10 février 1720, ses héritiers Christophe, sieur de la Bruère, Michel, sieur des Armuseries (11), vendirent la Mothe Fort à Pierre Anguille, « escuyer commissaire du Roussillon » (12). Celui-ci s'était marié à Auzouer, le 14 avril 1692 (13), avec Marie-Louise Charbonneau qui fut inhumée, le 15 mai 1754, dans l'église de Monts (14). Leur garçon Mathieu-Pierre Anguille de la Niverdière eut deux filles Françoise et Aimée qui, le 20 novembre 1772 (15), cédèrent avec l'accord de leur mère Françoise de Bourdais, demeurant au château de Candé où fut passé l'acte : « le lieu, fief, terre et seigneurie de la Mothe Fort les Artannes », à Claude Pavy, marchand, et sa femme.

Claude Pavy, qui s'était uni à Saché le 13 février 1764 à Marie-Marthe Bellanger (13), acheta, le 1er avril 1791, le vieux château des archevêques (16). Mais celui-ci ne figure pas dans son importante succession que se disputent ses six enfants. Le tribunal, par deux jugements du 10 juin 1810 et 16 mai 1811, ordonna la composition de six lots qui furent tirés au sort par Me Bidault le 15 février 1812 (17). C'est Julien-François Pavy qui recueillit la Mothe que son petit-fils, Henri-François Boucard, vendit le 3 juillet 1884 (4) à Marie-Marthe Mahiet, veuve d'Aimé Lefebvre, propriétaire du château des archevêques. Aussi en 1890, sa fille Marie-Elisabeth, femme d'Henri Gobert, hérita-t-elle des deux édifices. En 1907, ayant perdu son mari et demeurant à Mer (Loir-et-Cher), elle aliéna la Mothe à Jules-Baptiste Roche et Jeanne-Augustine Henriet de Launay. Ceux-ci revendirent, le 9 mars 1909, au ménage Berthelin-Monjalon. Après la mort, le 7 mai 1925, de Monsieur Berthelin, un jugement, en 1929, ordonna la licitation des biens. C'est alors que, le 20 juillet, la Mothe fut acquise pour l'usufruit par André Maginot, député de Paris, auteur de cette fameuse ligne de fortifications portant son nom, qui fut le dernier bastion de résistance en 1940. La nue propriété était au nom de Mademoiselle Soulé qui, le 18 mars 1933, la céda à un industriel, Monsieur Blessiny, tout en gardant la jouissance. Après une nouvelle mutation en 1941, le vieux logis, en 1947, entra dans le patrimoine de « la société civile immobilière du manoir de la Mothe » qui en a cédé la possession, le 28 janvier 1989, à Monsieur et Madame Lamy.

C'est aujourd'hui un centre de séjour pouvant accueillir une dizaine de personnes. Il leur est proposé des stages d'initiation à l'équitation et des « promenades en calèche » pour « découvrir la Touraine pas à pas » en deux randonnées de quatre jours, l'une consacrée aux châteaux de la Loire, l'autre à la Route des Dames de Touraine (18), activités qui vont être maintenues et même complétées par les nouveaux propriétaires.

1/ J. Maurice. La vallée du Lys (1973), page 49. — 2/ Ranjard. Touraine Archéologique (1968), page 164. — 3/ Bulletin de la Société Archéologique de Touraine, tome 22, page 70. — 4/ Archives départementales. Registre de transcription des hypothèques de Tours, volume 2309, N° 2985. — 5/ Carré de Busserolle. Dictionnaire d'Indre-et-Loire, tome 4, page 347. — 6/ Mémoires de la Société Archéologique de Touraine, tome 38, page 128. — 7/ Bulletin même société, tome 30, pages 238, 256, note 25. — 8/ J.-M. Rougé. Vieilles demeures tourangelles, page 185. — 9/ Rôle des fiefs de Touraine (1639), page 72. — 10/ Tous ces actes retrouvés par Michel Maître. 11/ Voir les « Armuseries » dans le tome 7 des « Vieux logis de Touraine », page 147. — 12/ Archives départementales. Acte Gaudin à Tours, 10 février 1720. — 13/ Notes dues à P. Robert du CGT. — 14/ Registre paroissial de Monts. — 15/ Archives départementales. Acte Lefebvre à Artannes du 20 novembre 1772. — 16/ Id. Q. PV N° 28-9. — 17/ Id. Acte Bidault à Tours, 15 février 1812. — 18/ Figaro Magazine du 24 septembre 1988, page 182.

L'Alouette

Balzac connaissait bien ce vieux logis devant lequel il passait, avant d'arriver à Pont-de-Ruan, quand il venait à pied de Tours au château de Saché. C'est dans la petite maison de l'autre côté du chemin qu'en juillet 1830 il s'arrêta, exténué par la chaleur, pour boire un bol de lait. C'est ce souvenir qu'il ferait revivre dans le « Médecin de campagne », mais dans le décor plus tourmenté de la Grande Chartreuse (1).

De la route qui la sépare de son jardin, la maison présente une façade aux ouvertures remaniées, élevée d'un étage et d'un comble éclairé par deux lucarnes en pierre. Leurs jambages, accostés d'ailerons, portent un fronton courbe avec pinâcles et fleuron. A chaque angle s'accroche une élégante tourelle en encorbellement, enrobée de verdure d'où surgit une fine poivrière d'ardoise. Le bâtiment en moellons enduits, de plan rectangulaire entre ses pignons « à rondelis », est flanqué à l'arrière et au centre d'une tour carrée dont la partie supérieure servait de colombier, avec des rangées de boulins intacts, séparés parfois par des briques. Elle abrite un escalier à vis de pierre et sa face nord sert d'appui à un appentis prolongé par une addition moderne servant de cuisine. Celle du midi est reliée à une logette en saillie sur le mur et supportée par un cul de lampe à quadruple ressaut, éclairée par une petite baie à linteau cintré, le tout en belles pierres de taille !

Le rez-de-chaussée, « débarrassé de ses cloisons » (2), forme une salle unique aux chevrons apparents, soutenus par cinq poutres maîtresses. Elle est chauffée par une sobre cheminée à hotte, aux consoles à double moulure en S. Celle qui la surplombe au premier étage est remarquable par l'abondance de sa décoration. Un double bandeau limite le large linteau et la partie supérieure de la hotte est divisée en plusieurs registres : celui du centre orné d'un ange avec palme et couronne, aux extrémités des rosaces à dix pétales, sur les côtés des médaillons ovales avec mufle d'animal, anneau dans le nez. La corniche saillante est supportée par des modillons formant feuilles d'acanthe, séparés par des fleurettes inscrites dans un carré. La cheminée de l'autre chambre est plus simple, mais on y retrouve le même type de couronnement. La hotte nue et sans linteau repose sur des colonnes à chapiteaux doriques, soulignés d'une ligne d'oves. Le comble ne laisse apercevoir qu'une partie de la charpente et du toit dont le versant oriental est en ardoises cloutées. Tous ces éléments pourraient permettre d'y voir un édifice de la seconde moitié du siècle XVI° ?

Le dictionnaire d'Indre-et-Loire (3) cite simplement le lieu-dit. Les archives de la paroisse (4) indiquent que, le 25 juin 1650, Marguerite Castillon, veuve d'Ambroise de la Haye, « dame de l'Alouette », légua par testament « 6 chais-nées de pré à la cure ». Un bail de location du 4 août 1718 l'indique comme étant alors à usage « d'hostellerie » (5). Le bailleur Nicolas Dupoirier, marchand à Tours, agissait pour son épouse Marguerite Despagne. Leur mariage avait été célébré à Saint-Pierre-le-Puellier, le 10 avril 1716 (6). Elle l'avait eue en partage, avec sa sœur Anne, de ses parents Charles Despagne et Marie Jahan qui s'étaient unis à Artannes, le 17 janvier 1689. Le père de ce dernier, Charles, s'était lui-même marié en la même paroisse, le 2 décembre 1662. Les Despagne y étaient donc implantés depuis la seconde moitié du siècle XVII°, mais aucun titre, à ce jour, ne permet de connaître la date où l'Alouette entra dans leur patrimoine. Le 27 mars (ou mai ?) 1766, Françoise Dupoirier, qui en hérita de son père, vendit l'Alouette à Nicolas-Marie Chabelard de la Barre et Marie-Catherine Lecompte (7). Lui dut mourir en 1812, car son testament fut déposé le 13 octobre, chez M° Bidault. Il laissait sa veuve et un fils unique, Nicolas. Le 25 avril 1830, tous les deux vendirent d'abord la métairie à Louis-René Fey et Martine Juette (8), puis leur cédèrent le manoir le 25 avril 1835.

Louis-René Fey, officier de santé, demeurait alors à Thilouze où l'on relève, le 1er juillet 1783, le mariage de Louis-François Fey, chirurgien, fils d'un notaire de Saint-Epain, avec Anne-Scholastique Desnoyers, avec pour témoin Jean-René Fey, maître en chirurgie à Sainte-Maure. Peut-être s'agit-il des parents des acquéreurs de l'Alouette ? Ceux-ci eurent deux enfants auxquels ils firent donation en « avancement d'hoirie », le 4 février 1870, tout en conservant l'usufruit. Après la mort du père, un acte du 14 février 1873 confirma leur fille Sylvine-Alexandrine Fey dans la possession du manoir seul. En effet, le 24 septembre 1871, l'ancien bâtiment des servitudes avait été vendu par les époux Fey à Jean Berthier et Louise Aubert, jardinier au château de Loché, à Artannes (9).

Le 20 septembre 1885, Mademoiselle Fey aliéna le manoir de l'Alouette, qui comprend alors deux pièces au rez-de-chaussée, à François Berthelin dont la famille en garda la possession jusqu'au 30 décembre 1936 (2). L'Alouette devint alors la propriété d'Eugène-Adolphe Berteaux, « homme de lettres, conser-vateur honoraire des monuments de Paris », qui y décéda le 2 janvier 1948, et sa femme, à Tours, le 24 décembre 1957. Leur fils unique vendit l'immeuble à Monsieur et Madame Monnet et à leur fille, Madame Bungener, le 9 avril 1958. En 1959 et 1962, les premiers rachetèrent à la petite-fille de Jean Berthier, Mademoiselle Desbourdes, le bâtiment de servitudes qui fut ainsi réuni à nouveau au manoir.

L'ensemble fut acquis le 3 novembre 1963 par ses actuels propriétaires à qui incombe la charge d'assurer la sauvegarde de cet édifice, intéressant par son architecture, au nom immortalisé par Balzac notamment dans le « Curé de Tours » : L'Alouette désigne, sur les coteaux de la Loire, la maison de Madame de Lestomère où le curé Birotteau va se réfugier pour fuir les persécutions de Mademoiselle Gamard, sa logeuse !

1/ J. Maurice. La vallée du Lys, page 116, et Bulletin de la Société Archéologique de Touraine, tome 34, page 273. — 2/ D'après l'acte de Monsieur et Madame Soracchi. — 3/ Carré de Busserolle. Dictionnaire d'Indre-et-Loire, tome 1, page 16. — 4/ Archives départementales G. 683. — 5/ Id. Acte Gervaize à Tours, 4 août 1718. — 6/ Renseignements de P. Robert. — 7/ Archives départementales. Registre de transcription des hypothèques de Tours, volume 2418, N° 3863 et 2415, N° 2877. — 8/ Id. Volume 236, N° 80. — 9/ Id. Volume 1150, N° 1473.

ASSAY

Voizeray

Dépendant d'une paroisse poitevine, rattachée au département d'Indre-et-Loire par l'Assemblée Constituante, Voizeray est l'une de ces demeures, avec Dauconnay, s'élevant sur la ligne de hauteur qui marquait jadis la limite entre le Poitou et la Touraine.

Si l'on en juge par une description du 21 janvier 1693 (1), l'apparence de l'édifice n'a guère changé depuis cette époque. « Le grand corps de logis de Voizeray, paroisse de Graçay, consiste en plusieurs chambres basses et hautes, cabinets, un escalier de pierre et aux deux bouts du logis sont deux pavillons. Par le devant sont deux terrasses garnies de leurs ballustrades, cour renfermée de haultes murailles, à un coing de laquelle est le colombier, à l'autre coing est la chapelle... » Ces différents éléments ou leur trace se retrouvent encore aujourd'hui.

Dans son état actuel, cette imposante demeure est séparée du coteau, au nord, par un profond fossé. Deux portes plein cintre y donnent accès chacune à un caveau étroit, voûté de moellons d'environ 6 mètres de long, creusé dans la falaise calcaire. Le corps de logis principal est toujours flanqué, au midi, de deux pavillons en fort décrochement. Sous les toits d'ardoises cloutées à quatre versants, les combles sont éclairés par deux oculus circulaires aux ailes, et par trois lucarnes dans la partie médiane. La plus large, au centre, a son fronton courbe, brisé par un fleuron. Un double cordon en saillie court sur la façade au niveau de l'étage, et les allèges sont soulignées par des tables aux contours moulurés de façon différente et devenant des médaillons aux extrémités. Les clés des baies sont ornées de masques au rez-de-chaussée, de consoles cannelées au niveau supérieur où les chambranles sont à crossettes, d'une double guirlande de feuillage à la fenêtre centrale. L'imposte de la porte, s'ouvrant sur une terrasse accessible par un perron de quatre marches, est divisée par un meneau formant cariatide et représentant un buste de femme. Du vestibule part un escalier de pierre où les trois premières volées rectilignes ont leurs degrés revêtus de bois.

Certaines des salles, aux plafonds de chevrons apparents, sont chauffées par des cheminées attestant l'ancienneté du logis. L'une est typique du

xviie siècle avec une hotte encore assez saillante, corniche et grand trumeau occupé par un tableau. Celle du premier est Louis XVI, avec manteau peint, jambages cannelés et rudentés au tiers. Sur l'une des faces latérales, on relève cette inscription encore bien lisible : « aujourd'hui 5 mai 1794, je part pour Péronne ». L'une des pièces du pavillon occidental a ses murs revêtus de boiseries formées de panneaux rectangulaires.

Le jardin, au midi, ouvre sur le chemin en cul-de-sac par un portail aux arcatures en bossage, à fronton triangulaire, timbré de deux D entrelacés, épaulé à l'intérieur, où les linteaux sont droits, par deux contreforts. Le couronnement des portes piétonnes, dont l'une à gauche est murée, est en partie détruit. Seule, une extrémité formant aileron a subsisté sur celle qui est restée en service. Au sud-est, en bordure de l'allée conduisant aux dépendances, on remarque, enrobées dans la verdure, les fondations d'une fuie détruite dont la salle basse possédait une double meurtrière. Par contre, au sud-ouest, la maison voisine s'appuie sur un mur comportant une ouverture plein cintre aveuglée, surmontée d'une croix. Il faut sans doute y voir « le pavillon connu sous le nom de chapelle » mentionné dans l'acte du 6 juin 1846 (6). Mais « colombier et chapelle » sont expressément désignés à cet endroit dans celui de 1693 (1).

Voizeray, qui figure sur la carte de Cassini, était, selon un acte de 1774, un fief relevant noblement à muance de seigneur et de vassal de la seigneurie de Vont (3) ? Selon Carré de Busserolle, il aurait appartenu, vers 1689, à Jacques Thibault (4). Mais dans l'inventaire des titres, fait le 9 décembre 1692, figure un parchemin du 4 septembre 1687 concernant une adjudication faite à Guillaume Drouin pour 10 750 livres (1), qui pourrait bien concerner l'achat de Voizeray par cette famille. Guillaume Drouin, sieur de Champmorin, et sa femme moururent peu de temps après, puisque leur succession se régla à partir du 16 septembre 1692 entre leurs cinq enfants. Dans le premier lot qui échut à René Drouin, on note : « le grand corps de logis de Voizeray avec la métairie de la Guillotière » (1). Le 22 août 1701, René Drouin, seigneur de Voizeray, marchand en la ville de Nantes, bailla à titre de rente foncière et perpétuelle pour 300 livres annuelles : « la maison fief et seigneurie de Voizeray à Urbain Taffonneau notaire à L'Ile-Bouchard, Léonard et Jacques Taffonneau, marchands qui sont dits habitant tous les deux à Voizeray » (5). Cette famille allait en garder la propriété pendant la plus grande partie du XVIIIe siècle.

Le registre des Vingtièmes de 1765 pour Graçay indique que les héritiers d'Urbain Taffonneau, sénéchal de L'Ile-Bouchard, firent déclaration pour « une maison appelée Voizeray auquel ce bien avait été donné par son contrat de mariage », et les métairies de la Basse Cour et la Guillotière (6).

Cependant, de nombreux actes n'ayant pu être retrouvés, il apparaît difficile de comprendre clairement quel fut le sort de Voizeray à la fin du XVIIIe siècle. Les éléments réunis au cours de cette recherche (7) nous donnent le nom des quatre enfants d'Urbain Taffonneau. L'aîné, Pierre-Christophe, vendit le 9 décembre 1773 à Germain Blucheau : « la moitié indivise lui appartenant en indivis avec Urbain, Augustin et Anne » (8). Le 2 novembre 1774, il lui céda « le principal manoir du dit lieu de Voizeray » (3). Mais il semble alors qu'Anne Taffonneau et son mari aient intenté une action en retrait lignager

contre Germain Blucheau (9) le 1er février 1775, et un bail du 6 nivôse an IV (27 décembre 1795) montre qu'ils sont alors en possession de la maison de Voizeray (10), laquelle cependant, au début du XIXe siècle, était définitivement passée à Marie Blucheau.

Après la mort de celle-ci le 21 juin 1829 (11), son fils Joseph, qui hérita de Voizeray, partagea ses biens, le 6 juin 1846 (2), entre ses trois enfants. Le premier lot, attribué à Joseph, comprenait la maison de Voizeray, mais une petite partie avec certaines dépendances étaient rattachées au second lot, notamment « le pavillon au sud-ouest de la cour, connu sous le nom de chapelle » qui échut à son frère.

Joseph Doussard, à son tour, le 12 novembre 1872, donna Voizeray à son fils Joseph-Dauphin, mari de Louise Doussard. Peut-être procédèrent-ils à une restauration, ce qui expliquerait les deux D entrelacés (Doussard-Doussard) qui se remarquent au fronton du portail.

Echangé en 1910, le domaine de Voizeray passa, les 2 et 3 janvier 1926, à Monsieur Charles Guéritault (12) qui n'habita jamais le château (13) laissé plus ou moins à l'abandon. Il devait être vendu, en 1973, aux exploitants de la ferme (14).

Depuis, un effort considérable et persévérant, qui mérite d'être souligné, a été accompli pour remettre en valeur cet édifice peu connu, mais qui ne manque pas d'un certain caractère !

1/ Archives départementales. Acte Arvers du 16 décembre 1692 et 21 janvier 1693. — 2/ Archives départementales. Acte Boulard du 6 juin 1846. — 3/ Archives départementales de la Vienne. Acte Arnaud du 2 novembre 1774. — 4/ Carré de Busserolle. Dictionnaire d'Indre-et-Loire, tome 6, page 345. — 5/ Archives départementales. Acte Arvers du 22 août 1701. — 6/ Archives départementales. C. 8, page 15, article 2. — 7/ Cette recherche a été menée par Monsieur Michel Maître qui a retrouvé les actes cités. — 8/ Archives départementales de la Vienne. Acte Giraud du 9 décembre 1773. — 9/ Archives départementales de la Vienne. Acte Arnault du 1er février 1775. — 10/ Archives départementales. Acte Drouin du 6 nivôse an IV. — 11/ Registre d'état civil d'Assay. — 12/ Archives départementales. Registre de transcription des hypothèques de Chinon, volume 2263, N° 20. Nous remercions Monsieur Bourgne qui a bien voulu nous apporter son aide. — 13/ Renseignement dû à Madame Louis, née Guéritault. — 14/ Nous remercions Madame Prouillac qui a bien voulu nous recevoir à Voizeray.

page précédente : Château de Pierrefitte à Auzouer

AUZOUER

Pierrefitte

Ce toponyme signale la présence d'un monument mégalithique représenté par un dolmen, le plus petit de Touraine. Des fouilles, en 1843, ne donnèrent que peu de résultats : une pièce de monnaie ancienne, un fragment de fibule en verre bleu foncé. On le classa monument historique, en 1887, en tant que... « menhir » (1) !

L'édifice qui lui doit son nom a été l'objet de jugements contradictoires. Ranjard est catégorique : « l'ancien château a disparu et a fait place à une construction moderne » (2) ! Pour Karl Reille : « Pierrefitte a été reconstruit au XVIIIᵉ siècle à la place d'un château plus ancien et les deux ailes élevées au XIXᵉ siècle ont été démolies de nos jours » (3). Bossebœuf, qui les vit encore en 1901, dit : « avec ses trois corps de logis en fer à cheval, il garde une physionomie imposante. Autour du noyau primitif qui se rattache au Moyen

Age, on constate l'œuvre des châtelains du xviie siècle et vraisemblablement les Gardette » (4) !

« L'estat général de la terre et seigneurie de Pierrefitte, Le Plessis Auzouer autres fiefs », légèrement postérieur à 1772 en donne, à la page 15, la description suivante (5) : « Le château, terre et seigneurie de Pierrefitte, tenu noblement du chapitre saint Gatien de Tours, consistant en un grand corps de bâtiment avec deux pavillons et tourelles... couvert en ardoise. Une chapelle couverte de même avec un "dosme" dessus en plomb, et de l'autre côté un coulombier, le tout entouré de fossés plein d'eau. Au midi est un parterre avec bassin d'eau de fontaine... »

Tous ces éléments se retrouvent aujourd'hui et, en 1775, quand il fut revendu d'importantes réparations furent nécessaires, ce qui implique une certaine ancienneté. Dans son gros œuvre, l'édifice peut donc être daté au moins du xviie siècle car, en 1679, il avait sensiblement l'aspect d'aujourd'hui, certes grandement rajeuni par les restaurations modernes !

Il se compose d'un corps de logis central d'un étage et d'un comble flanqué, au midi, de deux tourelles cylindriques, prolongées par deux pavillons dans le même alignement. Au nord, ils sont en assez forte saillie sur la façade rectiligne et symétrique, aux huisseries à petits carreaux. Les toits d'ardoises sur des corniches moulurées sont percés de lucarnes de pierre à fronton courbe, celles des ailes étant récentes. Les poivrières des tours présentent des oculus circulaires.

Les deux grosses tours avaient été, au xixe siècle, reliées chacune aux pavillons par une construction d'un rez-de-chaussée surmonté de mansardes, comme l'indique le plan cadastral de 1835. Elles ont été rasées en 1931, entraînant la réfection à neuf des faces septentrionales de ces pavillons. Celui du levant abrite un escalier en bois du xviie siècle à quatre volées droites et rampe épaisse sur balustres à double poire.

La tour occidentale apparaît très massive sous sa toiture peu inclinée, terminée par un lanternon avec sa cloche. C'était autrefois la fuie, transformée en cuisine quand on construisit les ailes et dotée alors d'une grande cheminée dont le conduit monte jusqu'au plafond.

L'autre, à l'est, abrite la chapelle qui figure, sur les registres de visite de 1776 et 1787, comme étant « en bon état » (6). Son aspect extérieur est le résultat d'un remaniement effectué vers 1900. Elle est couronnée d'une haute corniche en deux registres portant huit pots à feu. La porte à fronton triangulaire, sommé d'une croix, s'ouvre au-dessous de l'une des baies à deux fenestrelles et rosace circulaire. Elles sont garnies de vitraux signés « Fournier 1911 », avec les blasons des familles Baillivy et de la Tullaye. A l'intérieur existe une tribune, entre deux colonnes, accessible naguère par le niveau supérieur de l'aile démolie. Le toit, s'il est toujours en dôme, est couvert d'ardoises avec un clocheton ajouré.

Au midi, la vaste pelouse est creusée d'une pièce d'eau où se reflète l'édifice. Elle est alimentée par une source située à 800 mètres. Des canalisations aboutissent à un réservoir dont le trop-plein s'écoule dans le bassin. Un peu à l'écart, à l'ouest, s'élève l'orangerie, petit bâtiment à toit à quatre versants formant entablement reposant sur quatre colonnes ioniques.

Au nord, la cour d'honneur se prolonge en parterres entourés par les arbres du parc. Les vases posés sur un piédestal, au centre des pelouses, proviendraient du château de Valmer, à Chançay.

Le rôle de 1639 (7) indique le fief du Plessis-Auzouer pour un revenu de 30 livres, mais ne mentionne pas Pierrefitte. Cependant, l'histoire de ces deux maisons apparaît intimement liée dès le xve siècle.

Le fief du Plessis-Auzouer relevait de Château-Renault « à foi et hommage lige, quinze jours de garde, une épée, un arc et 12 flèches » (8). Le dictionnaire d'Indre-et-Loire donne la liste des propriétaires dont le premier connu serait Renaud de Pressigny, vivant en 1265 (8). A la fin du xve siècle apparaît une famille de Fontenay dont les membres sont cités comme seigneurs du Plessis-Auzouer et Pierrefitte. Le dernier, Pierre, aurait vendu, en 1560, Le Plessis et Pierrefitte à Jacques de Lavardin. Ce premier domaine fut cédé par lui, le 13 janvier 1594, à Victor Gardette qui possédait déjà Pierrefitte depuis 1587 où, le 11 novembre, il sollicita de Jacques de Lavardin l'autorisation de construire une chapelle près du chœur de l'église où il pourrait placer ses armoiries (8).

Victor Gardette, juge et lieutenant général au siège présidial de Tours, mourut à Pierrefitte le 26 juillet 1616 et fut inhumé, le lendemain, dans la chapelle seigneuriale édifiée trois ans plus tôt par ses soins. Il avait eu de Marie Lasneau deux garçons, et c'est Jehan, « prévost provincial de Touraine », qui lui succéda. Mais après son décès en 1667, ses héritiers eurent leurs biens saisis, et le château de Pierrefitte fut adjugé, le 17 août 1678, à François Fourneau des Hayes.

Celui-ci, commissaire des guerres, avait reçu des échevins de Besançon des sommes importantes pour les fortifications de la ville. A la suite d'un contrôle effectué par Nicolas Leclerc, trésorier général de l'extraordinaire des guerres, on s'aperçut que François Fourneau était redevable d'une somme de 100 000 livres à sa Majesté qui en rendit responsable Nicolas Leclerc. Celui-ci se retourna vers François Fourneau qui, de la Bastille où il avait été enfermé, autorisa la vente de ses biens (9). Il s'ensuivit une interminable procédure dont Nicolas Leclerc ne vit pas la fin et que continuèrent à sa place ses enfants : Jean-Baptiste Leclerc de Bois Guiche, Nicolas Leclerc de Grandmaison et leur sœur Marie-Henriette qui se firent adjuger Pierrefitte dont héritèrent ensuite

29

les deux filles de Nicolas. Marie-Henriette, épouse de René Thomé, seigneur de Rentilly, et Elisabeth, marquise de la Barberye, vendirent Pierrefitte le 23 mars 1770 (10) à Jean-Joseph Bertrand, seigneur de Saint-Ouen, qui céda son acquisition, le 12 décembre 1775, à Didier-François Mesnard, seigneur de Chouzy, contrôleur général de la maison du roi (11). Par les lettres de son régisseur (5), nous apprenons qu'une partie du château dut être reconstruite sous la direction de Le Camus qui élevait alors la pagode de Chanteloup !

Après la Révolution, le 17 vendémiaire an XIV (9 octobre 1805), les héritiers du comte de Chouzy ayant été saisis, le château de Pierrefitte fut adjugé au tribunal de la Seine à un ancien officier, Pierre Cueillet Dubey. Celui-ci le légua à sa mort à dame Marie-Elisabeth Dumesnil, alors épouse d'Alexandre-François de Baillivy, le 15 septembre 1807.

Ses descendants en ligne directe en ont gardé la possession jusqu'à ce jour (9). Au cours de la dernière guerre, le général Hertz vint établir à Pierrefitte, le 19 juin 1940, son quartier général d'où il dirigea les opérations de franchissement de la Loire mais, dès le lendemain, il le quitta pour Nitray (12). L'armée ennemie occupa néanmoins Pierrefitte pendant une semaine. C'est bien sans doute le seul rôle, ô combien éphémère, que Pierrefitte joua dans l'histoire de France.

1/ Cordier G. Inventaire des mégalithes de France. Indre-et-Loire (1984), page 22. — 2/ Ranjard. Touraine archéologique (1949), page 168. — 3/ Reille K. 200 châteaux et gentilhommières d'Indre-et-Loire, page 131. — 4/ Bulletin de la Société Archéologique de Touraine, tome 13, pages 231, 222. — 5/ Archives départementa!es. E 119. — 6/ Archives départementales. G 14, page 16 verso, page 34. — 7/ Rôle des fiefs de Touraine, page 146. — 8/ Carré de Busserolle. Dictionnaire d'Indre-et-Loire, tome 1, pages 85, 86 et tome 5, page 70. — 9/ Bulletin de la Société Archéologique de Touraine (1987), page 827. — 10/ Archives nationales. Acte Boulard du 23 mars 1770 à Paris. Actes recherchés par Monsieur Michel Maître. — 11/ Archives nationales. Acte Cordier à Paris du 12 décembre 1775. — 12/ Bulletin de la Société Archéologique de Touraine, tome 37, pages 460 et 462.

AVON-LÈS-ROCHES

Naye

Le ci-devant château de Naye se compose notamment : « d'un bâtiment avec deux chambres à cheminée, une petite chambre froide, un vestibule où se trouve un escalier en pierre dure conduisant au grenier ». Ainsi s'exprimait un acte du 7 juillet 1827 (1).

Il apparaît évident que l'actuel « château » de Naye est le résultat d'un remaniement profond qui est daté « 1870 » et signé des initiales des prénoms de Léopold Savatier et Victorine Grosset : L. V. Mais les travaux de ravalement récents ont fait surgir sur la façade méridionale des témoins d'une époque plus lointaine, particulièrement la partie droite d'une grande arcature. On peut en déduire que le corps de logis ancien aux murs épais de 90 centimètres a été conservé, surhaussé, et élargi au nord, en le dotant d'une aile perpendiculaire en léger retrait par rapport au pignon ouest. A leur jonction, on éleva une sorte d'avant-corps en pierres de taille limité par de hauts pilastres cannelés supportant un entablement couronné d'un tympan courbe percé d'un oculus. Le clocheton qui le surmontait et visible sur de vieilles cartes postales a été supprimé. Le linteau de la porte d'entrée qui s'ouvre à la base est décoré de guirlande de feuillage entourant une tête expressive avec barbe et moustache tombante qui serait, selon la tradition, le portrait de Léopold. Celui de sa femme, aux longues boucles de cheveux, n'a droit qu'à un linteau de fenêtre.

31

On remarquera deux frises intéressantes au-dessus des baies du rez-de-chaussée : l'une représente deux dragons ailés de part et d'autre d'une coupe de fruits, l'autre un aigle aux ailes éployées entre deux rameaux de feuillage dont les tiges entourent chacun des chiffres : 1 8 7 0. Cette décoration curieuse et tout juste centenaire ne saurait faire oublier que ce site fut occupé dès le XIe siècle où s'éleva sans doute un château dont le bâtiment décrit en 1827 n'était probablement qu'une dépendance. Des fouilles, seules, pourraient répondre à cette question.

Une tourelle au midi, encastrée dans le mur de clôture, reste un vestige de ce passé. Edifiée en moellons sur plan circulaire de moins de 4 mètres, sa salle basse avait un rôle défensif comme l'indiquent six archères, très ébrasées intérieurement mais de dimensions différentes. Le premier étage forme un colombier carré avec trois travées de sept, six et trois rangées de six boulins sur chaque face et séparées par deux cordons d'appui. Le tout en parfait état, avec quelques pigeons qui pourraient sortir par une petite lucarne de bois aménagée dans le toit mi-ardoises, mi-tuiles plates, mais préfèrent la porte béante !

Au nord des bâtiments, sous un hangar, s'ouvre l'entrée d'un couloir de plus d'un mètre de large, couvert d'une voûte en berceau appareillé, formant une ligne brisée de deux tronçons d'environ 5 mètres de long qui débouchent dans une cave simplement entaillée dans le rocher !

La cour est fermée à l'ouest par les servitudes de la ferme, dont les ouvertures et particulièrement une grande arcade ont été murées aux termes d'une convention du 2 juin 1967 que rappelle le dernier acte (2).

Une charte de 1088 du cartulaire de Noyers concerne le don fait à cette abbaye, en réparation d'un crime commis par Hugues Dindel, de l'église d'Avon et des dîmes perçues sur sa « Terrae de Anais » (3) qui deviendra Nay sur la carte de Cassini. Un aveu de 1754 indique : « que le fief de Nay relevait à foi et hommage lige » de la baronnie de L'Ile-Bouchard (4). Le dictionnaire d'Indre-et-Loire cite comme propriétaire en 1368 Huguet de Nays et, en 1480, Louis de la Trémoille (5). Le registre du Centième denier mentionne le 18 novembre 1723, à propos de la « maison et seigneurie de Nays », Jacques de Fortier (6). On ne possède donc sur l'histoire de ce fief que des renseignements fragmentaires. La liste continue de ses possesseurs ne peut être établie de façon certaine qu'à partir de 1754 où, le 20 octobre, Paul-Jean-Baptiste Barjot de Roncée (à Panzoult) rendit l'hommage dont nous avons fait état (4).

Comme nous l'avons rappelé par ailleurs (7), ce grand seigneur devait tomber dans un tel état de démence qu'il fut interdit par sentence du Châtelet de Paris le 30 juin 1770. Il fut alors assigné à résidence à Loches où il mourut le 26 prairial an IV (12 juin 1796). Deux notaires de la ville, Mes Pescherard et Hamel, vinrent constater son état, avant que ne fut établi, en présence de la famille royale, le contrat de mariage de sa fille mineure Marie-Joséphine-Caroline, les 14 et 28 novembre 1779, avec « très haut et très puissant seigneur Jean-Louis-Marie le Bascle, comte d'Argenteuil, en survivance lieutenant général des provinces de Champagne et de Brie, mestre de camp de cavalerie... ». Dans les biens donnés à la future figure sans autre précision : « les terres et seigneuries de Roncée, Avon et Cravant avec leurs circonstances et dépendances, situées en Touraine » (8). On sait que, sous la Révolution, le Bascle d'Argenteuil réussit à se cacher sans s'exiler, mais n'en fut pas moins inscrit sur la liste des émigrés (9) et ses biens furent saisis. Le 8 thermidor an II (26 juillet 1794), « la maison et domaine appelé le château de Naye à Avon provenant de l'émigré Lebascle » furent adjugés pour 30 100 livres au citoyen Savatier de Trogues (10).

Cette famille Savatier allait en garder la possession jusqu'en 1909, et c'est le petit-fils de l'acquéreur, Léopold-Romain, qui le recueillit en partage le 27 juillet 1846 qui, en 1870, donna à l'édifice l'aspect que nous lui voyons. N'ayant pas eu d'enfant, il en fit don à ses deux neveux en 1887 (11) qui restèrent dans l'indivision jusqu'en 1909 où un jugement du tribunal de Chinon du 26 janvier ordonna la licitation.

Le 28 mars 1909, l'adjudication fut prononcée au bénéfice du ménage Girard-Roy dont les descendants l'ont vendu en 1969 à ses propriétaires actuels qui ont restauré la maison en essayant de retrouver les traces d'un passé que ne laisserait pas supposer cette date de 1870, gravée par Léopold Savatier qui a laissé son portrait à la postérité !

1/ Archives départementales. Acte Bouchet (Ile-Bouchard), 7 juillet 1827. — 2/ D'après l'acte de propriété mis à notre disposition par Monsieur Catelas. — 3/ Mémoires de la Société Archéologique de Touraine, tome 22, page 198. — 4/ Archives départementales E 6. — 5/ Carré de Busserolle. Dictionnaire d'Indre-et-Loire, tome 4, page 364. — 6/ Archives départementales. Registre du Centième denier de L'Ile-Bouchard (1723-1727), page 46 verso. — 7/ Voir tome 3 des « Vieux logis de Touraine », page 145. — 8/ Archives nationales. Contrat Lormeau, 14 novembre 1779. — 9/ Archives départementales Q 793. — 10/ Id. Q 1165, affiche N° 413. — 11/ Id. Registre de transcription des hypothèques de Chinon, volume 1491, N° 58 et 59. Actes recherchés par Michel Maître.

AZAY-LE-RIDEAU

La Grande Loge

Quand il est question de la Grande Loge, on rappelle invariablement qu'en 1725 Louis Bertrand y construisit une chapelle où il fonda quatre messes. Il y a là une double erreur qui se répète d'un ouvrage à l'autre (1) et qu'il convient de rectifier. Ce n'est pas de Louis Bertrand dont il s'agit, mais de Louis Bastard. S'il fit bien, le 14 décembre 1725 (2), une fondation pour quatre offices à célébrer à des dates déterminées « dans la chapelle basse de sa maison de la Grande Loge », c'est que celle-ci existait à cette époque et il n'en fut pas le constructeur !

Ce petit édifice quadrangulaire, qui doit être contemporain du manoir généralement daté du XVIᵉ siècle, occupe l'angle sud-ouest d'une enceinte dont l'arrachement est très visible sur la paroi orientale où se remarque un corbeau très mouluré, support possible d'une bretèche disparue. Cet oratoire jouait incontestablement un rôle défensif comme en témoignent des meurtrières très ébrasées intérieurement, au conduit s'achevant par un orifice circulaire. Un fleuron termine les rampants du pignon à « rondelis » aboutissant, à chaque angle, à une sorte de pinâcle. On y accède de la cour par une porte en arc surbaissé accompagnée à gauche par un oculus circulaire. Sa transformation en boulangerie, vers 1830 (3), a fait disparaître tout caractère religieux. Cependant l'autel subsiste, simple table de pierre encastrée dans un enfeu en anse de panier. Le registre de visite de 1776 indique cette chapelle, appartenant à Monsieur Mercier, comme étant en bon état à l'exception : « d'une ouverture dans un angle qu'il convient de fermer » (sans doute s'agit-il de l'une des meurtrières ?) (4).

Le logis, élevé en alignement à quelque distance, est flanqué, à l'angle nord-ouest, d'une tour circulaire en moellons enduits, peut-être un autre vestige du système défensif. Remaniée à la partie supérieure, elle a été dotée d'une haute poivrière d'ardoise. L'habitation ne comporte qu'un rez-de-chaussée et un comble à deux versants éclairé au levant par trois lucarnes à fronton triangulaire, la plus grande, au centre, ayant conservé sa croisée de pierre à meneaux plats. La façade est accostée à son extrémité méridionale par une tour polygonale couverte en dôme. Elle abrite l'escalier à vis de pierre où une corde pendant le long du noyau sert de main-courante. Sous cette partie de l'édifice existe une cave sous plancher.

Le plan cadastral de 1814 montre qu'à ce corps de logis étaient contiguës deux ailes en retour d'équerre fermant la cour. Celle du nord comprend notamment une grange à charpente à double faîtage ayant un grand portail sur chaque face. A sa suite, on trouve une petite construction, surélevée, au XIXe siècle, d'un comble à la Mansard, dont la salle basse est chauffée par une cheminée à hotte droite sur deux corbeaux de pierre. L'aile du levant est coupée par l'entrée actuelle qui n'existait pas en 1814. Il n'y avait alors que deux accès l'un au nord, l'autre à l'est avec colombier sur l'une des portes d'entrée, complètement disparu maintenant (3).

On remarquera dans le parc, sur un piédestal en pierre, un cadran solaire horizontal avec style triangulaire placé perpendiculairement.

La Grande Loge appartenait, en 1478, à un fauconnier du roi, Jehan de Valence (5), mais nous ne savons rien de ses successeurs immédiats. Cependant, nous voyons sur le registre paroissial que René Dupuy, écuyer, sieur de la Loge, et Marie Devocelle baptisèrent une fille le 4 août 1617 (6) ?

La liste continue des propriétaires « de la maison et métairie » de la Grande Loge ne peut être établie avec certitude qu'à partir de ce Louis Bastard qui épousa, à Sazilly (6) le 17 novembre 1710, Marie-Thérèse le Bourguignon. On le dit alors « conseiller du roi et maire perpétuel d'Azay ». C'est à lui que l'on doit la fondation des quatre messes devant être célébrées dans la chapelle de sa maison. Il eut au moins deux filles dont l'une, Antoinette, s'unit en secondes noces, à Vallères, à Jean Demutz, procureur au bailliage de Chinon, le 15 juin 1739 (6). Mais au baptême de l'une de leurs filles, « Antoinette-Charle », le 1^{ier} juin 1751, il est qualifié de « contrôleur ordinaire des guerres et juge ordinaire de cette paroisse » (6). Celle-ci devait se marier à Michel Mercier, désigné comme propriétaire en 1776 sur le registre de visite des chapelles, mais dont elle était veuve le 7 juin 1783, quand elle vendit à ses cousins germains Pierre Vezin et Marie-Madeleine Destouches (7). Louis Vezin, héritier de ses parents, revendit le 29 octobre 1817 (8) à François Yvon et Marie-Anne Bellanger qui cédèrent leur acquisition, le 29 septembre 1830 (3), à Paul Lorain, « professeur de rhétorique au collège Bourbon à Paris », dont les descendants devaient en garder la propriété pendant presque un siècle.

C'est en effet le 17 juin 1920 que Jean-Charles Lorain céda la Grande Loge au ménage Rigaud-Gardey. Ce sont ces derniers qui ont vendu, le 16 février 1946 (9), à la famille qui en a toujours la possession et entretient avec amour ce témoin assez méconnu du patrimoine prestigieux d'Azay-le-Rideau !

1/ *Carré de Busserolle. Dictionnaire d'Indre-et-Loire, tome 4, page 103. — Ranjard. La Touraine archéologique (1968), page 178. — J.-M. Rougé. Vieilles demeures tourangelles, page 157. — 2/ Archives départementales G 693. — 3/ Id. Acte Chesneau, à Azay, du 29 septembre 1830. — 4/ Id. G 14, page 3 verso, page 24 verso. — 5/ Renseignement dû à Monsieur Eugène Pépin. — 6/ Registres paroissiaux d'Azay, Vallères, Sazilly. Dates signalées par P. Robert. — 7/ Archives départementales. Acte Bernier, à Chinon, du 7 juin 1783. — 8/ Id. Acte Bourée, à Azay, du 29 octobre 1817. — 9/ Nous remercions Madame Bittnen-Touze qui, en nous communiquant son acte de propriété, a permis cette étude.*

BEAULIEU-LÈS-LOCHES

La Maison "Suzor"

Au numéro 1, de la rue des Morins, presqu'en face de la maison dite « des Templiers » qu'une heureuse initiative de la municipalité a remis pleinement en valeur, on remarque un hôtel particulier enrobé, l'été, dans la verdure qui en dissimule son intérêt architectural, pourtant digne d'attention !

La façade principale, donnant sur une petite cour au midi, présente trois travées de percements symétriques : celles des extrémités terminées par des oculus en pierre, celle du centre par une lucarne à fronton courbe. Une autre semblable éclaire le comble à trois pans d'ardoise du côté de la rue. Toutes les baies sont à linteau cintré et une large corniche surmonte la porte d'entrée à deux vantaux.

Cette construction, qui pourrait dater du XVIIe siècle, est entièrement élevée sur une vaste cave voûtée en berceau appareillé, vestige vraisemblable d'un édifice plus ancien dont il subsiste d'autres témoins. Le plus important, au levant, est une belle tour polygonale en pierres de taille coupée à mi-hauteur par un bandeau mouluré. Elle abrite un escalier à vis de pierre desservant tous les niveaux du sous-sol au grenier couvert d'une charpente à double faîtage. La porte en arc surbaissé donnant accès au premier étage a conservé son huisserie d'origine avec décor de serviettes plissées sur deux rangées de trois panneaux chacune. Cette tour du XVe siècle est accolée au pignon « à rondelis » sur lequel s'appuie la maison et dont les fenêtres à meneaux ont été malheureusement dénaturées. Il est donc à peu près certain que l'habitation actuelle a été bâtie en prenant pour assise ce mur d'environ 80 centimètres d'épaisseur. L'aile en retour d'équerre sur la rue, avec escalier en pierres qui vient d'être rénové, est un peu plus récente ?

Le grand jardin intérieur, limité au nord par une ruelle étroite au nom évocateur « Frotte Bottes », est bordé à l'est par une ligne de dépendances où est aménagé un porche sous plancher, permettant « aux chevaux et voitures », précise-t-on en 1882 (1), de sortir dans la rue du Puits-Mourier !

Nous ignorerons toujours, sans doute, les origines de ce vieux logis par suite de la destruction accidentelle des minutes notariales antérieures à 1824. Les actes postérieurs retrouvés permettent seulement d'affirmer qu'en 1807, il appartenait à Jean Suzor, dont il a été question à propos de Basile (2). Rappelons qu'il était le fils de Jean Suzor, frère de Pierre Suzor qui fut le premier évêque constitutionnel d'Indre-et-Loire. De Preuilly, sa ville natale, Jean Suzor vint épouser en l'église Saint-Pierre de Beaulieu, le 10 mars 1768, Anne-Véronique Boistard. Parmi les signatures des témoins figure celle de son oncle Pierre qui n'était encore que curé d'Ecueillé (3). De cette union allaient naître onze enfants dont six étaient encore vivants lorsqu'il leur fit donation le 1er septembre 1807, peu de temps avant sa mort survenue le 8 décembre suivant. Nous avons vu que « Basile » échut à Pierre-François Suzor, alors que la maison « située à Beaulieu, rue du Carroi des Morins » (4) était attribuée à Hippolyte-Constant Suzor, qui avait été baptisé en la paroisse Saint-Pierre de cette ville, le 30 septembre 1775 (3), marié à Marie-Jeanne Saint-Julhet.

Leur père, malgré sa nombreuse progéniture, s'était constitué un important patrimoine immobilier. Il avait notamment acquis d'Antoine Gangneux, fabricant, le 23 floréal an VIII (13 mai 1800), un magasin rue des Morins. Peut-être que c'est également à cette époque qu'il acheta cette maison. Nous savons seulement qu'elle faisait partie de sa succession, mais son origine de propriété n'est pas indiquée.

Le 13 octobre 1839 (4), Hippolyte Suzor-Saint-Julhet vendit l'immeuble alors loué. Ses limites à l'ouest sont intéressantes à relever : « joignant au couchant la rue ” du Carroi des Morins ” et les bâtiments de l'école primaire » ! Il y avait donc bien, à cette époque et à cet endroit, une école à Beaulieu-lès-Loches. L'acquéreur était le frère du vendeur : Louis-Fidèle Suzor. Baptisé le 14 mars 1772 (3), marié le 11 février 1793 avec Marie-Anne Blet, veuf le 1er prairial an VIII (21 mai 1800) avec un garçon et une fille en bas âge, il s'était remarié le 6 vendémiaire an X (28 septembre 1801), à Ferrière-sur-Beaulieu (5), à Marie-Victoire Chesnon qui lui apporta la Persillère (6) et lui donna trois enfants ! Il devait décéder à 78 ans, le 1er août 1850, leur ayant fait donation le 13 juin 1849 (7). Il possédait entre autres biens à Beaulieu : une grande maison, rue Bourgeoise, où il faisait son habitation, comportant quatre corps de bâtiments et bordant le « canal de l'Indre », une seconde plus petite nommée « l'Huilerie », le magasin situé rue des Morins avec l'édifice faisant l'objet de cette étude alors loué à un ancien notaire Me Jamin. Ces quatre immeubles formèrent, avec de nombreuses parcelles de terre, un lot qui fut attribué à la fille aînée Constance Suzor, épouse de Joseph Navers, propriétaire avec lequel elle demeure à Loches.

Le 2 février 1860, Madame Navers céda la maison rue des Morins à son cousin germain, Gabriel-Pierre-Alexandre Suzor, qui mourut célibataire le 13 juin 1878. Au partage de ses biens le 31 janvier 1879 (8), ce fut son frère Louis-Théodore Suzor qui en hérita. Il y résidait avec son épouse Clémentine Ségaud quand, le 26 janvier 1882, ils l'aliénèrent à Mademoiselle Jeanne-Joséphine Harmand, lingère à Paris (1). Ayant appartenu pendant environ un siècle à cette famille Suzor qui joua un rôle important à Beaulieu-lès-Loches, cette maison sortait définitivement de leur patrimoine. Nous avons pensé qu'il serait bon de lui donner leur nom ne figurant plus aujourd'hui que sur l'important carré de leurs tombes au cimetière !

Mademoiselle Harmand, devenue la femme d'Alfred-Ernest Jougleux, décéda à Saint-Symphorien, le 25 février 1922. Elle laissait une fille, Blanche-Marie, qui s'était unie à Albert Delanoue, instituteur, auteur des « Contes éponymes et toponymes du Pays Lochois », édité par Gibert-Clarey en 1954 !

Ce sont ces derniers qui cédèrent l'immeuble, le 14 juillet 1946, à Monsieur et Madame Vallet qui revendirent le 21 janvier 1960 au ménage Ravier. Le 18 juillet 1965, il fut acquis par ses propriétaires actuels (9) qui l'ont remis en valeur par la restauration de la clôture comportant la pose d'une belle grille en fer forgé donnant vue sur la façade méridionale de cette élégante construction !

1/ Archives départementales. Acte Tériel, Beaulieu, 26 janvier 1882. — 2/ Voir « Basile » dans le tome 6 des « Vieux logis », page 20. — 3/ Registres paroissiaux de Beaulieu-lès-Loches. — 4/ Archives départementales. Registre de transcription des hypothèques de Loches, volume 131, N° 4. — 5/ Registre paroissial de Ferrière, acte retrouvé par Mademoiselle Monique Fournier. — 6/ Voir la Persillère à Ferrière dans le même volume. — 7/ Archives départementales. Acte Guicestre, Beaulieu, le 13 juin 1849. — 8/ Id. Acte Marié, Loches, 31 janvier 1879. — 9/ D'après l'acte de propriété mis à notre disposition par Monsieur et Madame Vappereau qui a permis cette étude.

BENAIS

L'Argenterie

A cinq cents mètres du centre du bourg, qui s'enorgueillit de l'entrée monumentale de son château, se cache une modeste gentilhommière pleine de charme et d'intérêt, qui reste ignorée et rarement signalée !

Sa cour ouvre sur un petit chemin, qui doit contourner l'ensemble constitué par ses bâtiments, par une porte charretière à linteau cintré dont le couronnement a dû être consolidé à l'extérieur par une poutrelle de fer. Ainsi a pu être conservé, sur le côté opposé, une sorte de colombier en plein air, constitué par six rangées de boulins. Une seule est complète, les autres étant séparées par l'arcature intérieure, épaulée par deux contreforts amortis en glacis. Un pan de muraille en oblique est percé d'un guichet pour piétons en plein cintre.

La partie la plus ancienne du logis en moellons enduits, entre deux pignons à « rondelis », présente au midi une façade flanquée de deux tours en pierres de taille. L'une cylindrique, de faible diamètre et de hauteur réduite, est coiffée d'une poivrière d'ardoises ; l'autre, polygonale, abritait un escalier à vis qui s'est effondré vers 1911. Le linteau droit de sa porte est orné d'une moulure interrompue au centre par un cartouche carré dans un encadrement festonné, destiné probablement à recevoir des armoiries. Au-dessus, une grande baie a été murée. Sous la fenêtre s'ouvre l'entrée d'une cave en voûte appareillée. Une autre semblable, mais placée perpendiculairement, existe sous la seconde partie de l'habitation élevée postérieurement et qui a été très restaurée. Elle devait être plus importante que maintenant, car sur son pignon occidental est restée accrochée, au premier étage, une belle cheminée du XVIIe siècle avec trumeau aux angles incurvés et corniche à denticules. Le foyer est aveuglé comme la porte de communication placée en dessous. La différence des niveaux des greniers a dû être compensée par six degrés de pierre aboutissant à un percement à jambages chanfreinés.

Au sud de la cour, un pavillon carré en pierres de taille, ceinturé aux trois quarts de sa hauteur par une moulure en saillie dont il manque un fragment, servait au premier étage de colombier qui est en parfait état ! Il comportait, séparées par un double cordon en relief, trois travées de boulins, les deux premières de cinq rangées, la dernière de quatre. Une lucarne en bois dans le toit permettait l'entrée des pigeons. Deux petites ouvertures supplémentaires jumelles ont été percées, nécessitant la suppression de quatre niches. Cette fuie témoigne de l'importance du domaine.

Dans un bâtiment des dépendances, placé en retour d'équerre, subsistent les vestiges d'une ample cheminée à hotte droite reposant sur des consoles. Mais une seule de celles-ci est supportée par un jambage demi-cylindrique, l'autre ayant disparu. Ce local devait être la boulangerie, car on y voit encore la bouche d'un four qui n'existe plus !

Cette petite gentilhommière figure sur la carte de Cassini sous le terme : « L'Agentrie ». Mais le dictionnaire d'Indre-et-Loire mentionne simplement le lieu-dit comme ferme, sans donner aucun renseignement (1). Il faut avoir recours aux registres paroissiaux pour connaître quelques-uns de ses propriétaires (2).

Le 8 août 1631, Pierre Bodineau, sieur de « l'Argentrye », est parrain, fonction qui est remplie à nouveau, le 22 octobre 1653, par « noble homme » Pierre Bodineau, « sieur de l'Argentrye », avocat au Parlement ». Le 1er avril 1681, on baptisa Marguerite, fille de Gilles Molan, « sergent royal, fermier de l'Argenterie » qui a donc, dès cette époque, un régisseur.

Le 4 août 1715, est marraine à Benais « Françoise de Sainte Cécille de l'Argenterie ». Elle est dite fille de « feu Louis de Sainte Cécille, seigneur de la Gaucherie » (3). Il avait épousé, le 4 février 1692, Jeanne-Baptiste de Grenouillon (4) qui fut inhumée à 54 ans, le 26 août 1719, dans l'église de Benais en présence de quatre de ses cinq enfants, dont Jeanne-Baptiste et Angélique encore mineures. Le partage de leurs successions eut lieu le 18 mars 1724 (5). L'Argenterie fut attribuée à Jeanne-Baptiste. Sa sœur Angélique se maria, le 25 juin 1731 (2), à Charles-François de Romans, seigneur de Fline (6), mais elle mourut le 5 avril 1735 (7) laissant deux enfants en bas âge. Leur père se remaria le 9 septembre 1738 à Anne du Tertre et, le 21 mai 1743 (8), il acheta de Jeanne-Baptiste de Sainte Cécille « la maison et terre de l'Argenterie » moyennant 1 200 livres et une rente viagère de 400 livres.

Du premier lit était issue une fille, Sophie-Julie, qui sera religieuse. Son frère, Charles-Louis Joseph de Romans, devait s'unir le 10 janvier 1764, dans la chapelle du château de Rochecotte (7), à Marie-Françoise Guillon de Rochecotte qui décéda avant 1778. Lui mourut à Saumur, le 23 mai 1813. Leur fille Jeanne-Emilie, née le 24 juin 1769, était veuve de Joseph Le Roux de Mazé quand elle fit donation, vers 1820, à Adolphe Le Roux de Salvert. Le 6 novembre 1861, le fils cadet de ce dernier, Charles Le Roux de Salvert de Mazé qui en avait hérité de son frère Emile en 1859, vendit l'Argenterie à Monsieur Hubert Verdon-Houx (9).

Depuis cette date et jusqu'à ce jour, quatre générations de leurs descendants en ligne directe, mais généralement par les femmes se sont succédées dans cet ancien manoir seigneurial. La cinquième qui va prendre la relève aura la charge d'assurer la sauvegarde de cet édifice très méconnu dont il était utile de retracer le passé (10).

1/ Carré de Busserolle. Dictionnaire d'Indre-et-Loire, tome 1, page 57. — 2/ Registres paroissiaux de Benais. — 3/ La Gaucherie, commune du Voide et de Montivillier (Maine-et-Loire). — 4/ C. Port. Dictionnaire du Maine-et-Loire, tome 2, pages 234, 153. — 5/ Archives départementales. Acte Farouelle père (Benais), 18 mars 1724. — 6/ Fline, commune de Martigné-Briand (Maine-et-Loire). — 7/ Nous remercions Monsieur Mayaud qui nous a communiqué la généalogie de la famille de Romans. — 8/ Archives départementales. Acte Farouelle (Benais), 21 mai 1748, retrouvé par Michel Maître. — 9/ Id. Registre de transcription des hypothèques de Chinon, volume 502, N° 275. — 10/ D'après la liste des actes établis par Me Retif de Gizeux à la demande de Madame Tulasne.

BERTHENAY

La Baillardière

Le vieux plan terrier de Luynes datant du XVIIIᵉ siècle (1) montre quelques différences avec ce que nous voyons aujourd'hui où trois corps de bâtiments bordent les côtés d'une cour ouvrant sur le chemin. Le logis central n'était prolongé à l'ouest que par une avancée minuscule, terminée par un pignon où saillait la motte du four. Un large passage la séparait d'une importante construction dont l'aile occidentale actuelle, plus étroite, a pris la place.

Par contre, tous les éléments situés au sud et à l'est sont identiques à ceux minutieusement décrits dans le document annonçant sa vente en 1765 (2). C'est la partie orientale qui apparaît particulièrement intéressante avec son rez-de-chaussée entièrement en damier de pierre et de brique. Tout le pan de mur avant la porte d'entrée est uniquement en briques, avec une ouverture en plein cintre éclairant la chapelle qui, à l'origine, devait terminer le premier édifice que l'on peut dater de la fin du XVᵉ siècle. On peut émettre l'hypothèse qu'il a servi de soubassement à la grande reconstruction du XVIIᵉ siècle en pierres de taille et se développant en équerre. Par un perron de cinq marches, on accède toujours « au cabinet » occupé par un magnifique escalier de cette époque, tout en bois, avec rampe à balustres à double poire. Le point de départ est une véritable œuvre d'ébénisterie figurant une volute allant en s'élargissant à la base, délicatement ornée sur les faces et l'épaisseur de feuillages finement sculptés. Un arrêté du 29 août 1947 a inscrit à l'inventaire supplémentaire des monuments historiques : « l'escalier du XVIIᵉ siècle et la chapelle ». Celle-ci, construite sur un caveau en voûte appareillée, est le second élément original de cette demeure.

De plan rectangulaire d'environ six mètres sur quatre, elle se prolonge par un chœur à trois pans, faisant saillie à l'extérieur et éclairé par deux baies en plein cintre, dont l'une a été murée. Celle du centre au-dessus de l'autel en bois, toujours en place, est garnie d'un vitrail formé de losanges où est encastré un médaillon quadrangulaire représentant une Vierge à l'enfant rappelant que cette chapelle lui était dédiée (2). Le plafond est entièrement peint et forme environ 175 panneaux ornés de motifs tous différents : feuillages, couronnes d'épines, instruments de la passion, monogramme du Christ, têtes d'angelots ailés, L avec couronne royale et palmes. L'écusson aux trois fleurs de lys occupe une surface plus grande, mais se trouve répété en d'autres endroits. Dans l'angle nord-ouest figure l'inscription : « Anno 1634 » et, dans celui du sud-ouest : « Anno 1854 », sans doute la date d'une restauration ? Le registre de visite des chapelles de 1776 indique : « à la Baillardière appartenant à monsieur Delavau, en bon état, mais une chambre au-dessus où dit-on, ne couchent que des ecclésiastiques. Il y a une fondation de 12 messes à la charge de la fabrique » (3). En marge, cette note : « à accorder en ordonnant que la chambre à coucher soit supprimée ou la chapelle sera interdite ipso facto ». Ce qui fut fait sans doute car, en 1787, l'autorisation fut accordée jusqu'en 1791.

Un élément particulièrement curieux figurant sur le plan du XVIIIᵉ siècle a malheureusement disparu. C'était dans le jardin, au midi de la ferme, au centre d'un vivier « empoissonné », une fuye garnie de boulins avec pivot, échelle et couverte en dôme de tuiles » (2) !

La Baillardière qui semble figurer sur la carte de Cassini par la « Bouillarderie », terme qui n'est jamais employé dans les actes, relevait du fief de Sainte-Maure à 4 livres 3 sols pour tout devoir (2). C'est un titre de rente constituée le 20 février 1644 qui nous donne le nom du premier propriétaire connu à ce jour : César de Grandnom (2). Il fut peut-être le constructeur de l'édifice du XVIIᵉ siècle et aurait pu commander les peintures de la chapelle ?... Le 5 avril 1697, la Baillardière fut vendue et son propriétaire, en 1757, était encore François Douault. Sa succession fut âprement disputée entre les multiples héritiers et aboutit à la vente de la Baillardière, le 11 mai 1765, qui fut adjugée à François-Louis Delavau. Son petit-fils, François-Désiré Delavau, négociant à Bordeaux, la vendit le 17 vendémiaire an X (9 octobre 1801) (4) à Louis Gallois qui la céda, le 15 février 1812, à Charles Boisard, colonel de gendarmerie en retraite. Le 10 mars 1824, il l'aliéna à Noël-André Bidault (5), notaire à Tours où il mourut le 27 janvier 1833. Au règlement de sa succession le 21 décembre 1833 (6), c'est son fils Noël-François qui choisit la Baillardière pour sa part. Mais après son décès le 18 décembre 1870 et celui de sa mère le 9 février 1871, sa sœur resta seule propriétaire.

Cette dernière, Louise-Pauline Bidault, s'était unie au fils aîné du général Liébert, baron de Nitray : Pierre-Charles-Marie qui avait reçu ce château au partage de 1816 (7). Veuve le 8 décembre 1870, elle fit donation à ses enfants le 10 juin 1871 : Charles Liébert, baron de Nitray, et Anne-Marie épouse d'Arthur-Marie-Pierre, marquis de Quinemont, résidant au château de Paviers. Tous les deux vendirent une partie de la Baillardière, le 28 avril 1872, à Louis Rochereau et Jeanne Messant. Ces derniers recevaient tous les bâtiments au levant du grand corps de logis, occupé par les époux Roblin, avec près de quatre hectares de terre « faisant partie d'une plus grande propriété ». C'est donc de cette époque que date la division de ce vaste ensemble.

La partie orientale avec l'escalier et la chapelle et la moitié de l'immeuble méridional sont toujours en possession de l'arrière-petit-fils de l'acquéreur de 1872, Monsieur Lionel Rochereau (8).

1/ Archives départementales E 364. — 2/ Id. Série B (1765), pages 4, 5, 11, 15. — 3/ Id. G 14, pages 5, 25. — 4/ Id. Acte Normand à Tours du 17 vendémiaire an X. — 5/ Id. Acte Couturier à Tours du 10 mars 1824. — 6/ Id. Acte Belle à Tours du 21 décembre 1833. — 7/ Bulletin de la Société Archéologique de Touraine (1984), page 959. — 8/ Nous remercions Monsieur Lionel Rochereau qui, en nous confiant son acte, a permis cette étude.

BOURGUEIL

L'Hôtel de Ville

Le 3 mars 1973, la municipalité de Bourgueil se rendait propriétaire, pour y transférer ses services, de « la Maison de la Rivière ». Eclatante de blancheur sous son crépi neuf, ce n'en est pas moins, comme se plaît à le souligner l'acte d'achat : « une construction ancienne édifiée à diverses époques du xv° au xix° siècle » (1) !

Elle se compose d'un grand corps de bâtiment rectangulaire, dont la façade orientale, avec ses six travées de percements, est coupée à mi-hauteur par un bandeau courant à la base des allèges des baies du premier étage. Le comble à deux pans d'ardoise est éclairé de ce côté par deux lucarnes à gâble aigu. Les trois portes-fenêtres centrales du rez-de-chaussée donnent sur un large perron à garde-corps métallique, accessible par un escalier en fer à cheval. Au bas de la chaîne harpée médiane, on remarque un écu placé dans une couronne soutenue par deux dragons ailés !

Le pignon nord, à « rondelis » faiblement accusé, est percé à la partie supérieure de deux ouvertures à croisée de pierre, celle de droite murée. Au-dessus du linteau de la porte basse est encastré un cartouche orné de deux palmes croisées, encadrant un blason « d'azur à trois lions d'or » sous un heaume empanaché. Ce sont les armes de la famille de Caulx, et la date de 16ZZ gravée dessous pourrait indiquer que François de Caulx en fut peut-être le constructeur ?

La façade occidentale a été l'objet, au siècle dernier, d'une transformation profonde. On ajouta, à chaque extrémité, une aile aux angles incurvés. La toiture à quatre versants, et faîte à deux épis, présente des lucarnes à encadrements à bossages. Chaque tympan courbe est timbré d'un D entouré de feuillage, initiale d'Eugène-Georges Dion, dont l'épouse avait reçu la propriété en donation le 11 juillet 1859. Il y avait à l'angle sud-ouest de la cour un portail qui a été démoli. Lors des travaux, on trouva une plaque de tôle indiquant que des pièces avait été mises dans les fondations par Monsieur Dion, propriétaire en 1861. La tourelle carrée à refends continus, flanquant la façade, est accolée à une tour élancée, polygonale, plus récente. Toutes deux sont reliées aux ailes par une galerie moderne, en appentis qui rompt l'harmonie de l'ensemble. Le large escalier tournant en bois est logé dans la grande tour, frappée à l'extérieur des armoiries des « de Caulx », avec deux lions pour support, qui ont certainement été replacées ici en remploi.

Une longue ligne de dépendances fermait la cour au nord, avec portes en plein cintre de part et d'autre de deux grandes arcatures en partie aveuglées. On y trouvait les écuries, remise et grange. Au levant des bâtiments subsiste une partie du parc, convertie en jardin public qui constitue un cadre verdoyant et pittoresque à ce qui est devenu la Maison commune de Bourgueil dont la longue histoire mérite d'être esquissée !

Son nom était, au XIVe siècle, la « Saudrière » à « Bourgueil en vallée au pays d'Anjou » fief relevant de l'abbaye (2). Philipone de la Saudrière épousa « Amory, seigneur de la Rivière », qui rendit aveu à l'abbé de Bourgueil pour le fief Saudrière le 13 août 1384. Ce lieu de la Rivière était situé en la paroisse de Chouzé-sur-Loire, et la famille qui en tirait son nom remontait sa filiation jusqu'à « Héros de la Rivière » cité dans le cartulaire de Fontevrault comme vivant en 1094 (2). C'est son descendant en ligne directe Amaury qui, à la fin du XIVe siècle, remplaça le nom de Saudrière pour celui de la « Rivière » employé jusqu'à nos jours, et l'on peut dire que, par le jeu des alliances, cette famille en resta propriétaire jusqu'en 1946, ce qui n'est pas très courant !

Ce serait une fille de Jean de la Rivière (cinquième du nom) qui se serait alliée à Jean Gourdault. Une transaction au sujet d'un droit de passage entre Jean Petitpas et Marie d'Argouges, veuve de Jean Gourdault, signée le 11 septembre 1549 indique bien que les Gourdault en avaient la possession au milieu du XVIe siècle. Le 25 février 1582, leur fille Renée de Gourdault épousa François de Caulx, écuyer « seigneur de Langez, portemanteau ordinaire du roi ». Par la suite, les « de Caulx eurent la Rivière tandis que les Gourdault laisseront leur nom à la Gourdauderie, transformée au XIXe siècle en Gourgauderie » (3).

Les registres paroissiaux permettent dès lors d'établir avec certitude la liste continue des possesseurs de la Rivière. François-Antoine de Caulx, parrain le 27 janvier 1667, est dit « demeurant en sa maison de la Rivière ». De Renée Perrault épousée le 15 mai 1658 (4), il eut au moins huit enfants. Renée la seconde, baptisée le 20 mai 1660, se maria le 6 mars 1695 à Louis Gilbert, receveur des gabelles qui mourut bientôt. Le 17 août 1699, elle se remaria à Claude Tallonneau, tandis que le même jour son frère Jean-François s'unissait à Marie, issue d'un premier mariage avec Marcelle Lecompte (4). De ce second lit, Claude Tallonneau eut un garçon, Claude-René, le 26 juin 1700. Mais sa mère ayant trépassé le 27 septembre 1701, le père convola en troisièmes noces avec Marguerite Denis. Il mourut à 75 ans, le 25 septembre 1719, qualifié de « contrôleur au grenier à sel ».

Claude-René Tallonneau unit ses jours, le 30 septembre 1723, à Anne Chauffour et, le 12 juin 1726, naissait René-Adam Tallonneau qui se mariera le 8 février 1745 avec Anne-Henriette-Geneviève Joulin, fille d'un avocat et procureur fiscal de Bourgueil. Le 24 janvier 1753, il acheta pour 4 000 livres à Louis Audiger la charge « de piqueur à second vol pour corneille de la grande fauconnerie du roi » (1). Avis en est donné à tous les manants de la paroisse, dont le curé, à la messe du dimanche 8 août 1756, annonça que « Adam-René Tallonneau de la Rivière, officier de la Fauconnerie du roi », partirait le 9 pour « rejoindre son quartier » !

C'est pourtant à Bourgueil que naquirent ses sept enfants, dont Urbain Jean-Claude qui joua un rôle important dans sa ville. Dans l'acte de baptême de sa fille Alexandrine le 16 septembre 1779, il est dit « seigneur de la Rivière, contrôleur des actes » (4). Le 6 septembre 1789, il est élu maire, le 19 mai 1791 comme procureur de la fabrique, il en remet les papiers au curé constitutionnel (3). Maire de nouveau sous le Premier Empire, il démissionna en 1830 et mourut, à 93 ans, le 27 mars 1842.

Le 24 janvier 1832, il avait fait donation de la Rivière à sa fille Alexandrine, mariée le 5 ventôse an X (24 février 1802) à René-Hardouin Renault (5), qui séance tenante la transmit à son fils Marcellin, juge de paix à Bourgueil, lequel agit de même, le 11 juillet 1859, en faveur de sa fille Juliette épouse d'Eugène-Georges Dion. Leur fils, officier en retraite étant décédé à Nantes le 3 février 1933, sa veuve, Madame Marie de Chastellux, céda la propriété le 19 juin 1946 à des parents, le ménage Allard. Une longue page de son histoire, d'une durée d'au moins six siècles, était définitivement tournée !

Par délibération municipale des 8 et 13 décembre 1972, la commune de Bourgueil décida l'acquisition du domaine réduit à une superficie de moins de deux hectares. Les travaux entrepris immédiatement ont donné à la localité, centre d'un vignoble réputé, un hôtel de ville qui lui fait honneur et dont l'histoire est intimement liée à son passé !

1/ Nous remercions Monsieur Chamboissier, maire de Bourgueil, qui nous a communiqué l'acte d'achat avec les archives de cette maison. — 2/ Lhermite Souliers. Histoire de la noblesse de Touraine, page 328. — 3/ Goupil de Bouillé. Bourgueil. Trois siècles d'histoire, page 23. — 4/ Registres paroissiaux de Bourgueil. — 5/ Acte retrouvé par Mademoiselle Monique Fournier.

La Gourgauderie

A peu de distance de l'église, l'impasse de la Gourgauderie aboutit à l'édifice curieux qui lui a donné son nom et tourne à angle droit devant sa façade.

Celle-ci, édifiée en moellons irréguliers apparents, est coupée par un bandeau plat courant au niveau des appuis des fenêtres du premier étage. De dimensions inégales, avec des huisseries à petits carreaux et contrevents extérieurs, elles sont surmontées de deux lucarnes de pierre qui donnent à cet immeuble tout son caractère. La plus large, avec fronton triangulaire, est ouverte de deux fenestrelles jumelles en plein cintre sur une allège appareillée. Sa voisine, avec un couronnement courbe, est percée uniquement d'un œil de bœuf ovale, minuscule par rapport à la surface maçonnée de la baie. La porte d'entrée dans l'axe médian, sous une corniche très simple, présente un simple encadrement de pierres de taille qui apparaît plus mouluré sur chacune des fenêtres qui l'accostent de part et d'autre.

Cette construction de plan rectangulaire entre deux « pignons à rondelis » se trouve flanquée par deux tours carrées aux angles symétriquement opposés. L'une donne sur le jardin, la seconde au nord-est forme une forte saillie sur la façade. Cette disposition avait un but défensif en protégeant l'accès par une meurtrière très ébrasée intérieurement où elle est mise soigneusement en valeur et terminée sur la rue par un petit orifice quadrangulaire. Le pavillon, couvert d'une pyramide d'ardoise aux arêtes adoucies à la base par des coyaux, contient l'escalier à vis entièrement en bois, de 1,25 m d'emmarchement mais partiellement restauré.

L'autre tour, sous un toit à quatre pans, abrite à sa partie supérieure un petit colombier encore en parfait état. Il ne comporte que deux travées de boulins séparées par un cordon en relief, l'une de trois rangées, l'autre n'en ayant que deux. Au sud a été aménagée une ouverture plein cintre dont l'attique devait supporter un couronnement qui a dû disparaître. La façade méridionale, placée en retrait et qui a conservé son enduit, était protégée par deux meurtrières superposées. Leur présence indique une construction dans une époque encore peu sûre, permettant de la dater de la fin du XVIe siècle ou du tout début du XVIIe !

Le corps de logis principal est couvert d'une belle charpente à double faîtage relié par des croix de saint André. Elle est soutenue par trois poinçons prenant appui sur des entraits posés sur le sol carrelé du grenier. Par suite de la dénivellation du terrain, le rez-de-chaussée se trouve surélevé par rapport au jardin. Il ouvre par de grandes porte-fenêtres sur une terrasse reposant sur des arcs en plein cintre séparés par un escalier moderne de seize marches, en une seule volée rectiligne.

L'histoire de la Gourgauderie pose une énigme qui apparaît difficile à résoudre. Pour le dictionnaire d'Indre-et-Loire, la Gourgauderie est un village de Bourgueil comptant trente habitants en 1880 (1). A proximité du centre ville, il semble difficile de croire qu'il y a un siècle c'était un hameau distinct de la localité. Le nom lui-même serait, selon Monsieur Goupil de Bouillé (2), une déformation de la « Gourdauderie » intervenue, au XIXe siècle sans doute, à l'établissement du cadastre de 1830, et il précise qu'en 1552, Marie d'Argouges était veuve de Jean Gourdault, « seigneur de la Rivière ». Celle-ci passa, par le mariage de Renée de Gourdault le 25 février 1582, à François de Caulx « tandis que les Gourdault laisseront leur nom à la

Gourdauderie » (2) ? D'après l'ouvrage de Vivier (3), « le manoir de la Gourgauderie » était habité, en 1568, par un chef calviniste dont il ne donne pas le nom ? En mai 1621, une tradition qui n'est peut-être qu'une légende voudrait que Marie de Médicis y ait séjourné car l'un de ses officiers était Michel Gourdault, seigneur de Bourgneuf (2). On trouve un Christophe de Gourdault qui comparaît le 5 octobre 1666, lors de l'enquête sur la recherche de la noblesse (4). Mais il se dit « sieur de l'Espinais paroisse d'Huismes » et dit qu'il a pris la qualité d'écuyer « en conséquence des emplois qu'il a eus comme maréchal de bataille des armées du roi » ? Détail encore plus troublant, le dépouillement des registres paroissiaux de Bourgueil qui commencent en 1629, comme ceux de la paroisse Saint-Nicolas débutant en 1614, ne semblent pas mentionner la Gourgauderie ! Si donc les Gourdault en furent les constructeurs, on peut supposer qu'ils n'étaient plus à Bourgueil au XVIIᵉ siècle.

Tout ce que l'on peut affirmer, c'est qu'en 1807 l'immeuble dépendait de la succession de Jean Cornu, jardinier, et Jeanne Brecq qui s'étaient mariés à Bourgueil, le 9 mai 1757 (5). Le partage de leurs biens fut réglé aux termes d'un jugement du 17 septembre 1807, dont le procès-verbal est, à ce jour, demeuré introuvable. Peut-être donnerait-il une origine de propriété permettant des recherches ? Quoiqu'il en soit, la Gourgauderie fut attribuée à Jeanne Cornu, épouse de Jean Malécot. Ces derniers eurent une fille unique Françoise, qui était veuve de François Bureau, ancien caissier au bureau des hypothèques quand elle décéda, à Bourgueil, le 28 juin 1865. Aux termes d'une adjudication, à la requête de leur héritière Mademoiselle Arthémise Bureau, la maison fut adjugée le 8 juin 1879 à Monsieur Eugène-Claude Jaille et Anne-Rosalie Brard. Elle mourut, à Bourgueil, le 13 novembre 1891 et lui le 24 mars 1909. Leur fils Eugène-Léon-Marie Jaille, docteur en médecine à Saint-Cyr-sur-Loire, vendit : « l'ancien château de la Gourgauderie, élevé sur cave voûtée », le 11 septembre 1917, à Monsieur Fulgence Petit, peintre, et Blanche Chauveau, parents de l'actuel propriétaire. On précise que la plus grande partie en est louée depuis 1913 à Louis Auguste Malécot, ancien notaire et juge de paix à Bourgueil (6).

La valeur architecturale de cet édifice méconnu, qui a conservé jusqu'à ce jour son aspect original, justifierait une mesure de protection officielle pour éviter, dans l'avenir, une restauration qui risquerait d'en dénaturer le caractère !

1/ Carré de Busserolle. Dictionnaire d'Indre-et-Loire, tome 3, page 222. — 2/ Goupil de Bouillé. Bourgueil. Trois siècles d'histoire (1981), pages 23, 83. — 3/ Vivier. Le pays de Bourgueil (2ᵉ édition), page 50. — 4/ Chambois et Farcy. Recherche de la noblesse en 1666 (1895), page 365. — 5/ Renseignement de P. Robert du CGT. — 6/ D'après l'acte de propriété mis à notre disposition par Monsieur Claude Petit.

Le Grand Jardin

Malgré les amputations subies au XIXᵉ siècle, l'abbaye de Bourgueil présente des vestiges imposants que s'efforce de remettre en valeur « l'Association bourgueilloise d'éducation populaire ». L'une des ailes a d'ailleurs retrouvé sa vocation primitive avec « la Congrégation des sœurs de Saint-Martin » fondée par une Lochoise, Athénaïs Haincque, en religion sœur Saint-Athanase, décédée à 41 ans le 7 mai 1838.

Il s'agit donc d'un monument, qui commence à être bien connu, dont l'un des éléments très curieux, mais situé à l'écart, passe généralement inaperçu malgré son intérêt architectural. Il s'agit du « Grand Jardin », nom donné à ce qui fut le logis du jardinier de l'abbé !

Lorsque l'on examine le plan de l'abbaye de Bourgueil, sur l'aquarelle de Gaignières de 1699 (1), on aperçoit au midi de vastes jardins séparés du monastère par le Changeon. L'un d'eux est entièrement clos de murs avec pièce d'eau au centre. Des quatre portes percées au milieu de chaque côté, deux à peu près identiques sont arrivées jusqu'à nous. Leur arcature est en plein cintre avec décor de petits rectangles en bossage. Deux volutes accostent un cartouche rectangulaire à fronton triangulaire qui, au nord, porte les armoiries de Léonor d'Etampes. Celle du midi, datée de 1623, a eu son couronnement restauré en 1964 par Monsieur André Goupil de Bouillé, qui y a inscrit ses initiales. Elle ouvrait jadis sur la « Garenne » que Léonor d'Etampes avait fait diviser par des allées en patte d'oie allant jusqu'au canal qu'il fit creuser en 1636 (2). Le bassin au centre est alimenté par le Changeon à l'aide d'un tuyau de plomb, formé de feuilles retournées et soudées par leur jonction (3), qui aboutit au jet d'eau, le trop-plein s'écoulant par des drains allant en diverses directions. Modifiée à plusieurs époques, cette pièce d'eau dans son état actuel est moins grande qu'autrefois, mais son entourage circulaire, présentant des parties incurvées, a été reconstitué avec les pierres d'origine !

Dans cet enclos, le logis du jardinier occupant l'angle sud-ouest apparaît d'une époque plus ancienne. De plan quadrangulaire entre deux pignons à « rondelis », composé d'une pièce à chaque niveau, il présente deux façades

de caractère différent. Celle du midi, en petits moellons, est percée au rez-de-chaussée de quatre baies étroites dont deux seulement sont d'origine, les autres furent ouvertes à l'identique en 1925. Une fenêtre à croisée de pierre éclaire le premier étage. Le côté nord, en pierres de taille de moyen appareil, est remarquable avec son unique travée verticale de deux fenêtres à meneaux Renaissance, encadrées de pilastres à chapiteaux caractéristiques. Une moulure en S figure à la clef du linteau inférieur. La porte présente un encadrement semblable, surmontée d'un blason bûché où se discerne encore un fragment de la croix, meublant l'écu de Philippe Hurault de Cheverny (1523-1539), dernier abbé mitré (4).

Il existe, au niveau supérieur, une autre ouverture plus petite qui n'a jamais eu de croisée de pierre. Le chambranle entre deux pilastres ioniques est timbré, à la clef, des armes sur croix de Malte, d'Henri d'Etampes (1651-1678) : « D'azur à deux girons d'or la pointe vers le milieu du chef d'argent chargé de 3 couronnes ducales de gueules. » Leur présence ici indique peut-être qu'il fit refaire cette façade avec des éléments Renaissance provenant des démolitions de certains éléments de l'abbaye.

Cette baie n'avait jamais été ouverte et fut démurée en 1925 pour donner jour à la cage de l'escalier à vis de bois. Celle-ci était contiguë à une petite pièce avec voûte en berceau appareillé, dont elle était séparée par un mur ancien et très dur (3) qui a été supprimé. En voulant agrandir la « vacherie » pour augmenter l'espace habitable, on coupa une conduite en poterie allant du nord au sud. La réfection du carrelage amena la découverte d'une voûte en briques réfractaires. Le chanoine Guignard, président de la Société Archéologique de Touraine, vint examiner ces vestiges (2). Il émit l'hypothèse très vraisemblable d'une magnanerie avec four pour chauffer et favoriser l'éclosion des cocons. Une grande auge, qui était à cheval sur le mur démoli, aurait pu recueillir l'eau bouillante pour tuer les vers ?

La salle basse, aux chevrons apparents, est chauffée par une ample cheminée à hotte, coupée par un cordon mouluré qui est surmonté dans son axe médian par un évidement circulaire, limité par une couronne de motifs fleuraux autour d'un écu de forme bizarre sans armoiries. Les consoles en S reposent sur des jambages rectangulaires.

La « Maison du Jardinier » figure dans le premier lot de la vente comme bien national de l'abbaye avec « la maison abbatiale, la vigne du Petit Pavé, le canal de 400 toises » qui fut adjugé, le 14 février 1791 (5), pour 120 000 livres au mandataire de Marie-Françoise Doucet, veuve de Fortuné Guillon de Rochecot, à Saint-Patrice (6).

C'est alors qu'elle se heurte à de multiples vexations des autorités républicaines (1) et que son château de Rochecot vient d'être expertisé pour être vendu comme bien d'émigré, que Madame Guillon aliéna « le domaine de la Garenne et les dépendances de l'abbaye », le 11 brumaire an IX (2 novembre 1800), à Florimond-Benjamin Mac Curtain de Kainlis. Celui-ci est sous-intendant militaire à Bourges et demeure à la Roche-Musset (7), achetée le 23 juillet 1809, quand il revendit avec ses deux filles, l'une épouse du baron de Kainlis, l'autre de Lefebvre de Montifray. Ce fut un véritable lotissement en 36 parcelles selon le plan de l'arpenteur Perret (8). Le 11 décembre 1827, Armand-Urbain-Grégoire Roger, qui était locataire de l'ensemble depuis 1817 pour 5 200 francs et une barrique de vin rouge, se fit adjuger par Mᵉ Allain (qui est son gendre) le lot n° 5 comprenant le « Grand Jardin ». Le lendemain, il y ajoutait, pour 47 000 francs, le moulin avec la moitié des 36 articles (9).

Lorsque Madame Roger, née Julie Allain, disparut le 23 avril 1856, les biens de sa succession et ceux de la donation consentie par le père furent partagés, le 8 mai 1856, entre leur fils André-Armand Roger et leur petit-fils par représentation de sa mère décédée, Arthur-Urbain Allain. Ce dernier recueillit « le Grand Jardin » qu'il vendit le 20 janvier 1870 à Monsieur René Goupil de Bouillé (3).

C'est son arrière-petite-fille Blanche, épouse de Monsieur Xavier Deschard, lieutenant-colonel en retraite, qui a aujourd'hui la propriété du « Grand Jardin » qu'un arrêté du 15 septembre 1977 a inscrit parmi d'autres dépendances de l'abbaye, à l'inventaire des sites pittoresques d'Indre-et-Loire !

1/ Goupil de Bouillé. Bourgueil. Trois siècles d'histoire, pages 115, 17, 167. — 2/ Bulletin de la Société Archéologique de Touraine, tome 23, page 264. — 3/ Cette étude est le résumé des notes transmises par Monsieur Deschard. — 4/ Ranjard. Touraine archéologique (1968), page 214. — 5/ Archives départementales Q 1194. — 6/ Bulletin de la Société Archéologique de Touraine, tome 41, page 881. — 7/ Voir « la Roche Musset », Vieux logis de Touraine, tome 7, page 68. — 8/ Archives départementales. Acte Allain (Chouzé), 11 décembre 1827, avec plan. — 9/ Id. Acte Boureau de la Guérinière (Bourgueil), 12 décembre 1827.

BRÉHÉMONT

Bray

Ce toponyme qui dériverait d'un mot gaulois signifiant : « terrain fangeux » (1) s'applique bien à ce lieu-dit faisant partie de cette longue presqu'île que forme la commune entre la Loire et le vieux Cher. Mais si les inondations envahissent son territoire, les eaux s'arrêtent toujours aux abords du vieux logis de Bray sans y pénétrer !

Il fut jadis le siège d'un petit fief figurant sur le rôle de 1639 (2) pour un revenu annuel de 10 livres. Le logis seigneurial, devenu au XIXᵉ siècle une ferme, a été très restauré naguère, mais n'en conserve pas moins beaucoup de caractère. On accède à la cour par un porche en retrait, dont l'arcature en pierres de taille, très cintrée, est moderne. Epaulée à l'intérieur par deux minces contreforts, sa clef porte un blason de fantaisie meublé de deux initiales P S (sans doute celles de Péan-Séré, propriétaire de 1900 à 1930).

La façade est en pierres de moyen appareil, mais les faux joints très visibles indiquent qu'elle a subi un remaniement profond. Cependant, les pignons à « rondelis », les appuis de fenêtre avec leurs linteaux portant une moulure au centre et surmonté d'une corniche très saillante peuvent permettre d'y voir un édifice du début du XVIᵉ siècle. Les deux travées de percement, terminées chacune par une belle lucarne à fronton courbe, sont placées dissymétriquement par rapport à la porte d'entrée dont le tympan triangulaire semble assez récent. A sa droite, un panneau en creux est occupé par un écu sans armoiries.

Le pignon oriental s'appuie sur un fragment de construction formant une avancée qui semble être le vestige d'un édifice beaucoup plus ancien

ouvert d'une arcade en plein cintre récemment déblayée, accostée au midi d'un contrefort massif. On a trouvé dans le sol une monnaie qui serait gauloise et, dans une niche murée, une poterie percée de petits trous ? ! !

L'intérieur a conservé, dans l'une des salles basses, une ample cheminée à faux manteau. La hotte droite, reposant sur deux corbeaux, présente un blason dans une sorte de couronne pouvant avoir été le collier d'un ordre de chevalerie. Dans le foyer s'ouvre la bouche d'un four à pain dont la motte a disparu, remplacée par une addition en appentis abritant l'actuelle cuisine rendue accessible par quelques marches.

Un bel escalier du XVIIe siècle en bois, d'une seule volée tournant à gauche avec rampe à balustres, conduit au premier étage. L'une des pièces est chauffée par une autre cheminée à hotte, avec large corniche au plafond et jambages en forme de colonnes demi-cylindriques.

A l'arrière du logis d'habitation s'élève une grange, couverte d'un toit à quatre pans sur une charpente à double faîtage. Le comble est éclairé par deux lucarnes à gâble aigu avec pieds droits en bossage. Au nord, on trouve l'entrée d'un double étage de caves. La plus basse est couverte d'une voûte en berceau appareillé.

Un peu à l'écart au levant, la maison de l'ancien closier ne manque pas de charme avec son haut pignon « à rondelis » et sa grande cheminée rustique dont la hotte est entaillée à l'un de ses angles !

Le fief de Bray relevait de la baronnie de Rillé dont les archives nous livrent le nom de ses premiers possesseurs au XVIe siècle (3). Un document indique qu'en 1554 Jean Pyballeau, marchand, fit l'achat de « la terre et seigneurie de Bray en Bréhémont ». Par une lettre de 1566, Jehan de Daillon, comte du Lude, seigneur de Rillé, fit « remise gratuite de ses droits de rachat sur la seigneurie de Bray échue à François du Raynier par son mariage avec Yolande de la Jaille » (3).

Par la suite, les registres paroissiaux nous montrent que les descendants « d'honorable homme René Marquis, sieur de Bray », possédèrent cette terre de 1630 jusqu'en 1717. Le 10 juillet de cette année, Claude Marquis épousa à Bréhémont Pierre Pallu qui, parrain le 7 février 1719, est dit : « seigneur de Brée, bourgeois de Tours » (4). Ils eurent au moins quatre enfants baptisés en l'église de 1720 à 1724. Le 25 avril 1752, Pierre Pallu et Urbain, qui doit être le fils né en 1720, vendirent pour 23 000 livres « la maison et seigneurie de Bray » à Louis-François le Royer, chevalier d'Artezay, capitaine au régiment de Champagne (5). Après sa mort en 1767, Bray passa à sa fille Catherine-Louise qui, le 26 juin 1770 en la chapelle du château d'Ussé (6), s'unit à Louis-François, comte de Marcé, dont les descendants en gardèrent la possession jusqu'en 1900. Leur arrière-petite-fille, Marie-Geneviève, se maria au cousin de son père, Paul-Gabriel de Marcé, et reçut à cette occasion la « ferme de Bray » en dot le 28 septembre 1853 (7). Mais le ménage vécut surtout au château de Vaumenaize (8) à Thizay dont son mari fut maire de 1881 à 1893. Devenue veuve, Madame la vicomtesse de Marcé vendit Bray, le 5 novembre 1900, à Jean Péan et Pauline Séré. Ce sont eux qui vraisemblablement timbrèrent le portail de leurs initiales et procédèrent peut-être à la restauration de la façade.

Revendu le 15 avril 1943 par les héritiers de leur fils Gustave, Bray a subi trois mutations en 1948, 1953, 1954, avant d'être acquis, le 30 juillet 1986, par Monsieur et Madame Luger (9) qui en ont entrepris avec courage la restauration intérieure en respectant le caractère original de ce vieux logis de Bréhémont assez méconnu jusqu'ici.

1/ *Dictionnaire des communes (1987), page 211.* — 2/ *Rôle des fiefs de Touraine (1639), page 79.* — 3/ *Archives départementales B 21 et Marquis de Brizay : Maison de la Jaille (1910), page 293.* — 4/ *Registres paroissiaux de Bréhémont.* — 5/ *Registre du centième denier 1752. Actes retrouvés par Monsieur Michel Maître.* — 6/ *La Chesnaye Desbois-Badier. Dictionnaire de la noblesse, tome 13, page 159.* — 7/ *Archives départementales. Acte Fermé à Chinon du 28 septembre 1853. Nous remercions Monsieur P. Bourgne pour son aide.* — 8/ *Voir « Vaumenaise » dans le tome 6 des « Vieux logis de Touraine », pages 199, 200.* — 9/ *D'après l'acte de Monsieur et Madame Luger qui a permis cette étude.*

Milly

L'occupation de ce site, à peu de distance et à l'abri de la levée de la rive gauche de la Loire, est attestée dès la fin du xvᵉ siècle avec Urbain de Vonne, en 1480 (1). Le dictionnaire d'Indre-et-Loire lui donne pour successeurs François de Maraffin, cité en 1530, et Macé Proust en 1560. Celui-ci était décédé en 1584 où, le 30 juillet, on procéda à l'arpentage de ses terres à la requête de ses héritiers (2).

Ce fief relevait de Rivarennes « à foy et hommage lige, 40 jours de garde au château de cette seigneurie et sous le devoir annuel d'un collier de lévrier avec sa garniture au jour de saint Louis et d'un autre collier avec une laisse en poil de cheval ». Ces deux dernières redevances, en raison de la permission accordée par Louis de Beauvau, seigneur de Rivarennes, à Jean Proust le 4 juin 1594 de fortifier Milly. Ceci étant mentionné dans les aveux de 1722 et 1754 où l'on parle encore : « de fossés, douves, pont-levis, mâchicoulis, tours, tournelles, fuye, canonnières » (2).

Le 12 avril 1598, on baptisa Jean, fils de Jean Proust, seigneur de Milly. Louis Proust et sa femme Françoise Chevalier sont cités à plusieurs reprises de 1615 à 1643 (3). Mais le 6 juin 1644, ils vendirent le fief de Milly pour 700 livres de rente (2) à « Jacques Senelle, apothicaire à Tours ». Ce dernier avait épousé à Saint-Saturnin, le 7 avril 1641 (4), Marie, fille de Jean Fourmy et de Marie Proust. Jacques Senelle avait une sœur Marie, femme d'Antoine Dalmas, échevin de Tours. François Dalmas, cité en 1670 comme seigneur de Milly, est vraisemblablement leur fils, et leur fille Marie s'était unie le 3 février 1665, à Saint-Saturnin, à Roger du Gast (4) dont le père Achille du Gast d'Artigny était seigneur de Milly en 1697.

Le 17 novembre 1699, demoiselle Louise du Gast d'Artigny vendit le fief de Milly aux chanoinesses de Luynes qui en prirent possession le 6 avril 1701 et rendirent les aveux, de 1722 à 1754, au marquis d'Ussé, seigneur de Rivarennes (2). Elles confièrent l'exploitation du domaine à des fermiers comme Louis Carré qui donne, en 1780, 1 000 livres de loyer. Propriété ecclésiastique, Milly fut saisi à la Révolution et mis en vente comme bien national. Le 27 mai 1791, Jean Vezin fut déclaré adjudicataire pour 38 200 livres de « la maison seigneuriale de Milly consistant en plusieurs bâtiments, cour, jardin, le tout renfermé de douves », suivant l'article 14 de l'estimation des biens de Bréhémont (5).

Le plan cadastral terminé en 1813 présente tous les éléments de cette description. Les différentes constructions s'élèvent en équerre autour d'une

cour avec un jardin au midi. Le tout forme un vaste quadrilatère entièrement entouré de larges douves en eau dont il ne reste plus guère aujourd'hui que le tracé. Le chemin venant de la levée de la Loire aboutissait, par un talus coupant le fossé, au portail surmonté d'une fuie. Celle-ci, dont la démolition était prévue en 1802, existait encore en 1821 (6) mais, en 1894, on parle seulement « du portail sur lequel se trouvait autrefois une fuie ». Heureusement, les parois latérales du colombier sont en partie conservées au sommet des murs servant d'appui aux servitudes relativement modernes. Les boulins sont ici composés de poteries avec orifice circulaire : quatre rangées sont visibles à droite et huit à gauche !

Encadré par des habitations rénovées, un vieux logis est toujours debout, comprenant un rez-de-chaussée où se voit la trace d'une arcature murée et d'un comble à deux versants. Il était éclairé autrefois par deux lucarnes seulement, la troisième en bois a été rajoutée pour servir de porte au grenier. Leur allège, en effet, prolonge le mur de façade et leur gâble triangulaire repose sur des jambages en pierre accostés à la base d'un aileron à double volute. A l'intérieur, on remarque une cheminée à hotte supportée par une poutre de bois prenant appui sur deux colonnes engagées à chapiteau très simple.

La femme de l'acquéreur de 1791, Françoise Herpin, mourut à Vallères le 1er frimaire an X (22 septembre 1801) ayant eu, d'une première union avec Martin Guillot, une fille et trois enfants avec Jean Vezin. Cette situation amena le morcellement de Milly qui fut scindé en deux moitiés le 22 floréal an X (12 mai 1802). L'une fut attribuée au père qui, dans les années suivantes, revendit à Charles Herpin, ancien notaire qui est cité dans les joignants de 1821 (6) où son achat est mentionné sans la date. Quant à l'autre partie, elle fut partagée, le 2e jour complémentaire de l'an X (19 septembre 1802), entre Catherine, épouse de Jacques Chivert, et Pauline, femme de Claude Nau, qui

CHAMPIGNY-SUR-VEUDE

La Reignerie

A la sortie de la localité, sur la route d'Assay, face au grand mur dissimulant le parc du château, s'élève l'une des maisons les plus curieuses de Champigny-sur-Veude, au patrimoine architectural si abondant !

Edifiée sur plan rectangulaire entre deux pignons « à rondelis », on peut, grâce à la grille ajourant sa clôture, admirer sa façade en moellons enduits où les chaînes d'angle et les trois travées de percements sont en pierre de taille. La première est composée de deux fenêtres superposées à huisseries à meneaux de bois, remplaçant les croisées de pierre d'autrefois dont l'existence est attestée par l'emplacement de croisillons sur les jambages. Celles plus étroites de l'autre extrémité étaient à deux panneaux, et une brique occupe la cavité où s'encastrait la traverse.

La troisième travée, qui n'est pas dans l'axe de l'édifice, comporte à la base une porte dont le plein cintre repose sur des sommiers en saillie et un entablement surmonté d'un fronton triangulaire. Au-dessus s'ouvre une baie à deux fenestrelles jumelles, également en plein cintre, qui donne tout son caractère à ce logis. A la base des toits court la corniche à gros modillons si répandue dans la ville et la région. Son interruption au-dessus des ouvertures indique probablement l'emplacement de lucarnes qui ont disparu.

L'entrée donne sur un escalier aux degrés de pierre usés, à volées rectilignes, rampe sur rampe, avec mur d'échiffre plein. Elles débouchent sur le palier du premier étage par une double arcature surbaissée.

Les salles basses sont chauffées par des cheminées à hotte droite reposant sur des consoles à jambages rectangulaires, dont l'une provient du niveau supérieur où subsiste la plus remarquable. Elle est ornée d'une fresque assez effacée. Cependant, on y discerne encore nettement un homme et une femme en robe de cour avec cette inscription : « ÆC FOEDEREIVNXIT. » A la partie supérieure, à chaque extrémité, sont peints des blasons difficilement lisibles. D'après l'abbé Bossebœuf qui les vit en 1906, il s'agirait des armoiries de Gaston d'Orléans et de Marie de Bourbon, duchesse de Montpensier, donateurs de cette maison à un certain Lambert (1). Ceci situerait l'événement entre 1625, date de leur mariage, et 1627 où Marie de Bourbon décéda le 4 juin (2). Le logis devait être alors tout neuf, car il semble possible d'attribuer sa construction au début du XVIIe siècle.

Le premier plan cadastral de 1836 montre que le corps principal de bâtiment était prolongé au sud par une aile en retour d'équerre, dont cependant il ne demeure qu'une partie. On y a replacé une cheminée à hotte qui se trouvait naguère au rez-de-chaussée. Sur une petite baie, on a encastré en remploi dans le mur un motif très gothique formé d'un arc trilobé surmonté d'un autre en forme de cœur !

D'autres constructions ont été démolies ; par contre, on retrouve le vaste jardin situé au levant, terminé par un grand vivier limité, au nord, par la route et, au midi, par la ligne de chemin de fer de Richelieu à Chinon devenue une des attractions touristiques de l'été.

Le Lambert qui aurait reçu cette maison était-il le Michel Lambert qui serait né vers 1610-1611, à Champigny, chose impossible à prouver, les registres paroissiaux ne remontant pas au-delà de 1668. Chanteur d'une grande réputation à son époque, protégé de Richelieu, il eut une fille, Madeleine, qui devint en 1662 l'épouse de Lully ! Mais en 1625, il était bien jeune pour avoir été l'objet de cette donation que l'on attribuerait plutôt, si elle a bien eu lieu, à son père Louis qui avait peut-être mérité les faveurs des seigneurs de Champigny ?

Un bail de location du 24 octobre 1778 (3) montre que la maison et métairie de la Reignerie à Champigny-sur-Veude appartenait alors à Pierre-Vincent David, receveur des tailles en l'élection de Richelieu. Il s'était marié à Saint-Jacques de Chinon, le 18 mai 1756, à Marie-Anne Picault de la Ferrandière (4). Le ménage eut au moins une fille, Marie-Anne-Julie, qui s'était unie à Richelieu, le 23 avril 1776 (4), à Pierre-Bertrand Chesnon-Baigneux. Celui-ci remplaça son père, en 1773, comme lieutenant général du bailliage de Chinon et, en 1783, lui succéda comme maire de la ville (5). C'est à lui que l'on doit la démolition des remparts de la cité pour l'établissement des quais. Député de Touraine aux Etats Généraux de 1789, il s'opposa à la Terreur, ce qui lui valut d'être arrêté, conduit à Paris. Il attendait sa comparution devant le tribunal révolutionnaire, quand survint la chute de Robespierre. Il revint à Chinon où, le 28 floréal an VIII (18 mai 1800), il fut nommé président du tribunal civil. C'est ce titre qui lui est donné dans l'acte du 29 floréal an XII (19 mai 1804) où, avec sa femme, il participe à la vente faite par son beau-père, Pierre-Vincent David, de sa maison de Richelieu et de celle de Champigny avec sa métairie (6). L'acquéreur de l'ensemble pour 12 000 francs est le citoyen René-Benjamin de la Mothe, à Richelieu. Mais il est dit résidant à la Grille à Chinon quand, le 19 septembre 1833, il aliéna la maison et métairie de la Reignerie (7) à Claude-Antoine Lambert et Jeanne Poupart de Champigny pour 24 000 francs. Ils affectent notamment en garantie du paiement étalé sur six ans : une maison rue des Cloîtres ainsi qu'une autre appelée « l'Hôpital ». Par le jeu des héritages successifs, la Reignerie allait

rester dans cette famille Lambert jusqu'au 3 avril 1971 (8) où elle fut acquise par le ménage Billouin-Pimot.

C'est au fils de ces derniers que l'on doit la remise en valeur de ce vieux logis qui, par les souvenirs qu'il évoque et par son intérêt architectural, mériterait largement son inscription à l'inventaire supplémentaire des monuments historiques !

1/ Bulletin des Amis du Vieux Chinon (1968), pages 187 à 190. — 2/ Carré de Busserolle. Dictionnaire d'Indre-et-Loire, tome 2, page 92. — 3/ Archives départementales. Acte Lamy, à Champigny, 24 octobre 1778. Recherches de Monsieur Michel Maître. — 4/ Renseignements dus à Pierre Robert. — 5/ Bulletin des Amis du Vieux Chinon (1924), page 335. — 6/ Archives départementales. Acte Péan, à Chinon, du 29 floréal an XII. — 7/ Id. Acte Lenoir, à Champigny, du 19 septembre 1833. — 8/ Nous remercions Monsieur Guy Billouin, pharmacien, qui a bien voulu nous communiquer son acte qui a permis cette étude.

CHANCEAUX-SUR-CHOISILLE

La Planche

Le dictionnaire d'Indre-et-Loire (1) ne parle que du moulin de la Planche, relevant de Chatenay à 27 sols de rente et deux poules, appartenant en 1700 à Michel Roujou, mais ne dit rien d'un « manoir de la Planche ». Cependant, le 24 juillet 1713, on mentionne, sur le registre paroissial de Saint-Saturnin, le mariage d'Anne Roujou, fille de Michel, avec Etienne Gautier de Migny qui avait reçu la bénédiction nuptiale « dans la chapelle de la maison seigneuriale de la Planche » (2).

Une description très précise du 17 décembre 1764 donne une idée de l'importance de « l'hostel noble de la Planche » (3) qui existait encore en 1791. Comme cet ensemble n'est plus indiqué sur le cadastre terminé en 1814, il faut en conclure qu'il a disparu entre ces deux dates. Il en subsiste cependant deux vestiges : la cave et les communs séparant la cour du maître de celle du fermier.

Il s'agit d'une longue construction rectangulaire, terminée au sud par un pavillon à quatre pans et accosté au nord par une tour quadrangulaire placée obliquement. Ces deux éléments sont antérieurs à la partie centrale. En effet, l'une des cinq fermes de la charpente à double faîtage de celle-ci repose sur l'appui mouluré d'une baie de la tour, à jambages chanfreinés, visible autrefois de l'extérieur. Quant au pavillon qui présente également une fenêtre donnant sur le grenier, il abritait la chapelle, transformée par la suite.

Sa porte en plein cintre, murée, a conservé ses pieds droits en bossage. Le corps principal qui les relie est donc postérieur !

Le mur goutterot occidental laisse discerner quatre arcades en plein cintre avec clef et sommiers en saillie. La première est transformée en porte de grange, les deux suivantes sont aveuglées et percées d'une ouverture rectangulaire, la dernière est entièrement condamnée. La disposition des composantes de la ferme est, à peu de choses près, la même sur les deux cadastres. On regrettera seulement la disparition de la « fuye construite en octogone, garnie de boulins avec son échelle, couverte en tuiles » (3).

Un peu à l'écart de la tour, on trouve une cave couverte en berceau appareillé, avec un caveau étroit voûté sur couchis et muré au bout de 4 mètres, dont « la descente se trouvait au couchant de la cuisine ».

Michel Roujou de Chaumont est dit « contrôleur général des fermes de sa Majesté » au baptême de sa fille Catherine, le 25 février 1690, à Civray (Vienne) (4). Issu d'une famille de soyeux (2), il était donc, au début du XVIIIe siècle, propriétaire de ce domaine qu'il avait probablement acquis, car ce n'est que son fils qui se fait appeler « Michel Roujou de la Planche ». « Prévost de la monnaye de Tours », il se maria à Chanceaux, le 7 novembre 1723, à Françoise Alain qui lui donna trois enfants dont un chanoine de Saint-Martin, décédé quand se régla leur succession le 17 décembre 1764. La Planche fut scindée en deux moitiés : l'une attribuée à son petit-fils, François-Sylvestre de Houdan des Landes, et l'autre à Michel-Louis Roujou, « officier de la monnaye de Tours ». Il s'était uni le 29 août à Saint-Mathias du Plessis à Françoise-Marie Chuppeau dont il eut François et Catherine. Leur mère devenue veuve se remaria à Luynes, le 7 novembre 1771, à Alexandre-François Mestayer, fils de Michel Mestayer, lieutenant en l'élection de Chinon (5), et le 30 mai 1781 racheta à son neveu sa part du domaine. Elle revendit celle-ci le 28 novembre 1791 (6) à Antoine Barré qui, le même jour, acquit des enfants du premier lit la moitié leur revenant.

L'acquéreur avait une fille, Marie-Françoise, femme de Thomas Valleteau de Chabrefy, écuyer, seigneur de Valmer, Chançay, président lieutenant général au bailliage de Touraine. Il avait eu l'honneur d'ouvrir, le 24 janvier 1789, l'assemblée électorale de la noblesse de cette province (7). Il mourut le 8 mai 1792, et son épouse le 9 novembre 1815. Un partage entre ses deux fils eut lieu le 23 novembre suivant, et Thomas-Jérôme eut entre autres : Valmer et la Planche. Après le décès, le 5 août 1828, de sa femme Marie Cabaret épousée à Sceaux le 16 mai 1807, il proposa à ses deux garçons de leur abandonner les fermes de la Milleterie, de l'Oie à Neuvy-le-Roi et la Planche. Cette dernière échut à Thomas le 2 octobre 1835. Mais celui-ci fut déclaré judiciairement interdit le 9 août 1843. Aussi après le décès du père le 22 janvier 1846, on lui donna un tuteur pour l'administration de ses biens, qui était en 1878 Léon-Jean-Marc, vicomte Guicheneuve de Boishue. C'est celui-ci qui, au nom de son pupille, vendit la Planche aux époux Lelarge le 11 août 1878. Le 25 février 1900, une nouvelle mutation donna le domaine à Louis-François Pacqueteau qui finit ses jours à Chanceaux le 27 septembre 1930. Sa veuve fit donation à ses deux fils qui vendirent, le 13 août 1941, à Monsieur Louis Patault dont la famille en a toujours la propriété (8).

Tous ces changements de mains n'ont pas altéré l'aspect de cette ferme qui apparaît immuable depuis plus de deux siècles, et à laquelle l'ancien bâtiment des communs de « l'hostel noble de la Planche » qui la domine confère une grande originalité !

1/ Carré de Busserolle. Dictionnaire d'Indre-et-Loire, tome 5, page 85. — 2/ Renseignement donné par Monsieur Bordat, les dates de mariage dues à Pierre Robert. — 3/ Archives départementales. Acte Gaudin du 28 novembre 1791. — 4/ Registre paroissial de Saint-Nicolas-de-Civray (Vienne). — 5/ Voir le Saint-Hilaire à Chinon dans le tome 7 des « Vieux logis de Touraine », page 65. — 6/ Archives départementales. Acte Dreux du 29 mars 1831. Actes recherchés par Monsieur Michel Maître. — 7/ Mémoires de la Société Archéologique de Touraine, tome 10, page 81, note 1. — 8/ Nous remercions Monsieur Patault qui a bien voulu nous communiquer son acte de propriété.

CHINON

Maison dite "des Abbés de Turpenay"

Le grand tableau représentant une vue de Chinon en 1847, peint par Fortuné Viau (1), montre à l'extrême gauche la maison de banque Blanchet-Bertrand-Voisine avec ses lucarnes, mais sans la tour néo-gothique qui fut donc construite postérieurement. Elle ne fait plus partie de ce logis !

Celui-ci est un bel édifice du xve siècle, présentant sa façade au midi, au n° 14 du quai Charles-VII. Elevée en pierres de taille, ses fenêtres ont à l'étage gardé leur encadrement de baguettes, mais perdu leurs meneaux. Le comble à double versant est éclairé par deux lucarnes inégales avec banquettes intérieures dans les embrasures. L'une est à croisée de pierre, l'autre à simple traverse, mais toutes deux avec gâble aigu à crochets de feuillage et petit animal à la base des rampants. Les fleurons ont disparu laissant visible la tige de fer qui les soutenait !

L'angle sud-ouest est flanqué d'une tour quadrangulaire, presque aveugle de ce côté, à l'exception de deux petites baies rectangulaires. La partie supérieure était un colombier qui a conservé intactes deux travées de quatre rangées de boulins séparées par un cordon en saillie. A l'arrière, le pignon occidental en fort décrochement a eu ses percements inférieurs remaniés mais, au niveau supérieur, si une grande fenêtre a perdu ses meneaux, une autre à la hauteur de la tour possède toujours les siens. Au-dessus, une pierre encastrée dans la muraille porte un blason inscrit dans une sorte d'étoile.

Jusqu'au siècle dernier, cet immeuble était formé de deux corps de bâtiments, de part et d'autre de la rue de Beaurepaire, et reliés par une construction sous laquelle passe la chaussée et qui appartient encore à ce logis. C'est une des curiosités de Chinon, et ce porche dont le plafond n'est qu'à 2 mètres du sol aboutissait à un pavillon abritant un escalier à vis de pierre avec, en arrière plan, l'église Saint-Maurice. Sa face ouest en moyen appareil présente deux fenêtres superposées. Elle repose sur une arcature portant sur une poutre de bois contrebutée par des jambes de force. Le côté opposé est très différent : si le premier niveau est en pierres de taille, le second est en colombage avec remplissage de briques placées horizontalement. Quant au troisième, en fort retrait et de hauteur réduite, les briques y composent parfois des motifs décoratifs !

La portion de la façade septentrionale de la maison restée visible est dans un état attristant. La belle fenêtre à meneaux du premier étage a ses quatre panneaux murés, celle qui la surplombe, grossièrement aveuglée presque totalement, a perdu sa croisée de pierre et son appui. Le fronton de la lucarne est très abîmé, mais il subsiste quelques éléments de la décoration du linteau.

Selon une notice de quelques lignes dans un bulletin des Amis du Vieux Chinon (2), cette demeure « appartenait vraisemblablement à l'abbaye de Turpenay ». Par la suite, cette supposition est devenue affirmation (3), mais nous ignorons quels documents viennent à l'appui de cette tradition.

Quand Pierre-François-Jacques le Breton de Nueil, procureur au bailliage de Chinon, acquit avec son épouse Marguerite Bourassé, le 16 novembre 1767 (4), le fief de Vonnes à Pont-de-Ruan, ils sont dits « demeurant en cette ville paroisse saint Maurice ». Si on ne peut affirmer qu'ils habitaient déjà cette maison, celle-ci se retrouve, après sa mort survenue le 15 pluviôse an IX (4 février 1801), dans les biens de sa succession attribués à sa fille Adélaïde. Elle était veuve de Jean-Marc Thubert de la Beaume quand elle décéda sans postérité à Chinon, le 29 août 1842. Elle ne laissait pour héritiers que des neveux, petits-neveux et arrière-petits-neveux. Aussi un jugement du 27 octobre 1842 ordonna une licitation, et l'immeuble fut adjugé, le 26 décembre 1842 (5), à Emile Bertrand, banquier pour le compte de la maison de commerce Blanchet-Laurance-Bertrand et compagnie qui y installa ses bureaux.

Cette société, constituée pour 10 ans le 1er mars 1831, avait été prorogée le 9 février 1842 jusqu'au 1er mars 1851. Avant l'expiration de ce délai, elle se constitua, le 24 janvier, en maison de banque Blanchet-Bertrand-Voisine et Cie. Mais la raison sociale étant devenue, le 19 mars 1864, la banque Bertrand-Voisine-Blanchet Fils, les biens firent l'objet d'une mutation à son profit les 4 et 9 mai 1865 (6). Celle-ci fit alors place à son tour à la Banque de Chinon et du Poitou, le 28 mai 1881, dont l'existence fut assez courte. Une liquidation fut prononcée par jugement du tribunal de Chinon du 27 décembre 1893. Le 18 octobre 1894, l'immeuble fut mis en vente et adjugé à Joseph-Emmanuel Prat et Jeanne-Berthe Desmé (7). Ils firent construire, au couchant du jardin, une remise avec écurie et grenier dessus et revendirent, le 12 décembre 1913, au docteur Célestin-Firmin-Alexandre Verronneau et Marie Mauffrais.

Cette dernière était veuve quand elle mourut accidentellement le 27 décembre 1944. Par testament en date du 23 novembre 1937, elle avait légué sa maison du quai Charles-VII à l'Hospice des frères Saint-Jean de Dieu, devenue Association pour le bien des jeunes garçons infirmes et pauvres, et à la Ligue contre la tuberculose en Touraine. Ces deux sociétés la mirent presque aussitôt en vente et, le 11 juillet 1947, elle fut acquise par Monsieur et Madame Edouard Gaillard, marchand de chevaux. Une nouvelle mutation intervint le 12 janvier 1953 au profit de Monsieur Marcel Sassier et Isabelle Rey. Ayant perdu son mari, cette dernière avec ses quatre enfants aliénèrent l'immeuble, le 17 septembre 1976, à Monsieur et Madame Uchan-Dumas, laquelle en a toujours la propriété (8).

Cette demeure est l'un des innombrables éléments du riche patrimoine architectural de Chinon mais, située un peu à l'écart du circuit habituel, elle reste assez peu connue. Aussi était-il bon d'attirer l'attention sur elle et son curieux appendice enjambant la rue Beaurepaire, où une restauration bien souhaitable la remettrait parfaitement en valeur !

1/ Bulletin des Amis du Vieux Chinon (1920-1921), page 125 ; (1956) page 94-95 ; (1941) page 278. — 2/ Id. (1935), pages 524, 525. — 3/ Ranjard. Touraine archéologique (1968), page 300. — 4/ Bulletin de la Société Archéologique de Touraine (1986), page 469. — 5/ Archives départementales. Acte Rossignol (Chinon) 26 décembre 1842. Recherches de Monsieur Michel Maître. — 6/ Id. Acte Baranger (Chinon) 4 et 9 mai 1865. — 7/ Renseignements de Monsieur P. Bourgne. — 8/ D'après l'acte de propriété mis à notre disposition par Madame Uchan-Dumas.

La Maîtrise des Eaux et Forêts

Au cœur de la vieille cité, « la rue Haute-Saint-Maurice », devenue on ne sait pourquoi la rue Voltaire, ne compte pas moins d'une douzaine de maisons inscrites à l'inventaire supplémentaire des monuments historiques. Celle située au n° 82 a vu sa « façade sur rue avec le mur de clôture et la façade sur cour à gauche de l'entrée » classées comme monument historique par arrêté du 15 juillet 1920. C'est dire tout l'intérêt architectural qu'elle présente.

Anciennes cartes postales ou dessin de Richard (1) témoignent de l'état dans lequel l'avait laissée le XIXe siècle. Le rez-de-chaussée avait été profondément modifié par le percement de deux fenêtres avec contrevents extérieurs. Une restauration récente a restitué ses meneaux à la baie de l'étage. La salle basse est maintenant éclairée par trois étroites ouvertures en plein cintre. Celle du centre est seule d'origine car elle avait été murée. C'est peut-être ce traitement qui lui a valu de conserver dans un état de fraîcheur remarquable les peintures recouvrant les embrasures. Le toit repose sur une corniche à modillons coupée au milieu par une lucarne à fronton triangulaire. L'angle sud-est du logis est flanqué d'une sorte de loggia en encorbellement unique à Chinon. Côté rue, elle semble rectangulaire sur un cul de lampe mouluré, chaque coin ouvert obliquement par une haute fenêtre. Sur la cour, au contraire, elle devient cylindrique, montée sur une trompe où se voit encore un dessin représentant une allée de forêt. La monumentale porte d'entrée est intacte avec pilastres et arcatures en bossage, tympan demi-circulaire, le tout surmonté d'un large entablement sur lequel repose un fronton courbe.

La façade orientale sur la cour est une œuvre caractéristique de la Renaissance, coupée à mi-hauteur par le double bandeau limitant les allèges, fenêtres

à chambranle à crossettes encadrées de pilastres à chapiteaux composites que l'on retrouve de part et d'autre de l'entrée portant un tympan avec édicule à niche. La lucarne à croisée de pierre au-dessus de l'unique travée de percements est accostée de larges feuilles d'acanthe. L'entablement présente des rinceaux de feuillage de chaque côté d'un écu sommé d'une couronne de comte, brisant le fronton surmonté d'un plus petit orné d'une tête sculptée.

Au levant, une aile qui ne fait plus partie de la propriété depuis longtemps comporte trois arcades partiellement condamnées. Une tour polygonale dans l'angle nord-ouest abrite un large escalier à vis de pierre. La cour intérieure possède également la sienne, dans la même orientation, mais édifiée en moellons irréguliers. Tout le côté septentrional a dû être étayé par suite des menaces d'effondrement de la première terrasse. Trois autres, à la suite, montent « jusqu'à la contre escarpe du château », à la base « des tours du moulin et de Boissy », comme l'indique l'acte de 1810 (2).

Très récemment, des peintures murales d'un grand intérêt ont été découvertes dans la pièce du rez-de-chaussée donnant sur la rue, non seulement sur les embrasures de la baie médiane, mais de chaque côté de la porte. A droite en entrant, un hallebardier en costume de la fin du XVIe siècle semble la surveiller. Une inscription coupée par le visage se lit nettement : « ATRIA CUSTODIO » (je garde les salles ?) (3).

Concrétisée par la pose d'une plaque, une tradition vivace ,comportant sans doute une part de vérité, voudrait voir en cet hôtel le siège de la « Maîtrise des Eaux et Forêts » de Chinon. Mais l'affirmation souvent répétée qu'il en fut ainsi jusqu'en 1792 laisse perplexe ! Le dernier titulaire de cette charge de 1789 à 1792 fut un sieur Auvinet (4). Or, à cette époque, l'immeuble était la propriété de Louis-René Veau, seigneur de Rivière, qui s'était uni le 1er mars 1756, en l'église Saint-Maurice, à Geneviève le Breton (5). Il comparut à l'assemblée électorale de la noblesse de Touraine en 1789 (6). De son mariage étaient nés quatre enfants. Le cadet, Joseph, s'exila et fut inscrit sur la liste des émigrés dès mars 1793 (7). Ses parents durent faire procéder à l'évaluation de leur patrimoine afin que la Nation prélevât sa part. Celle-ci fut évaluée à 17 913 francs et comprit notamment « la maison à terrasse de Chinon ». Elle fut mise en vente et adjugée le 9 ventôse an VII (27 février 1799) au citoyen Joseph Carrère, ancien capitaine de cavalerie, demeurant à Montreuil-Bellay. Il était mari de Cécile Veau, qui lui avait apporté Pont-Amboizé (8), et beau-frère de l'émigré. Dans cet acte, comme dans tous ceux qui suivront, aucune allusion n'est jamais faite de « la Maîtrise des Eaux et Forêts » !

Par l'intermédiaire de sa belle-mère alors veuve, Geneviève-Agnès Lebreton, il revendit son acquisition le 28 février 1810 (2) à Louis-Armand Laurent qui y demeure déjà et où il a établi « son hatellier de travail de salpêtre » ! Le XIXe siècle va être marqué par de nombreuses mutations. Les époux Laurent-Quincé aliénèrent l'immeuble tout en gardant l'usufruit, le 22 février 1820, à leur frère et beau-frère Laurent Gilloire, chargé de la fourniture des fourrages militaires du Maine-et-Loire (9). Ces derniers en firent donation à leurs enfants le 6 juin 1827 (10). La fille, Madame François Beulé, la vendit le 26 juin 1837 (11) à Auguste Fermé-Paré, ancien négociant à Chinon. Ayant perdu son mari, Madame Fermé, par acte sous seings privés, le 22 février 1844, en céda la propriété à Auguste Péan et Emilie Prévost. Celle-ci, le 21 juin 1860 (12), vendit l'immeuble à Augustin Dechezelles, prêtre desservant Rivière, qui le garda onze ans. Le 27 mars 1871, il s'en sépara au profit de la communauté Michel Mazé-Dauzon. Une nouvelle vente eut lieu le 28 janvier 1889 au bénéfice de Jean-Pierre Dechezelles, ancien boulanger, et Madeleine Berthault résidant à Pont-Fouchard, près de Saumur (13).

Au début de ce siècle, la maison était en possession de la famille Poitevin-Thibault et échut en héritage, le 21 avril 1939, à leur petite-fille Jacqueline-Marie Blot, femme d'Henri Doyen, du château de Longue Plaine à Sorigny (14). Après une nouvelle mutation le 6 avril 1945 (15), ce bel édifice, toujours séparé depuis 1810 de sa partie orientale, a été acquis par sa propriétaire actuelle les 23 et 29 octobre 1976 (16).

Siège ou non de la « Maîtrise des Eaux et Forêts », cette remarquable demeure reste, selon le regretté Eugène Pépin (17), la plus intéressante des constructions du XVIᵉ siècle à Chinon !

1/ Bulletin des Amis du Vieux Chinon (1936), page 100. — 2/ Archives départementales. Acte Lenoir, Chinon, 28 février 1810. Tous ces actes recherchés par Michel Maître. — 3/ Bulletin des Amis du Vieux Chinon (1985), pages 1334, 1335. — 4/ Carré de Busserolle. Dictionnaire d'Indre-et-Loire, tome 2, page 275. — 5/ Renseignement de P. Robert du CGT. — 6/ Mémoires de la Société Archéologique de Touraine, tome 10, page 94. — 7/ Archives départementales Q 793. — 8/ Voir « Pont-Amboizé » dans le tome 7 des « Vieux logis de Touraine, page 122. — 9/ Archives départementales. Registre de transcription des hypothèques de Chinon, volume 71, Nº 97. — 10/ Id. Volume 113, Nº 7. — 11/ Id. Volume 168, Nº 28. — 12/ Id. Volume 453, Nº 2520. — 13/ Id. Volume 1530, Nº 22. — 14/ Voir Longue Plaine dans tome 7 des « Vieux logis de Touraine », page 189. — 15/ Renseignements de Monsieur P. Bourgne. — 16/ Nous remercions Mademoiselle Victoria Starr qui nous a transmis les documents en sa possession. — 17/ E. Pépin. Promenades à travers les secteurs sauvegardés, Chinon, page 45.

page précédente : Château de Civray-de-Touraine

CHOUZÉ-SUR-LOIRE

La Maison du Bailli

Naguère encore défigurée par une devanture de magasin, une restauration récente a redonné à cette élégante demeure du XVI⁰ siècle, bordant la rue conduisant à l'église, un aspect décent !

C'est une construction en pierres de taille, entre deux pignons aigus avec toiture d'ardoises. Le comble qui garde la cloison, qui le divisait encore à une époque assez proche en deux parties, est éclairé par une belle lucarne Renaissance à croisée de pierre, encadrée de pilastres assez endommagés. Le fronton est occupé par un blason dont les armoiries sont devenues indiscernables. En dessous, une petite ouverture a été aménagée dans une grande baie accostée également de pilastres à chapiteaux caractéristiques à laquelle on n'a pas cru devoir restituer ses meneaux, ce qui est bien regrettable ! Mais ce qui fait le charme de cette façade, ce sont deux tourelles qui l'agrémentent, coiffées de poivrières. L'une occupe tout le coin nord-est, l'autre est directement plaquée sur la muraille, à faible distance de l'angle formé par le pignon méridional. Toutes deux sont montées en encorbellement sur de petits corbeaux, reliés par des arcs trilobés et prenant appui sur un cul-de-lampe très mouluré.

Le logis a été agrandi au couchant par une addition, édifiée sur une cave en voûte appareillée, qui vient s'appuyer sur l'une des faces d'une tour polygonale ne se voyant pas de la rue. Elle abrite le classique escalier à vis de pierre, mais son sommet a été malheureusement arasé, couvert en appentis, faisant regretter la disparition de sa charpente !

Une tradition locale la désigne encore parfois sous le nom de « Maison du Bailli ». L'élégance de son architecture permet en effet de supposer qu'elle fut certainement construite par et pour un notable, peut-être un officier de la châtellenie des Réaux (1) ou de l'abbaye de Bourgueil qui possédait dans la paroisse le prieuré du Plessis-au-Moines (2).

Or, la recherche de ses propriétaires a montré qu'à la fin du XVIIIᵉ siècle le logis appartenait à Pierre-Urbain Hudault qui fut notaire de 1755 à 1807, mais qui est aussi qualifié de « contrôleur des actes ». Il était également procureur fiscal pour le Plessis-aux-Moines dont le locataire, en 1768, lui devait 111 livres de gage (3). Il était le fils de Pierre Hudault, notaire de 1725 à 1760... Son grand-père, Urbain Hudault, né le 2 mars 1668 (4) et mort à 89 ans le 5 mai 1755, est alors dit « ancien sénéchal des Réaux ». Lui-même était issu d'Urbain Hudault, sergent royal, et d'Urbaine Goubard inhumée le 24 septembre 1667 (4). Même s'il est impossible d'avoir la certitude que l'édifice leur appartenait à la fin du XVIIᵉ siècle, les fonctions occupées par les membres de cette famille pourraient bien justifier cette appellation de « Maison du Bailli » !

Par contre, que « Marie d'Harcourt, épouse de Dunois, bâtard d'Orléans », soit décédée le 1ᵉʳ septembre 1464 « en la Maison du Bailli » n'est certainement qu'une légende, car elle est d'une époque bien postérieure (5) !

Pierre-Urbain Hudault, né le 8 janvier 1730 (4), se maria en l'église de Lerné, le 20 novembre 1752, à Marie Linacier (6). A ses différentes fonctions, il faut ajouter qu'en 1792 « il fut chargé provisoirement comme maire de recevoir les actes », ce qu'il fit quelques mois. Le registre paroissial sera arrêté définitivement le 31 décembre 1792 par Jean-Yves Archambault, maire et époux de sa fille Adélaïde. Il aurait été, par la suite, dénoncé comme aristocrate et dut comparaître devant la municipalité pour se disculper (7). De son mariage naquirent au moins neuf enfants, dont sept étaient encore vivants à sa mort survenue le 16 novembre 1818. Il était alors veuf depuis le 4 décembre précédent. L'un des garçons, Armand-François, succéda à son père comme notaire de 1807 à 1816 où il abandonna sa charge pour celle de juge de paix à Saumur. Par contrat du 8 pluviôse an III (27 janvier 1795), il s'était uni à Marie-Anne Orye. Comme ses frères et sœurs, il avait reçu un septième de l'héritage paternel. Mais par suite de leurs décès successifs, il était devenu, juste à la veille de sa mort le 12 septembre 1845, seul propriétaire de tous les biens dont la masse comprend 146 articles répartis sur les communes de Chouzé, Saint-Nicolas, Bourgueil et Savigny (8). Le 27 décembre 1845, sa veuve, Anne-Marie Orye, en fit donation à ses enfants et la maison de Chouzé, dont est faite une description très précise, ne figure qu'à l'article 135.

Elle avait eu deux garçons, Armand et Raphaël, et Marie-Suzanne-Perpétue qui était alors décédée. Mais de son mariage avec Théodore Gilbert de Vauthibault étaient nées deux filles : Marie-Perpétue, épouse de Félix Couscher, et Isabelle-Angélique, femme de Charles Gazeau. Ce sont elles qui recueillirent le second lot composé d'immeubles à Bourgueil, Saint-Nicolas plus la maison de Chouzé qui resta, après partage entre elles le 6 janvier 1864, à Madame Couscher (9).

Elle la revendit le 26 mai 1847 (10) aux ménages Brion-Beniaud, marchand, et Bourré-Armenou, sabotier, qui partagèrent entre eux le 5 août 1847. C'est donc sans doute à cette époque que l'immeuble fut scindé : la partie ouest disposant de l'escalier de la tour, il fallut installer un degré en bois à l'intérieur de l'autre moitié, et une cloison toujours existante coupa le grenier.

Monsieur Brion ayant fait faillite, une portion de la maison passa, en 1872, à Monsieur et Madame Meschine qui firent donation à leur fille, épouse de Charles Malécot, le 27 janvier 1888. Ces derniers avaient un garçon, Charles, habitant à Bordeaux quand il revendit, le 26 août 1922, à Monsieur Henri Jacqueneau qui réunifia l'immeuble en acquérant l'autre moitié le 13 novembre 1926. Ses deux filles l'ont cédé, le 18 juin 1956, à Monsieur et Madame Barach-Noventa (5).

Un arrêté du 12 octobre 1942 a inscrit à l'inventaire supplémentaire des monuments historiques la façade et toiture de « la maison à tourelles rue de l'église » à Chouzé. Nous préférons lui laisser le nom de « Maison du Bailli » que la tradition nous a transmis !

1/ Voir les « Réaux » dans « Vieux logis de Touraine », tome 6, page 52. — 2/ Id. « Le Plessis-au-Moines », tome 4, page 39. — 3/ Goupil de Bouillé. Bourgueil. Trois siècles d'histoire (1980), page 156. — 4/ Registres paroissiaux de Chouzé. — 5/ Renseignement de Madame Barach qui nous a communiqué son acte de propriété. — 6/ Dates indiquées par P. Robert du CGT. — 7/ G. Richard. L'évolution rurale (1946), page 114. — 8/ Archives départementales. Acte Brayer-Maisonneuve (Chouzé), 27 décembre 1845. — 9/ Id. 6 janvier 1846. — 10/ Id. Registre de transcription des hypothèques de Chinon, volume 864, N° 5. Tous ces actes retrouvés par Michel Maître.

CIVRAY-DE-TOURAINE

Le Château

Le 22 octobre 1729, Jacques Lhomme de la Pinsonnière, chef de gobelet du roi demeurant à Amboise, acquit « trois quartiers de pré » derrière l'église de Civray (1). Pour Lorenzi, érudit local, ce serait probablement sur ce terrain que fut édifiée, dans les années qui suivirent, une demeure qui à l'origine fut appelée « la Barillonnerie » (2).

Un acte de 1822 en fait une description précise (3) : « Le château de la Barillonnerie s'élève au levant du bourg de Civray consistant en un principal corps de bâtiment couvert d'ardoise, ayant façade au nord et au midi et deux pavillons au levant et couchant. On y accède par une cour d'honneur au nord ayant son entrée par une porte cochère donnant sur " un petit mail " touchant à la grande route de Tours à Chenonceaux. » Donc, les deux ailes moins élevées, qui auraient été édifiées sous la Restauration selon Ranjard (4), n'étaient pas encore construites en 1822 !

La façade septentrionale s'ordonne de part et d'autre d'un avant-corps limité par des pilastres à bossages supportant un fronton triangulaire. Aux extrémités, deux avancées forment pavillons avec chaînages d'angle à refends. Un bandeau plat court à la base des allèges des baies du premier étage. Au midi, par contre, la façade est rectiligne. On y retrouve le même avant-corps, mais le tympan y est percé d'une baie en plein cintre. Le rez-de-chaussée ouvre sur une terrasse d'où l'on descend par une volée droite de onze marches sur une seconde. Huit nouveaux degrés de pierre conduisent au parc où une pièce d'eau circulaire est alimentée par une source située à environ 1 500 mètres, par des canalisations souterraines.

Près du chevet de l'église épaulé par deux contreforts et formant clôture, une porte à linteau droit, portant la date de 1783, donne accès à une galerie à voûte appareillée en arc brisé, dont le fond est séparé par un mur. Derrière, la paroi occidentale creusée dans le rocher abrite le tombeau de Madame la marquise de Thoran. Contrairement à une certaine tradition, il faut renoncer à voir, dans ce sous-sol aménagé, la crypte de l'ancienne chapelle Saint-Roch interdite en 1787 et qui était au château des Cartes, tout à fait au nord de la commune (5).

Tout l'immeuble est élevé sur de magnifiques caves en berceau appareillé séparées par des cloisons. A l'extrémité orientale, un passage sous la première terrasse débouche sur la seconde. Dans la salle basse du petit bâtiment rajouté au XIXᵉ siècle, un mécanisme permet de relever une trappe épousant si soigneusement les lames du parquet qu'on n'en soupçonne pas l'existence. Elle cache un escalier de pierre par lequel on peut rejoindre, sous la cour, les communs. Sous ceux du levant, on a dégagé l'entrée d'une galerie souterraine ayant sa sortie dans la propriété voisine. Ce passage était utilisé pendant l'occupation par des maquisards qui s'y réfugiaient alors que les Allemands étaient logés au niveau supérieur !

Le château de « la Barillonnerie », devenu plus simplement au cours des temps celui de Civray, demeura dans la famille Lhomme de la Pinsonnière jusqu'en 1894.

Jacques avait épousé, à Amboise le 7 janvier 1698 (6), Marie-Madeleine Déodeau dont il eut deux filles et deux garçons : Claude, chanoine de Saint-Florentin, et Jacques né en 1701. Celui-ci s'unit à Marguerite de Frémault qui lui apporta Villiers, à Luzillé, acquis par son père le 28 mars 1740 de François Dubois (7). Elle mourut au château, le 15 février 1776, et son mari le 30 juillet 1780 à 79 ans. Leur succession se régla le 16 décembre 1780 (8).

En tant qu'aîné noble, Jacques Lhomme de la Pinsonnière proposa à ses deux sœurs et à son frère Claude-Louis de leur abandonner : «le lieu de la Barillonnerie avec ses métairies et trois terres au Maine », ce qui fut accepté. Un arrangement intervint sans doute par la suite puisque Claude-Louis resta seul propriétaire du château.

Capitaine au régiment de Bourbon infanterie, il est représenté à la signature de l'acte par son oncle, Louis de Boyneau, car au mois d'avril il avait embarqué sur le vaisseau l'« Ardent » affecté à l'armée du comte de Grasse (9). Il devait se retirer du service en 1788 et comparut l'année suivante, en personne, à l'assemblée électorale de la noblesse de Touraine (10).

A sa mort, le 11 novembre 1821, il n'avait plus pour héritiers que ses trois fils, lesquels avaient récupéré, en 1813, les biens de leur oncle Jacques (11). Le partage du 11 avril 1822 (3) donna le lot formé « par la terre de la Barillonnerie » à l'aîné, Alexis-Jacques-Louis-Marie, né à Civray le 30 juin 1788. Sous-lieutenant en 1811, fait prisonnier et emmené en Angleterre, il ne revint qu'à la chute de l'Empire. Nommé maire en 1815, il assuma cette charge sans interruption jusqu'en 1848. Le 1ᵉʳ mars 1819, il s'était uni à Tours à Anne-Julie-Adèle, fille du général Liébert de Nitray. Louis Philippe le nomma pair de France, en 1839, lorsqu'il perdit son siège de député de Loches. L'un de ses administrés nous a laissé de lui un portrait peu flatteur : « Ce haut personnage se déclarait maître absolu de tous et de toutes choses. Le mariage de ses trois filles furent l'occasion de fêtes où étaient invités les serviteurs, ses paysans et même la garde nationale. Mais par suite de spéculations hasardeuses et de dépenses exagérées, ce grand seigneur tomba dans la déconfiture et vit sa propriété saisie » (2).

Ce sont ses gendres qui payèrent les dettes en rachetant le château (12) qui resta finalement à l'un d'entre eux, Monsieur Théogène de la Brousse de Veyrazet. Mais une séparation de biens étant intervenue par jugement du tribunal de Tours le 15 juillet 1862, c'est son épouse, Noémie-Amélie Lhomme de la Pinsonnière qui, le 5 janvier 1863, resta seule propriétaire du domaine. Devenue veuve peu de temps après, le 13 avril 1867, elle le garda jusqu'en 1894 où, le 1er mars (13), elle le vendit à Madame Alix Ewbank, veuve de Jacques le Caron de Fleury.

Cet acte précise qu'il existe « sous l'orangerie un embranchement de cave passant sous le chemin qui mène au Cher, débouchant dans une artère principale dont l'entrée se trouve dans la propriété de la venderesse ». Elle s'engageait à murer à ses frais l'origine de cet embranchement !

Le bassin du parc est alimenté par des canalisations amenant l'eau d'une fontaine de Civray à la Barillonnerie. Ce droit avait été reconnu, le 28 juin 1751, lorsque Monsieur de la Pinsonnière avait vendu la maison, où se trouvait cette source, à Monsieur Royer. Le 20 février 1820, le conseil municipal autorisa son maire, Monsieur de la Pinsonnière, à pratiquer un canal à ses frais sous la principale rue du bourg.

Depuis 1894, plusieurs mutations ont affecté l'immeuble dont la propriété est passée en 1927 au ménage de Vallée, en 1930 à Monsieur Edgard Doe qui y décéda le 27 novembre 1935. Ses héritiers revendirent en 1936 à Monsieur et Madame Louis Chelle, industriel, qui deux ans plus tard l'aliénèrent à Madame de la Verteville qui le garda vingt ans. C'est en effet le 6 septembre 1958 que Madame la marquise de Thoran, née Yvonne-Caroline, princesse de Pückler, duchesse de Steyer et Rastemberg (14), en fit l'acquisition !

C'est à son fils, Monsieur le marquis de Thoran, qu'incombe aujourd'hui la charge d'assurer la sauvegarde de cet édifice, excellent exemple de l'architecture civile du XVIIIe siècle, qui a été inscrit à l'inventaire supplémentaire des monuments historiques par arrêté du 6 mars 1947 !

1/ Archives départementales. Acte Charpentier du 22 octobre 1719. — 2/ Id. Fonds Lorenzi. — 3/ Id. Acte Brochard à Civray du 11 avril 1822. — 4/ Ranjard. Touraine archéologique (1968), page 325. — 5/ Dictionnaire des communes de Touraine (1987), page 332. — 6/ Chevalier. Archives municipales d'Amboise (1879), pages 114, 218. — 7/ Voir « Villiers » à Luzillé, tome 5 des « Vieux logis de Touraine », page 155. — 8/ Archives départementales. Acte Legendre, à Amboise, du 16 décembre 1780. — 9/ Archives de la guerre à Vincennes. Dossier Lhomme de la Pinsonnière. — 10/ Mémoires de la Société Archéologique de Touraine, tome X, pages 98, 128. — 11/ Voir le « Mail Saint-Thomas » à Amboise, au début de ce volume. — 12/ Archives départementales. Actes Robin, à Tours, du 19 octobre 1846 et 21 juin 1847. — 13/ Id. Registre de transcription des hypothèques de Tours, volume 2956, N° 3. — 14/ Nous remercions Monsieur le marquis de Thoran qui, en nous confiant son acte de propriété, a permis cette étude.

CIVRAY-SUR-ESVES

La Pierre

Ce toponyme désigne souvent la présence d'un monument mégalithique. Or, il se trouve qu'à 500 mètres au nord existe une pierre plate, cassée en deux, couchée sur le sol, marquée comme menhir sur la carte au 1/25 000e. Bousrez, en 1895, disait avoir appris qu'elle était autrefois debout. J.-M. Rougé y voyait la table d'un dolmen, hypothèse confortée par la découverte d'ossements, d'une hachette pendeloque et d'une hache polie (1).

La ferme de la Pierre est située sur une croupe d'où l'on jouit d'une vue remarquable sur la dépression où coule l'Esves. Ce site privilégié ne pouvait manquer d'être occupé car il apparaît assez facile à fortifier. Le cadastre de 1833 montre encore les bâtiments à l'intérieur d'une enceinte quadrangulaire dont le côté sud-ouest était flanqué de trois tours, une à chaque extrémité, l'autre au centre. Il n'y en a plus trace, à l'exclusion d'un pan de muraille d'une vingtaine de mètres à l'est et à peu de distance à l'arrière de la construction accostée, à l'un de ses angles, d'une tour de défense. Celle-ci est à peu près le seul caractère seigneurial visible, avec une importante fuie.

De plan rectangulaire et malheureusement ruinée, ses vestiges n'en méritent pas moins attention. La toiture s'est effondrée il y a quelques décennies, ainsi que le côté sud dans sa totalité et, à l'ouest, dans sa plus grande partie. Construite en petits moellons irréguliers avec chaînes d'angle en pierres de taille, elle n'est ceinturée par aucune moulure contre les prédateurs. Seul, le premier étage servait de colombier : sur les deux murs encore debout existent trois travées de cinq rangées de boulins, une quatrième est incomplète, chacune séparée par un cordon d'appui. Au total, sans doute plus de 1 500 niches, prouvant l'importance du domaine !

Au levant, un grand bâtiment comporte deux pièces : l'une servant à la fois de boulangerie, avec four à pain dont la motte n'est plus hors d'eau, et de pressoir dont la table est en place, mais doit disparaître. La seconde salle est chauffée par une cheminée à hotte séparée du linteau par une corniche. Les chevrons apparents du plafond reposent sur deux maîtresses poutres. L'angle sud-est est englobé dans une tour polygonale en petits moellons, très arasée et couverte d'un long toit en appentis. On y remarque trois meurtrières à orifice circulaire à l'intérieur, mais largement ébrasées horizontalement à l'extérieur.

Tout le côté occidental est bordé d'une longue construction dont les parois sont en alignement sur la cour, mais forment un décrochement très marqué à l'arrière. L'élément le plus étroit constitue le logis d'habitation. Son mur de façade très épais témoigne d'une technique soignée : des pierres calcaires de modules différents n'en forment pas moins des assises régulières. La porte d'entrée, en plein cintre avec clef en saillie, donne sur un escalier à volées rectilignes très inégales : celles accédant à l'étage ont 10 et 4 marches, et ces dernières sont des poutres de bois. La date de 1679 gravée sur une pierre après le palier atteste de l'ancienneté de la demeure. La salle basse est chauffée par une ample cheminée dont la hotte repose sur deux jambages formant consoles, alors que celle du dessus est supportée par un linteau de bois.

La façade est épaulée à un angle par un contrefort à glacis. La fenêtre primitive du rez-de-chaussée est murée et, de part et d'autre, ont été percées des baies plus larges. L'étage est éclairé par trois ouvertures de dimensions réduites dont le linteau ne comporte que trois pierres, celle du centre formant clé. On remarquera enfin une grande arcature en anse de panier appareillée, en grande partie aveuglée, et à l'opposé les jambages d'un portail condamné sous un arc de petites pierres plates reposant sur une pièce de bois. N'y aurait-il pas eu là un porche supprimé pour agrandir la surface habitable ? La grange qui fait suite a été endommagée par un incendie vers 1960, et la charpente métallique indique la partie sinistrée. Sous le petit bâtiment placé au centre et ne figurant pas sur le premier cadastre, existe une cave sous une voûte enduite, relativement récente, la couverture ayant été exécutée le 20 juin 1898 !

La Pierre était, au Moyen Age, un fief (2) dont le propriétaire était, en 1505, Christophe de Mons, chapelain de la chapelle Saint-Julien de « Crissé » et, en 1572, René de Mons. Une contestation au sujet d'une rente de 6 boisseaux de froment dus à la cure de Civray nous donne le nom de ses trois successeurs : Christophe qui la constitua le 31 août 1598, Anthoine qui la confirma le 12 juin 1656 et que l'on trouve cité, le 7 août 1666, lors de l'enquête sur la recherche de la noblesse (3), et Pierre de Mons. Celui-ci préféra abandonner au prêtre de Civray-sur-Esves les pièces de terre sur lesquelles elle était assignée le 22 mai 1699 (4). Quelques jours plus tard, le 4 juin, on l'inhuma, décédé de la veille dans l'église de Ligueil en présence de son gendre, Monsieur de Marsay (5).

Françoise-Elisabeth de Mons avait en effet épousé, dans l'église paroissiale le 8 février 1675 (6), Cosme de Marsay qui se remaria le 29 août 1699 à Françoise Theurault qui lui donna sept enfants, dont Françoise-Catherine. Elle devait s'unir, le 27 novembre 1725, à François-Charles-Constant de Pierres de Fontenailles dont les descendants portent le titre de seigneur de la Pierre. Leur fils, François-Constant, marié à Esves-le-Moutier à Agathe-Charlotte de Plaisance, âgée de 13 ans (7), le 7 novembre 1752, est cité deux ans plus tard comme propriétaire du domaine de la Baunière à Cussay (8) auquel la terre de la Pierre fut incorporée.

François-Augustin-Henri de Pierres, qui leur succéda, naquit à Loches le 22 février 1767 (9) et mourut à Cussay le 8 octobre 1838. Il laissait de son union avec Marie-Louise de la Bonnetière : Louise-Geneviève, épouse d'Achille Leviel de la Marsonnière, laquelle décéda au château de Saint-Ustres (Ingrandes-sur-Vienne) le 3 mai 1883, et Victoire-Geneviève qui trépassa le 24 mai suivant. La Pierre fut recueillie par le petit-fils de la première, Charles-Louis-Albert-Simon de la Mortière, petit-neveu de la seconde. Il mourut à Suresnes, le 29 juillet 1911. Sa veuve, Marie-Jeanne Crussard, et ses deux enfants, Anne et Roger de la Mortière, vendirent la Pierre le 23 octobre 1922 (10) à Henri-Marie-Martin-Joseph Thibault de la Carte, comte de la Ferté Sénectère, à son frère Martin-Marie-Joseph et leur sœur Josèphe-Marie-Madeleine.

Celle-ci, devenue baronne de Witte, finit ses jours à Aleth le 19 mai 1979, léguant ses biens à son neveu, Monsieur Stanislas-André-Martin Thibault de la Carte, marquis de la Ferté Sénectère. Ce dernier a entrepris les premiers travaux de restauration de cet ensemble peu connu mais digne d'attention. La Pierre est en effet le type de ces anciens manoirs, devenus au fil du temps maison paysanne, dont le caractère original d'un grand intérêt mérite d'être sauvegardé !

1/ G. Cordier. Inventaire des mégalithes d'Indre-et-Loire (2ᵉ édition), 1984, page 34. — 2/ Carré de Busserolle. Dictionnaire d'Indre-et-Loire, tome 5, page 68. — 3/ Chambois et Farcy. Recherche de la noblesse en 1666, page 536. — 4/ Archives départementales G 579. — 5/ Mémoires de la Société Archéologique de Touraine, tome 48, page 208. — 6/ Tous ces mariages indiqués par P. Robert. — 7/ Mémoires de la Société Archéologique de Touraine, tome 43, page 603. — 8/ Carré de Busserolle. Dictionnaire d'Indre-et-Loire, tome 1, page 160. — 9/ Registre paroissial de Loches. — 10/ Nous remercions Mᵉ Benoît, notaire à Ligueil, qui en nous communiquant un acte du 3 juin 1889 nous a permis d'établir l'origine de propriété de la Pierre.

Alet

L'orthographe de ce toponyme dont l'étymologie reste douteuse (1) a souvent varié au fil du temps. Le rôle de 1639 (2) mentionne le fief « d'Allettes » pour un revenu annuel de 20 livres ; la carte au 1/25 000ᵉ et le premier plan cadastral portent « Allet », qui devient « Aleth » pour J.-M. Rougé (3). Cassini indique « Alet » qui s'écrit ainsi dans les actes récents (4).

Ses origines sont également très obscures, puisque le dictionnaire d'Indre-et-Loire (5) cite comme premier propriétaire connu, en 1662, Antoine de Mons. Celui-ci devait être mort lors de l'enquête sur la recherche de la noblesse, car Charles-Christophe de Mons, qui comparaît le 7 août 1666 (6) comme seigneur de la Roche d'Enchailles, parle « d'Anthoine de Mons, seigneur d'Allet », décédé, qui a laissé quatre enfants. D'après Carré de Busserolle, la terre « d'Alet » aurait été saisie en 1696 sur Pierre de Mons et acquise par le maréchal d'Estrées, puis revendue le 25 août 1703 par N. d'Albert, duc de Montfort, à Côsme de Marsay (5). Ses descendants vont en garder la possession jusqu'en 1811 et reconstruisirent vraisemblablement le château à la place peut-être d'une construction plus ancienne. La cave voûtée en moellons, aboutissant à un caveau perpendiculaire qui devait être l'ancienne entrée, en est sans doute un vestige.

L'édifice actuel, d'une extrême sobriété architecturale, s'élève sur plan quadrangulaire limité par des chaînages d'angle à refends. Ses façades sont coupées à mi-hauteur par un cordon courant à la base des allèges en pierres de taille. Des pilastres à bossage limitent les parties médianes, plus largement au nord avec trois travées de percements qu'au milieu où il n'y en a qu'une. Celle-ci a été surélevée et couronnée, après 1836, d'un tympan triangulaire portant le blason du nouveau propriétaire : le marquis de la Ferté Sénectère qui était : « Ecartelé d'azur aux 1 et 4 à la tour crénelée d'argent qui est de Thibault de la Carte, aux 2 et 3 à cinq fusées d'argent en fasce qui est de la Ferté Sénectère. » A l'opposé, il n'y a qu'une grande lucarne ,accostée de part et d'autre d'une balustrade aux balustres en poire se retrouvant sur les côtés du perron d'où l'on descend au parc par trois degrés de pierre. A l'intérieur, l'escalier est en bois avec volées rectilignes inégales, mais la rampe est en fer forgé formant des S accolés !

Comme nous venons de le voir à l'article précédent, Cosme de Marsay, seigneur de Blanchépine à Sepmes, avait épousé à Civray le 8 février 1695 Françoise-Elisabeth, fille de Pierre de Mons (7). C'est cependant de sa seconde union avec Françoise Theurault que naquit son successeur, Cosme-Gabriel, baptisé le 13 octobre 1702 (8). Par contrat du 4 septembre 1730, il s'allia, à Châtillon, à Louise Pellerin et, le 22 mars 1737 en l'église Saint-Ours de Loches, Cosme-Claude-François fut porté sur les fonts baptismaux par François-Robert Boulay, seigneur de Saint-Jean, procureur du roi aux Eaux et Forêts de la ville (9). Ses parents y achetèrent, le 11 février 1740, la maison dite de « l'Ecuyer du Roi » à l'entrée du fort Saint-Ours (10).

Page de la Petite Ecurie en 1754, puis capitaine au régiment de Dauphin dragons, il se maria à Saint-Georges-de-la-Haye, le 18 janvier 1768, à Marie-Joséphine-Catherine Vidard de la Ferraudière. Il comparut en personne à l'assemblée électorale de la noblesse de Touraine, en 1789 (11), en tant que « seigneur d'Alet, Pui-Rivé et autres lieux ». Le 11 juin 1790, il se sépara du logis du fort Saint-Ours (10). Mais son fils Cosme-Pierre ayant émigré par la suite ainsi que son gendre Monsieur de Ponard, il fut, en 1793, incarcéré au château de Loches avec sa femme et ses trois filles. On le soupçonne « d'avoir favorisé l'émigration de son fils et d'avoir correspondu avec lui ». Quant à son épouse, « elle a dans tous les temps tonné contre le nouvel ordre de choses et s'est servie à cet égard des expressions les plus indécentes » ; leurs filles n'ont guère montré leur attachement à la République (12). Cependant, Madame de Ponard, qui n'avait pas voulu se séparer de l'enfant né peu avant son arrestation et qui mourut faute de soin, fut libérée par le représentant en mission Vidal, le 22 vendémiaire an III (13 octobre 1794). Les autres le furent par la suite après un an et quelquefois plus de détention (13).

Le 31 janvier 1811, Cosme-Claude-François de Marsay et sa femme, demeurant à Loches, vendirent la terre d'Alet et ses nombreuses dépendances à René-Louis-Ambroise de la Poëze, domicilié à Landemont (Maine-et-Loire), pour 100 000 francs payables après le décès des vendeurs (14) !

Le 29 juin 1836, l'acquéreur, devenu par son mariage en 1817 Monsieur René-Louis de la Poëze d'Harambure (15), vendit le domaine à Monsieur Augustin-Marie-Faustin Thibault de la Carte, marquis de la Ferté Sénectère (16). Celui-ci devait faire donation partage de ses biens entre ses enfants le 15 juin 1878 (17), et Alet passa à son fils aîné Jacques-Henri-Joseph qui décéda le 29 février 1888. C'est son arrière-petit-fils qui en a aujourd'hui la possession, par suite du legs fait en sa faveur par sa tante, Madame la baronne de Witte, morte au château le 19 mai 1979.

Ainsi cette modeste gentilhommière, dans cette petite commune rurale de Touraine, perpétue le souvenir d'une famille de très ancienne noblesse originaire du Poitou (18). A la suite d'une alliance, elle fut autorisée, par lettres patentes enregistrées le 16 juillet 1698, à joindre à son nom celui de la Ferté Sénectère à condition d'écarteler ses armes (19), ce qui explique le blason visible au fronton méridional du château d'Alet !

1/ Bulletin de la Société Archéologique de Touraine, tome 33, page 128. Dauzat. Dictionnaire des noms de lieux, page 10. — 2/ Rôle des fiefs de Touraine, page 49. — 3/. J.-M. Rougé. Vieilles demeures tourangelles, page 1. — 4/ Actes du 28 novembre 1932 et 15 février 1980, communiqués par Mᵉ Guy le Pape. — 5/ Carré de Busserolle. Dictionnaire d'Indre-et-Loire, tome 1, page 14. — 6/ Chambois et Farcy. Recherche de la noblesse en 1666 (1895), page 536. — 7/ Dates indiquées par P. Robert du CGT. — 8/ Beauchet-Filleau. Dictionnaire des familles du Poitou, tome 6, page 583. — 9/ Registre paroissial de Loches. — 10/ Voir « Vieux logis de Touraine », tome 6, page 123. — 11/ Mémoires de la Société Archéologique de Touraine, tome X, pages 97, 128, 152. — 12/ Registre du comité de salut public de Loches (copie de Mᵉ Picard, archives personnelles). — 13/ Picard. Feuilleton du Lochois (1903), N° 24. — 14/ Acte Malvaut à Descartes du 31 janvier 1811, photocopie due à Mᵉ le Pape. — 15/ Voir « Harambure » dans le premier volume des « Vieux logis de Touraine », page 232. — 16/ Acte Couturier à La Haye du 29 juin 1836, retrouvé par Monsieur Michel Maître. - - 17/ Archives départementales. Registre de transcription des hypothèques de Loches, volume 900, N° 1664. — 18/ Carré de Busserolle. Armorial de Touraine, page 955. — 19/ La Chesnaye Desbois-Badier. Dictionnaire de la noblesse, tome 18, page 930.

CLÉRÉ-LES-PINS

L'ancien Presbytère

Si l'église de Cléré fut presque entièrement rebâtie vers 1868, elle a cependant conservé son chœur du xiie siècle (1). La petite place entourant son abside est limitée au nord par un mur en moellons où s'ouvre un portail monumental, enrobé de lierre qui en cache les meurtrissures !

Son arcature en plein cintre repose sur deux importants blocs sculptés représentant chacun un animal se tournant le dos et reposant sur une corniche en saillie. Celui de droite serait un chien assis, l'autre un lion allongé, la queue bien dessinée, mais les pattes antérieures très abîmées. La clef est ornée d'un cartouche orné d'une couronne d'épines avec, au centre, le monogramme du Christ. Au-dessus, on discerne une tête avec ses oreilles supportant une croix ! A côté s'ouvre un guichet pour piétons à linteau droit, agrémenté d'une accolade avec, à chaque extrémité, deux petits quadrupèdes, circonscrivant une pierre carrée en saillie destinée peut-être à recevoir des armoiries. Ce portail remarquable est à peu près la seule curiosité architecturale de ce bourg jadis si important. Pourquoi faut-il qu'un appentis inesthétique, couvert en tôle, vienne s'adosser au jambage gauche qu'il dissimule presque totalement ? Qui a bien pu autoriser pareille construction constituant une verrue qu'il serait bien souhaitable de voir disparaître ?

Le presbytère, dont il ferme la cour, serait comme lui une œuvre du XVIᵉ siècle, selon Ranjard (1). C'est un long édifice rectangulaire dont tous les percements ont été remaniés, lui enlevant beaucoup de caractère ! Seule une ouverture a conservé son encadrement chanfreiné. Il s'agit, en réalité, de deux bâtiments accolés. Le plus ancien est au levant avec des murs de plus d'un mètre d'épaisseur. Son pignon occidental existe encore dans les combles, délimitant ainsi les deux éléments et formant un double grenier comme le précise les actes. La disposition intérieure n'a guère changé, si l'on s'en réfère au procès-verbal d'estimation du 3 messidor an IV (21 juin 1796) (2). On y accédait alors par une porte donnant sur un vestibule où se trouvait l'escalier. Si celui-ci est toujours en place, l'entrée a été murée à la base pour former une fenêtre. On remarquera les deux belles cheminées, témoignant sans doute d'un réaménagement au XVIIᵉ siècle. Dans celle de la cuisine, au linteau arrondi aux angles, s'ouvre la bouche d'un four à pain intact.

Propriété ecclésiastique, le presbytère de Cléré fut saisi comme bien national et mis en vente trois jours après son estimation. Il fut adjugé le 6 messidor an IV (24 juin 1796), pour 3 400 livres, à François-André-Célestin Froger et à son beau-frère Mathurin Frédureau, négociant à Tours. Le premier mourut dans les années qui suivirent, et une licitation à la requête de sa veuve Victoire-Aimée Charpentier, amena une adjudication au tribunal civil de Tours le 27 floréal an X (17 mai 1802), au profit de Mathurin Frédureau qui devint seul propriétaire et loua l'immeuble le 19 fructidor an XI (6 septembre 1803) au sieur Baugé.

Demeurant toujours à Tours, « section du Chardonnet », Mathurin Frédureau et Félicité-Renée Froger revendirent leur acquisition le 12 fructidor an XIII (30 août 1805) à Jean Compagnon, propriétaire et receveur des contributions à Cléré (3). Il ne la garda que peu de temps puisqu'il l'aliéna, le 4 décembre 1817, à la commune de Cléré pour 3 000 francs. Celle-ci était représentée par son maire « René de la Ruë, baron de Champchevrier », assisté de son adjoint Louis Brosseau, maréchal. C'est le premier qui versa, est-il précisé, la « somme de ses deniers en attendant le remboursement par la municipalité » (4). Pendant plus d'un siècle, le presbytère demeura propriété communale. Ce n'est en effet que le 31 mai 1931 que le conseil municipal le céda à « la société civile immobilière de Cléré ». Celle-ci était constituée uniquement des membres de la famille de Champchevrier, ayant son siège social au château de ce nom. Les 21 et 27 janvier 1965 (5), l'Association diocésaine de Tours en devint propriétaire.

De nos jours, Cléré, comme beaucoup de paroisses n'ayant plus de prêtre résidant, le presbytère fut mis en vente et acquis par ses voisins immédiats, Madame et Monsieur Boureau, membre de l'Institut. Il serait important de remettre en valeur ce magnifique portail défiguré par cette construction disgracieuse qui en cache une partie. Une inscription à l'inventaire supplémentaire des monuments historiques a été demandée. Il serait très souhaitable qu'elle soit accordée afin qu'une protection officielle intervienne pour éviter, dans l'avenir, pareille mutilation !

1/ Ranjard. Touraine archéologique (1968), page 323. — 2/ Archives départementales. Biens nationaux, série Q. — 3/ Id. Acte Juge (Tours), 12 fructidor an XIII. — 4/ Id. Registre de transcription des hypothèques de Tours, volume 61, N° 71. Recherches de Messieurs Bourgne et Maître. — 5/ D'après l'acte de propriété mis à notre disposition par Monsieur et Madame Edouard Boureau.

L'Hostellerie Saint-Louis

Elle occupe un espace important au hameau des Cormiers, dont la situation actuelle ne laisse pas deviner son activité passée !

A son sujet, Guérin s'exprime ainsi (1) : « Ce village a joui longtemps d'éléments de prospérité qui lui manquent aujourd'hui. Il était traversé par le grand chemin de Baugé à Tours (comme la carte de Cassini l'indique nettement) et c'était par là que le commerce expédiait sur les marchés de Paris les bœufs et les porcs. Ces bestiaux voyageant par petites journées, passaient la nuit aux Cormiers où les recevaient trois bonnes hôtelleries. Les seigneurs de Champchevrier avaient établi leur justice aux Cormiers et y faisaient tenir deux foires le jeudi gras et le 24 avril. Plusieurs marchands et artisans s'y étaient fixés et des notables de Cléré comme les Huet, Fontaine en sont originaires. La décadence a commencé lorsque le seigneur de Champchevrier transféra sa justice à Cléré, les foires suivirent. » Cet événement eut lieu en 1785 (2). « Mais le plus funeste pour les Cormiers fut la mode adoptée, vers 1825, par les marchands de faire transporter leurs porcs par des voitures, comme la poste par des relais, et enfin par le chemin de fer » (1) !

De ces trois hôtelleries à l'enseigne de saint Jacques, saint Michel et saint Louis (3), c'est cette dernière qui a le mieux conservé son aspect ancien, témoignant de sa destination primitive. Ses bâtiments s'élèvent sur les trois côtés d'une cour intérieure. On y accède de la route par un porche dont les chaînes d'angle et les arcatures sont en pierres de taille. Celle de l'intérieur a dû être reprise entièrement, ce qui a fait disparaître la date de 1650 (4) qui figurait sur la clef qui s'est effritée. Sur ce soubassement de maçonnerie et un peu en retrait s'élève une tour quadrangulaire en colombage, avec toit à quatre pans surmonté d'un curieux lanternon octogonal. On veut y voir une ancienne fuie, bien que la faible épaisseur des parois ne se prête guère à l'établissement de boulins et que son existence ne soit pas mentionnée dans la description de 1805 (5). Mais elle a très bien pu servir d'abri à des pigeons ! Les poteaux corniers sont consolidés par des poutres obliques, et le remplissage est fait de moellons enduits. Un arrêté du 5 juin 1962 a inscrit à l'inventaire supplémentaire des monuments historiques ce porche « avec son "colombier" ainsi que les façades et toitures du pavillon nord-ouest ». Celui-ci est relié à l'entrée par un mur percé d'un guichet pour piétons à linteau plein cintre à l'extérieur. L'édifice est élevé d'un étage et d'un très haut comble, couvert d'ardoises à quatre versants. Celui-ci est éclairé, au levant, d'une lucarne de pierre à fronton triangulaire où est gravée la date de 1637, et non 1677 comme l'écrit Ranjard (4). Certaines ouvertures avaient été murées, d'autres remaniées !

Les vastes dépendances bordent les autres côtés de la cour. La grange, au midi, présente une charpente dont le double faîtage est relié par des croix de saint André. Celle en retour d'équerre jusqu'à la route abritait les écuries au premier niveau. Le plafond est formé de bâtons enrobés de torchis allant d'une solive à l'autre.

Tout cet ensemble, en mauvais état, vient d'être l'objet d'importants travaux de restauration, notamment le porche dont la toiture et la façade méridionale ont été entièrement remis à neuf !

A l'époque de la Révolution, l'immeuble était encore à l'enseigne : « Hostellerie Saint Louis ». Le 7 brumaire an VII (28 octobre 1798), on voit en effet le « sieur Pierre-François Froger, homme de loi à Tours », d'une famille très anciennement implantée à Cléré, vendre à Louis et Etienne Huet : « l'auberge et dépendances nommée saint Louis aux Cormiers ». Cet acte n'ayant pu être retrouvé à ce jour, il n'a pas été possible de remonter l'origine de propriété au-delà de cette date (5) !

Les acquéreurs étaient les deux frères qui avaient épousé les deux sœurs Rotreau à Savigné-sur-Lathan. Marie-Madeleine s'était unie, le 17 novembre 1778, à Etienne, et Anne le 17 juin 1783 à Louis Huet (6). Les deux ménages, à l'occasion de la succession de leurs parents René Rotreau, fermier de Bissay, et Marie-Madeleine Lehou, demandèrent le partage des biens en deux parties, y compris l'auberge et la métairie de Beaugé (à Savigné) acquise en commun au district de Langeais « le 25ᵉ jour du 7ᵉ mois l'an II » (donc le 24 avril 1794). Après tirage au sort le 19 pluviôse an XIII (8 février 1805), le premier lot comprenant : « l'auberge située aux Cormiers avec la closerie de la Haute Rongère, des Bruneaux et de la Lucazière à Savigné » échut à Louis Huet et son épouse (5).

Ces derniers se trouvèrent, en 1833, à la tête d'un important patrimoine immobilier s'étendant sur les communes de Savigné, Channay, Courcelles, Couesmes et, à Cléré, aux Cormiers « la maison de saint Louis »., appellation qui indique vraisemblablement que ce n'était plus une auberge, mais ils y font leur résidence (7). Le 21 mars 1833, ils firent donation de leurs biens, et le troisième lot composé notamment de la « maison de saint Louis » fut attribué aux enfants Fontaine par représentation de leur mère décédée Anne Huet, femme de Louis Fontaine : Louis, Anne et Clémence. Celle-ci deviendra l'épouse d'Antoine-François Fronteau et mourut le 28 janvier 1914, laissant pour seul héritier son petit-fils Alphonse Renard. Ce dernier demeurant au Pont-de-Bresme, à Saint-Etienne-de-Chigny, vendit ce qui était devenu simplement

« la ferme des Cormiers » au ménage Delaunay-Carré, habitant la Chaussée à Cléré, le 13 septembre 1917 (8).

Leurs quatre petits-enfants qui en héritèrent en 1985 ont vendu : « un ensemble immobilier situé au lieu dit les Cormiers (cette fois le nom de saint Louis a complètement disparu) » à ses propriétaires actuels. Ils en ont entrepris immédiatement une profonde restauration, sous le contrôle des monuments historiques.

Ainsi se trouve assurée la sauvegarde du témoin d'une époque qui fit la prospérité d'un hameau aujourd'hui bien désert, et retrouvera, nous l'espérons, son nom d'antan : « Hostellerie de saint Louis » !

1/ Guérin J. Notice sur Gizeux (Tours, 1872), page 123. — 2/ Carré de Busserolle. Dictionnaire d'Indre-et-Loire, tome 2, page 322. — 3/ Pour visiter la Touraine ; Vivier et Millet (1965), page 24. — 4/ Ranjard. Touraine archéologique (1968), page 324. — 5/ Archives départementales. Acte Léger (Savigné), 19 pluviôse an XIII. Actes recherchés par Michel Maître. — 6/ Généalogie de la famille Huet, ancêtres de P. Robert du centre généalogique de Touraine. — 7/ Acte Guérin à Gizeux, communiqué par Me Guy Rétif que nous remercions. — 8/ D'après l'acte de Monsieur et Madame Chapron qui a permis cette étude.

COURCELLES

Le Vivier des Landes

Qu'on l'admire ou qu'on le dénigre, le Vivier des Landes impressionne le visiteur intrigué par son architecture imposante. Est-il en présence d'une forteresse médiévale ou d'un simple pastiche lui ayant valu cette épithète des historiens contemporains : « château moderne » ?

Le cadastre de 1810 montre un ensemble de bâtiments dont le principal est accosté de trois tours, occupant une esplanade pentagonale, irrégulière, entourée de douves en eau, comme le verger s'étendant au couchant. Le plan cadastral moderne montre le château orienté de la même façon mais d'un seul tenant et flanqué de sept tours. Il y a donc eu un remaniement total, effectué au moins en deux campagnes de travaux distincts.

L'acte de vente de 1829 (1) parle d'un « château d'une vaste étendue, d'une importance considérable, tout nouvellement construit et réparé à neuf ». Celui de 1834 (2) apporte une précision importante : « cinq tours en maçonnerie dont deux couvertes en verre (!) garnies en cuivre avec deux boules de cuivre doré ». Les trois autres, coiffées d'ardoises, dans l'une desquelles est un escalier en pierre. Celle-ci, figurant sur le plan cadastral de 1810, date du xve siècle avec sa large vis de pierre. On l'enjoliva extérieurement d'un placage polygonal. Sur sa terrasse, on éleva une sorte de beffroi ajouré sur chaque face, couronné d'une balustrade. Cet étage supplémentaire, encore visible sur d'anciennes cartes postales (3), a heureusement disparu, remplacé par un toit d'ardoise. Tout près de la tour, une rainure verticale, au-dessus d'une porte au linteau creusé d'une accolade, indique la présence d'une poterne munie d'un pont-levis. A l'intérieur, on remarque une cheminée du xve siècle aux jambages demi-cylindriques, accompagnés d'une fine colonnette. Certaines

parties du sous-sol en voûte appareillée proviennent également d'un édifice ancien. Il y a donc eu réparation à neuf et construction nouvelle entre 1816 et 1822 (4).

Ce fut l'œuvre d'un Anglais, Thomas Holland, qui employa pour cela des pierres provenant, dit-on, du château de Vaujours. La partie méridionale a été élevée de toutes pièces avec, à chaque angle, une grosse tour cylindrique à trois niveaux couronnée de faux mâchicoulis et de créneaux. Toutes les baies, sauf une à croisée de pierre, sont à huisseries à petits carreaux. Les lucarnes des combles à gâble aigu, munies parfois de meneaux, s'intercalent entre de petits oculus circulaires !

Les communs, un peu à l'écart au couchant, composés de trois éléments symétriques, forment un ensemble architectural remarquable limité, au nord, par une douve en eau. A chaque extrémité s'élève un pavillon isolé. L'un, en 1852 (5), était à usage de chapelle dont la haute porte s'ouvre entre deux pilastres cannelés sous un fronton triangulaire, sommé d'une croix. Un retable de même style surmonte l'autel en bois resté en place. L'autre présente une galerie de trois arcades en plein cintre, elle est dénommée le chenil ; il y avait aussi une boulangerie et des chambres.

Placé en retrait entre deux ailes en légère saillie terminées par un tympan triangulaire, s'étend, le long bâtiment des écuries comme l'indiquent les têtes de chevaux adossées au sommet des pieds droits de l'entrée. Le plafond très élevé repose sur des poutres supportées par une double rangée de colonnes, 24 précise-t-on en 1852, et « décorées de sculptures » ? L'effet est grandiose : la partie à droite en entrant a conservé tous les boxes intacts, l'autre servait de « sellerie, d'infirmerie avec une chambre pour le palefrenier » (5). Les toits, « construits à la romaine », ont des corniches soulignées de gros modillons.

Quand le château est revendu en 1852 (5) par le comte et la comtesse de Brissac, il est précisé : « qu'il a été construit il y a 30 ans par Thomas Holland, mais qu'ils y ont fait d'importantes réparations et augmentations ».

On dénombre maintenant sept tours, dont les deux supplémentaires au nord, toutes simples sous une poivrière, ont été édifiées par leurs soins, et il est probable que la chapelle a été aménagée à cette époque car il n'en n'est pas question dans les actes antérieurs. Mais il y en avait une avant la Révolution sous le vocable de sainte Catherine !

Le Vivier des Landes, dont l'existence est attestée depuis le milieu du XVe siècle, fut jadis un fief relevant de Château-la-Vallière « à foi et hommage simple, au devoir d'un cheval de service abonné à 100 sols à muance de seigneur et de vassal et au devoir annuel au jour de saint Michel d'un chaperon à oiseau ».

D'après le dictionnaire d'Indre-et-Loire (6), le Vivier des Landes fut possédé dès 1450 par une famille Leclerc. Au milieu du XVIe siècle, Gilles Ier de Laval-Loué possédait, entre autres domaines, le Vivier des Landes dont sa belle-fille Jeanne de France hérita (7).

Au début du siècle suivant, le fief était aux mains de Jean de Savonnières, seigneur des Hayes à Channay (8) dont l'église paroissiale reçut sa sépulture le 25 avril 1612. Sa veuve, Jacqueline de Menon de Turbilly, se remaria à Jacques Frézeau de la Frezelière, tandis que sa fille Madeleine épousait le fils de ce dernier, Jacques, tué au siège de Hesdin en 1635. Par la suite, le Vivier des Landes passa, dans la seconde moitié du siècle, à Pierre Goyet dont les descendants allaient en garder la propriété pendant près d'un siècle (9).

Jacques Goyet et Marthe de Saint-Etienne (7) eurent une fille unique, Marthe. Le 1er août 1745, elle s'unit en l'église Saint-Clément de Tours (10) à Charles-Louis-Joseph de Fesques, seigneur de la Roche Bousseau, qui devait mourir le 2 novembre de la même année.

Marie-Françoise Goyet, que l'on trouve alors propriétaire du Vivier des Landes, se maria vers 1724 à René Roulleau, bailli de Château-la-Vallière. C'est son fils Louis-César Roulleau, qui en hérita en 1760, qui vendit le Vivier des Landes, le 30 juin 1770, à Henri-René d'Héliand, gentilhomme du duc d'Orléans. Quand sa succession sera liquidée le 12 floréal an XI (2 avril 1803), le domaine devint la propriété de son garçon, Pierre-Henri d'Héliand, qui le vendra le 21 juin 1815. On précise alors : « que les dits sieurs d'Héliand père et fils avaient été inscrits sur la liste des émigrés mais leur radiation prononcée, il fut fait main levée du séquestre de leurs biens et entrèrent en possession de ceux qui n'avaient pas été vendus au nombre desquels se trouvait la portion du domaine cédé » (11).

L'acquéreur, Thomas-Stanhope Holland, citoyen anglais venu en Touraine pour exploiter les forges de Château, avait ensuite acquis, le 6 septembre 1815, la terre de la Vallière et Vaujours. Une ordonnance royale de 1816 lui donna la jouissance, en France, de ses droits civils (1). C'est alors qu'il entreprit une restauration radicale du vieux castel qui fut rasé dans sa plus grande partie. Le travail était pratiquement terminé en 1822, comme le montre le plan dessiné par Delaunay (4).

Le 8 août 1829, Tom Holland revendit son chef-d'œuvre à la comtesse Puget, chanoinesse de l'ordre de Saint-Jean de Jérusalem (1). Mais n'ayant pu rembourser ses prêteurs, le Vivier des Landes fut saisi et adjugé, le 31 juillet 1833, à deux frères, Thomas et Adolphe Rondeau, auxquels il arriva la même chose. Nouvelle saisie et nouvelle adjudication, le 19 mai 1840, en faveur de Louis Couchot et Ferdinand Larivière (12). Les 29 et 30 avril 1842, ils revendirent au comte et à la comtesse de Cossé-Brissac (5). Ils firent « d'importantes réparations et augmentations », puisque l'édifice compte maintenant « sept tours de hauteurs diverses et une chapelle ».

Le 14 novembre 1852, le Vivier des Landes fut acquis par Léon-Félix Loysel qui laissa pour héritiers deux garçons. René, mort le 17 septembre 1932, laissa sa moitié indivise à son cousin Maze-Sencier. Son frère Jacques, sculpteur, laissa la sienne à Madame Estrade. Mais le 31 janvier 1933, une licitation permit à Monsieur Maze-Sencier de rester seul propriétaire du Vivier des Landes.

Celui-ci devait être acquis le 29 avril 1939 par la « société civile immobilière du domaine des Landes », représentée essentiellement par Madame Lefranc. En 1977 intervint une nouvelle mutation au profit d'une autre société, « Valor Sol », qui revendit presque immédiatement. Après une nouvelle saisie, le Vivier des Landes fut adjugé, en 1981, à Monsieur et Madame Andrew Ries, nés aux Etats-Unis d'Amérique.

Le peintre Troyon (1815-1865), animalier d'une exceptionnelle maîtrise (13) assez méconnu de son temps, fit de fréquents séjours au Vivier des Landes où il a réalisé quelques-unes de ses œuvres : « Le garde-chasse », « Le retour du troupeau » (14)...

Magnifique exemple de cette architecture néo-gothique du siècle dernier à laquelle notre époque commence à témoigner quelque intérêt, l'édifice, acheté en 1989 par un promoteur canadien, se transforme en hôtel. Son parc de 60 hectares est devenu le « Golf du Château des Sept Tours » ! Souhaitons très vivement que dans l'avenir cette appellation nouvelle ne fasse pas tomber dans l'oubli le nom ancien et chargé d'histoire du : « Vivier des Landes » !

1/ Archives départementales. Registre de transcription des hypothèques de Tours, volume 226, N° 15. — 2/ Id. Volume 301, N° 6. Tous ces actes ont été recherchés par Monsieur Michel Maître. — 3/ Touraine néo-gothique (1978), page 41. — 4/ Plan dressé en 1822 par Delaunay. Nous remercions Monsieur Ries qui nous l'a communiqué avec son acte de propriété. — 5/ Archives départementales. Acte Sencier, à Tours, du 14 novembre 1852. — 6/ Carré de Busserolle. Dictionnaire d'Indre-et-Loire, tome 6, page 433. — 7/ Goupil de Bouillé. Marcilly et ses seigneurs, pages 8 et 46. — 8/ Voir les Hayes à Channay, « Vieux logis de Touraine », tome 7, page 43. — 9/ La Chesnaye Desbois-Badier. Dictionnaire de la noblesse, tome 18, page 383. — 10/ Renseignement dû à Pierre Robert. — 11/ Archives départementales. Registre de transcription des hypothèques de Tours, volume 48, N° 40. — 12/ Id. volume 412, N° 40. — 13/ Larousse du XX° siècle, tome 6, page 828. — 14/ Vivier-Millet. Itinéraires de Touraine, tome 2, page 22.

FERRIÈRE-SUR-BEAULIEU

La Persillère

De la route de Saint-Quentin, presque en lisière de la forêt de Loches, on aperçoit à gauche l'ensemble de « la maison de maître et de la ferme de la Persillère », formant aujourd'hui deux propriétés distinctes.

On accède à la première, pouvant dater du XVIIe siècle, par une entrée charretière entre deux piliers de pierre dont le linteau repose sur une poutre de bois accompagnée, à gauche, d'un guichet pour piétons en anse de panier. L'habitation ne comprend qu'un rez-de-chaussée et un comble éclairé, à l'ouest, par une seule lucarne à fronton courbe. Elle surmonte la porte centrale précédée d'un perron de cinq marches et encadrée de pilastres ioniques. Bien que le tout ait été l'objet d'une restauration maladroite, l'aspect est resté fidèle à ce qu'il était d'après une photographie prise avant les travaux. Toutes les baies à linteau cintré, disposées symétriquement trois de part et d'autre, sont munies d'huisseries à petits carreaux. L'extrémité méridionale s'ouvre sur la cour par une porte de plain-pied avec elle. Sur l'une des pierres d'un chaînage d'angle à refends est gravé le nom de Suzor. Le bâtiment, en effet, a été tronqué après l'établissement du plan cadastral en 1825 où l'on voit la cour entièrement fermée sur trois côtés par des ailes disposées en équerre. Celle du sud a complètement disparu, et le logis est maintenant séparé largement d'une servitude qui le prolongeait. Une porte murée est le vestige de l'état ancien, modifié par la famille Suzor !

Au levant, la disposition des ouvertures est moins symétrique, mais le toit de tuiles plates est percé de deux lucarnes de pierre. Le logis a été augmenté au nord par une construction en pierres de taille, formant cage d'escalier près de la poterne, peut-être à la fin du XVIIIe siècle. La date de 1781, comme imprimée dans le torchis de la cloison marquant la jonction des deux parties, est peut-être celle de cet agrandissement. Toute la portion du grenier sur la maison primitive ne forme qu'une seule nef sous une charpente à double faîtage.

Ce corps principal est flanqué, à quelque distance, de deux hauts pavillons carrés à toiture à quatre pans et comportant deux niveaux. Le millésime 1777 se trouve répété sur trois côtés, à l'intérieur dans celui du nord, tandis qu'au midi il semble subsister une trace de douves ?

Les dépendances de la ferme bordent la cour à l'ouest, mais une vaste grange fait partie de la propriété. Elle est élevée sur une cave voûtée sur couchis qui n'a pas moins de 15 mètres de long sur 7 de large !

Au levant, limité au nord par le chemin de « Merligaux à Bois Clair et Orfonds », existait, en 1825, un potager divisé en quatre rangées de trois parterres, qui devait mettre en valeur la façade entre ses pavillons !

Si la Persillère figure bien sur la carte de Cassini, le dictionnaire d'Indre-et-Loire cite seulement le lieu-dit comme un hameau de 12 habitants (1). La recherche de ses propriétaires (2) n'a pas permis de remonter au-delà de la seconde moitié du XVIIIe siècle où elle appartenait à Bernard Robin, bourgeois de Genillé et fermier de la terre des Roches-Saint-Quentin, en 1753 (3). Bien qu'il dut mourir avant 1762, si l'on en croit l'acte de mariage de son garçon, Louis-François, né d'une première union avec Marguerite Martineau contractée à Ligueil le 25 septembre 1714, il est encore mentionné sur le registre des Vingtièmes (4) comme ayant la possession de Bois Clair et de la Persillère dont la ferme est louée par son fils le 6 juin 1772.

Louis-François Robin, né vers 1726, s'unit le 4 mai 1762 à Saint-Quentin avec Magdelaine Bertrand dont il n'eut pas de descendance. On le dit « directeur de la poste aux lettres de Loches » quand il se remaria à Ligueil, à 64 ans, le 12 janvier 1790, à Marie-Victoire Chesnon qui n'en a que 25. Elle lui donna une fille prénommée... Désirée, qu'il n'eut pas le temps de voir grandir car il mourut à la Persillère, à 70 ans, le 19 nivôse an IV (9 janvier 1796) (5). Sa mère se remaria à Ferrière, le 6 vendémiaire an X (28 septembre 1801), à Louis-Fidèle Suzor (5).

Celui-ci était le troisième enfant de Jean Suzor, neveu de Pierre Suzor, premier évêque constitutionnel d'Indre-et-Loire. Né le 23 mars 1772 et baptisé le lendemain en l'église Saint-Pierre de Beaulieu-lès-Loches, il était veuf d'Anne-Marie Blet, morte des suites de couches le 1er prairial an VIII (21 mai 1800). Marchand de bois, il devint l'un des plus riches propriétaires de Beaulieu-lès-Loches sous le Ier Empire (6), et sa famille va garder la possession de la Persillère jusqu'en 1911 où son petit-fils Anatole, habitant alors le château de la Folie à Loches, vendit le domaine, le 27 mars, (7) à Germain Audiger. Celui-ci décéda le 22 novembre 1914 ayant fait donation, le 3 mai 1913, à ses deux filles. Le deuxième lot, comprenant entre autres immeubles la Persillère, échut à Rosalie (8). Celle-ci avait eu de Charles Doucet, dont elle était divorcée, six enfants qui partagèrent entre eux, les 10 et 20 avril 1920. La Persillère fut attribuée aux époux Doucet-Ronce dont le fils a vendu, le 22 octobre 1963, à ses propriétaires actuels (9).

Ces derniers s'efforcent de remettre en valeur ce vieux logis méconnu qui a su conserver beaucoup d'intérêt architectural, malgré quelques restaurations maladroites qui seront sans doute corrigées bientôt !

1/ Carré de Busserolle. Dictionnaire d'Indre-et-Loire, tome 5, page 54. — 2/ Recherches de Monsieur Michel Maître. — 3/ Dates données par P. Robert. — 4/ Archives départementales, C 7, page 197 verso. — 5/ Ces deux actes retrouvés par Mademoiselle Monique Fournier. — 6/ Bulletin de la Société Archéologique de Touraine, tome 35, pages 472, 477, 484. — 7/ Archives départementales. Registre de transcription des hypothèques de Loches, volume 1836 N° 140. — 8/ Id. Volume 1889, N° 281. — 9/ D'après l'acte de propriété mis à notre disposition par Monsieur et Madame Jourdanne.

FONDETTES

Les Amardières

« Des pays que nous avons vus, la Touraine était le plus beau et tous les châteaux réunis de la Pologne n'approchent pas de cent lieues les Amardières » (1).

Ainsi s'exprimait, en 1807, un jeune officier de la grande armée à sa mère. Bien sûr, il faut faire la part de l'enthousiasme dans cet éloge excessif pour la maison paternelle, mais il n'en reste pas moins que celle-ci est toujours la plaisante demeure qu'il connut, à peu de choses près !

Selon l'orthographe qui se retrouve dans l'acte le plus ancien retrouvé (2), comme le plus récent (3), il écrit « Amardières », aussi avons-nous laissé à ce toponyme sa forme authentique.

Le cadastre de 1813 montre que certaines parties ont été ajoutées au XIXᵉ siècle. Il s'agit de l'extrémité de l'aile orientale d'un seul niveau, coiffée d'un toit à deux versants avec une corniche formant fronton triangulaire au centre surmonté d'un petit campanile. Elle a été élevée à l'emplacement de la halle abritant le pressoir. A l'arrière, on trouve l'entrée d'un escalier rectiligne d'une quinzaine de marches étroites, disposées entre deux plans inclinés pour la descente des fûts dans la cave. Celle-ci forme une galerie d'une trentaine de mètres de long s'étendant jusque sous la cour où se voit un soupirail d'aération.

L'axe médian du logis principal, d'un rez-de-chaussée et d'un comble à la Mansard, est marqué, tant au nord qu'au midi, d'un avant-corps en légère saillie avec chaînes d'angle en pierres de taille. Il est sommé d'un tympan triangulaire, percé d'un oculus ovale. Les portes à contrevent en bois sont en plein cintre. Ce bâtiment présente, au nord, une aile assez courte en retour oblique vers le levant. Cette construction est datée du XVIIIᵉ siècle par Ranjard (4). Un arrêté du 1ᵉʳ mars 1951 a inscrit à l'inventaire supplémentaire des monuments historiques les façades et toitures du « manoir des Amardières ».

Celui-ci a certainement succédé à un édifice plus ancien comme semble l'attester l'existence d'une cave sous la partie centrale de la maison. On y accède par une volée rectiligne d'une vingtaine de degrés se terminant sous une grande arcature en arc surbaissé. La voûte en berceau est entièrement appareillée sur les 9 mètres de sa longueur.

A gauche, en pénétrant dans la cour, une petite chapelle est adossée au pignon de l'ancienne maison du closier. Sa nef unique est couverte d'un lambris en plein cintre. L'autel devait être placé devant un retable dont le fronton triangulaire repose sur deux pilastres cannelés à chapiteaux ioniques. Une niche est creusée dans la paroi, accompagnée de deux autres très hautes et peu profondes. Les rampants de leur gâble aigu sont ornés d'une suite de crochets arrondis. Au midi, une baie romane est garnie d'un vitrail daté et signé « L.L. de Tours 1850 ». Peut-être s'agit-il de l'une des premières œuvres réalisées par Léopold Lobin, établi à Tours vers 1845. Il est probable que c'est l'abbé Bernier, propriétaire à cette époque, qui le fit poser. On lui doit peut-être également la peinture sur les murs d'une série d'arcatures ogivales.

Cette chapelle existait au moins dès le XVIIIᵉ siècle, car on y célébra des mariages en 1740 et 1752. Elle fut visitée, le 29 août 1776 (5) : « Aux Amardières, maison de mr Patas, négociant en bon état. On n'a pas vu le livre » (6). On ajouta en marge sur le registre : « accordé en vérifiant s'il y a un missel ». En 1787, on dit seulement : « en bon état » (6).

Les Amardières n'étaient pas un fief mais une simple maison de maître avec closerie, et aucun document ne nous a permis de connaître ses propriétaires avant le XVIIIᵉ siècle. On sait seulement que Nicolas-Christophe Patas, maire de Tours en 1716-1717, était qualifié de « seigneur des Amardières ». Il était d'une lignée originaire de l'Orléanais, et venue s'établir en Touraine vers 1625. Christophe Patas, qui épousa Thérèse Villette le 25 juillet 1655, consigna sur un carnet la liste des enfants qu'elle lui donna d'une façon régulière, à peu près chaque année, à partir de 1657. Nicolas-Christophe est le cinquième et vit le jour le 29 août 1663 sur les quatre heures du matin et fut baptisé, à Saint-Clément, le 10 (7). Mais le mardi 25 août 1671 : « Dieu rappela à Lui Thérèse Villette à 34 ans avec un enfant mort avec elle ». Il aurait été le quatorzième !

Le 22 janvier 1697 (7), Nicolas-Christophe Patas, « marchand », épousa Jeanne Verrier. Mais on le dit « ancien échevin » au mariage, le 10 avril 1736, de son fils Julien-François-Amable avec Françoise Bellegarde. Celui-ci agrandit le domaine paternel en prenant à rente aux administrateurs de l'hôtel-Dieu la métairie « le Guillé » toute proche. Son fils, Julien Patas, devint lieutenant particulier au bailliage et siège présidial de Tours et s'unit à Marie Bruley qui lui donna une petite fille, Alexandrine-Julienne, en 1759. A la Révolution, nommé membre du conseil général de la commune de Tours, Julien Patas essaya de démissionner en 1792, mais fut contraint de rester à son poste (8). Il assume en effet cette charge lors du contrat de mariage de sa fille, le 18 janvier 1793, avec Jean-Robert Aubry, « membre du bureau de conciliation établi près le district de Tours » (2).

Deux mois plus tard, le citoyen Patas-Bellegarde vend la maison et closerie des Amardières à Martin Faré. Celui-ci, né en 1740, était le troisième enfant de Jean Faré, notaire à Montbazon. Il était allé faire carrière à Paris

comme procureur au Parlement et se maria avec une Alsacienne, Marie Woïart (1), et eut bientôt un garçon, Charles-Armand. La Révolution, en supprimant le Parlement, le priva de sa charge. Ayant eu l'imprudence de laisser échapper quelques réflexions de sympathie lors de l'arrestation de Louis XVI, il fut dénoncé comme suspect. Il arriva à quitter la capitale dans la charrette d'un laitier et se réfugia en Touraine. C'est ainsi que, le 6 mars 1793, il se rendit propriétaire des Amardières (9).

Sa vie va s'y écouler paisible, occupée à gérer son bien. Mais les soucis vont revenir avec l'entrée à l'école militaire de Fontainebleau de Charles-Armand. Du camp de Boulogne à Waterloo, où il sera laissé pour mort à demi-nu sur le champ de bataille, il va parcourir toute l'Europe. Il entretient avec sa mère une correspondance suivie, et ses lettres qui ont été publiées donnent parfois quelques détails sur les Amardières où il est souvent plusieurs années sans revenir. En 1807, on a posé une cheminée en marbre dans le grand salon, édifié un portail en pierre. En 1814, on projette la construction de remises... (1).

A l'automne 1816, Charles-Armand Faré prit sa retraite comme chef de bataillon, revient vivre aux Amardières et, en 1822, épousa Lucienne-Claire Sain de Bois-le-Comte. Engagé dans le mouvement libéral à côté de Gouin, Pescatory, César Bacot, Bruley..., il est, après la Révolution de 1830, nommé conseiller de préfecture et collaborateur du préfet d'Entraigues. C'est alors que, les 28 et 30 novembre 1831, il vendit avec sa mère le domaine des Amardières (10) à Vincent Bernier, notaire honoraire, et son épouse Françoise Torterue.

Ces derniers le transmirent à leur fils, l'abbé Aristide Bernier, qui décéda à Tours, le 9 mai 1869, laissant pour héritiers trois cousins qui partagèrent entre eux. Les Amardières furent attribuées à Caroline Torterue, femme de Charles Lair. Lorsque ses enfants et petits-enfants les vendirent le 22 août 1910, on précise que l'objet de la transaction : « formait le noyau de l'ancienne terre des Amardières » (11).

Les Amardières devaient être revendues en 1924 (12), en 1926 (13) puis en 1933 où la famille Crosse en acquit la propriété. Au cours de la dernière guerre, celle-ci subit quelques dégâts lors des bombardements de la ligne de Tours au Mans. C'est ainsi qu'une partie du fronton de l'avant-corps oriental fut très endommagé et a été depuis reconstruit.

Deux nouvelles mutations intervinrent en 1952, en 1958 et le 8 décembre 1962 où Monsieur Bernard Roy, chirurgien à Tours, en fit l'acquisition. Mais le 19 mars 1984 (3), les Amardières devinrent la possession de la société civile « des Amardières » !

Cette « agréable résidence avec son parc romantique » (4) s'élève sur un plateau dont l'environnement n'a pas encore été trop dénaturé par l'urbanisation moderne de la commune. Souhaitons que l'avenir nous conserve cette image vivante d'un passé qui apparaît déjà bien lointain !

1/ C.-A. Faré. Lettres d'un jeune officier à sa mère (Paris. Delagrave, 1889). — 2/ Archives départementales. Acte Hubert, 18 janvier 1793. Tous ces actes ont été recherchés par Monsieur Michel Maître. — 3/ Nous remercions Monsieur le comte de Sade qui a bien voulu nous confier son acte de propriété. — 4/ Ranjard. Touraine archéologique (1968), page 369. — 5/ Mémoires de la Société Archéologique de Touraine, tome 44, pages 65, 82, 111. — 6/ Archives départementales G 14, pages 14 verso, 31 verso. — 7/ Archives départementales E 141 et généalogie Patas communiquée par P. Robert. — 8/ H. Faye. La Révolution au jour le jour en Touraine (1906), page 100. — 9/ Archives départementales. Acte Petit du 6 mars 1793. — 10/ Id. Minutes Bidault à Tours des 28, 30 décembre 1831. — 11/ Id. Registre de transcription des hypothèques de Tours, volume 4125, N° 32. — 12/ Id. Volume 340, N° 46. — 13/ Id. Volume 519, N° 33.

Le Grand Martigny

L'occupation de ce site, au bas de la falaise de la rive droite de la Loire, apparaît très ancienne puisque saint Martin, dit-on, y aurait fondé un oratoire et que Grégoire de Tours y donna au VIᵉ siècle, suivant le poète Venance Fortunat, une réception en l'honneur des ambassadeurs Goths (1).

De ces origines lointaines, il n'est resté aucun vestige et le Grand Martigny présente aujourd'hui un ensemble de constructions de différentes époques dont l'élément le plus ancien pourrait bien être, au nord, une grosse tour massive aux murs lézardés et toiture délabrée. La baie en plein cintre est murée comme la porte primitive. Ce serait l'ancienne chapelle, existant au XVIIᵉ siècle, où l'on y célébra des mariages. Mais elle ne fut pas visitée en 1776 parce qu'abandonnée et ayant perdu sa bénédiction (2).

La partie principale du logis d'habitation peut dater de la fin du XVᵉ siècle avec son rez-de-chaussée en damier de pierre et de brique, le niveau supérieur en pierres de taille comme le pavillon quadrangulaire abritant jadis un escalier à vis. Tous les percements de la façade méridionale ont été remaniés. Par contre, le pignon oriental a gardé à l'étage sa fenêtre à croisée de pierre intacte, et le rampant « à rondelis » est orné de têtes d'animaux. Toute cette partie a conservé sa charpente en carène de navire inversée et s'élève sur un double étage de caves voûtées en berceau appareillé. La plus basse est remplie d'eau sur plus d'un mètre de hauteur. Une ouverture pratiquée dans un angle de la première permet, seule, d'en deviner l'existence !

Au XVIIᵉ siècle, on ajouta à l'ouest une aile en retour d'équerre dont la partie nord fut remaniée, surélevée et élargie en 1905. En même temps, l'escalier à vis fut supprimé, ses ouvertures aveuglées, remplacées par des

François Bouilly car, lorsqu'il avait acheté le 14 nivôse an X (4 janvier 1810) (4), la description qui en est faite est toute différente. Il a donc procédé à une restructuration profonde, mais la nouvelle construction prit pour assise les anciens murs de l'édifice primitif qui fut agrandi vers le nord. Un état des réparations à effectuer en 1751 (1) parle à plusieurs reprises de baies à six panneaux de vitres avec leurs volets éclairant certaines chambres. Cela laisse supposer l'existence de croisées de pierre à double traverse et pourrait permettre de la dater de la fin du XVe ou du tout début du XVIe siècle. Il reste d'ailleurs dans la paroi occidentale, à droite de la porte, deux baies étroites à encadrement mouluré, témoins possibles de l'état à cette époque ?

La petite chapelle un peu à l'écart de l'habitation au nord, entre deux pignons « à rondelis », en est peut-être un autre. L'ouverture au-dessus de l'autel était à deux fenestrelles dont le meneau a disparu. Elle est coupée aujourd'hui en hauteur par un plancher qui ne permet plus de voir la charpente en carène de navire inversée qui, en 1790, était encore lambrissée (1). Une croix est peinte sur le pignon ouest. Elle n'avait déjà plus d'autel en 1751 (5), ni d'ornement pour le service divin. On ne la visita pas le 29 août 1776 car, écrit-on : « elle était abandonnée et a perdu sa bénédiction » (6).

Aujourd'hui, ce qui était la maison du closier forme une propriété distincte, scindant la cour en deux. On y remarque notamment une grange en colombage très ancienne et l'entrée primitive entre deux piliers. Dans le coteau sont creusées deux caves intéressantes. Sur les parois de brique et de pierre de celle du logis, voûtée en berceau appareillé, on remarque la date de 1523 qui en indique au moins l'existence à cette époque. Celle du closier, d'environ 12 mètres de profondeur, est composée de deux caveaux en plein cintre qui ne sont pas exactement dans le même axe et séparés par une partie de rocher. Sur une pierre, on a écrit : 15 octobre 1753, et en dessous le propriétaire a commencé à écrire son nom : « à mr Bouras(sé) » qui la possédait en effet depuis deux ans.

Le fief et la seigneurie de Guesnes, de la Poupardière et de la Morandière figurent sur le rôle de 1639 pour un revenu de 16 livres 17 sols 6 deniers (7). Le premier relevait à foi et hommage du château de Luynes à 5 sols de redevance par an (8). Son titulaire, cité en 1626 par le dictionnaire d'Indre-et-Loire (9), Jean Falaiseau, comparut lors de la confection de ce rôle, le 16 août 1639, et fut déchargé de la contribution comme habitant à Tours (7). Ses descendants en gardèrent la possession jusqu'en 1751 où Mathurin-Nicolas Bourassé en fit l'acquisition. « Lieutenant du roi de la ville de Saint-Germain-de-Bourgueil, procureur fiscal du duché paierie de Luynes », il s'était marié en secondes noces à Marie-Louise Roussereau qui décéda à Fondettes le 27 octobre 1782, et lui fut inhumé le 1er avril 1787. A la requête de Joseph Drouet, entrepreneur des bâtiments du roi, les biens de leurs successions vacantes furent saisis et adjugés au duché pairie de Luynes, le 10 août 1790 (1). L'acquéreur, Louis Goislard de la Droitière, négociant à Tours, fit de mauvaises affaires et déposa son bilan le 5 thermidor an VIII (24 juillet 1800), et ses immeubles furent vendus. Le 14 nivôse an X (4 janvier 1801), Simon-Pierre-François Bouilly acheta la maison de Guesnes qu'il allait complètement transformer. Mais il partit habiter Douarnenez et revendit le 20 août 1812 (10) le logis, qui avait l'aspect que nous voyons aujourd'hui, à Jean Leroux, maréchal-ferrant, et Jackie-Sylvine Lefay. Leurs héritiers allaient s'y succéder jusqu'en 1868 pour faire place à la famille Leduc qui en garda la possession jusqu'en 1958, mais un partage en 1936 amena la division de la propriété, la cour devant être scindée en deux par un mur en ligne brisée (11).

Après une nouvelle mutation en 1978, le logis de Guesnes, seul, fut acquis en 1985 par ses occupants actuels. Comme il était inoccupé pendant la guerre, il fut un refuge pour les enfants évacués, puis servit de cantonnement aux troupes ennemies qui arrachèrent les boiseries pour faire du feu !

1/ Archives départementales. Série B, Luynes 123. — 2/ Id. Registre de transcription des hypothèques de Tours, volume 907, N° 2667. Tous ces actes retrouvés par Monsieur Michel Maître. — 3/ Id. Volume 54, tome 1, N° 57. — 4/ Id. Acte Archambault de Beaune du 14 nivôse an X. — 5/ Id. Acte Mestivier, à Fondettes, du 10 février 1751. — 6/ Mémoires de la Société Archéologique de Touraine, tome 44, page 111. — 7/ Rôle des fiefs de Touraine, page 115. — 8/ Archives départementales. Acte Mestivier du 5 février 1751. — 9/ Carré de Busserolle. Dictionnaire d'Indre-et-Loire, tome 3, page 288. — 10/ Archives départementales. Acte Petit, à Tours, du 20 août 1812. — 11/ Nous remercions Monsieur Vigreux qui, en communiquant son acte, a permis cette étude.

HUISMES

L'Hermitage

A peu de distance à l'est du château d'Usage, légèrement à l'écart de la route, l'Hermitage groupe un ensemble important de constructions autour d'une cour fermée à l'angle nord-ouest par deux bâtiments de servitude. Le plus long, dont l'extrémité occidentale a été transformée en habitation, présente au centre un porche en arc brisé. Celui du second, placé obliquement, est en plein cintre accompagné d'un guichet muré.

La façade septentrionale du logis apparaît composée d'abord de deux éléments sous un toit à double versant, de hauteur inégale mais sur le même alignement. Ils sont suivis d'un pavillon en fort décrochement avec une toiture à quatre pans. Dans l'angle rentrant ainsi formé, s'ouvre la porte principale en plein cintre sur un perron en quart de cercle. Deux rameaux de feuillage sont sculptés sur l'entablement supporté par des pilastres doriques, ornés d'une ligne d'oves. Le fronton triangulaire est brisé par un écusson armorié sous une couronne de marquis. C'est un écartelé aux 1 et 4 : « de gueules à cinq fusées d'argent en fascc », blason des « de Signy » qui n'eurent l'Hermitage que vers 1737. A l'intérieur, dans la paroi du mur perpendiculaire, on a retrouvé l'embrasure d'une meurtrière protégeant cette entrée.

Des travaux effectués en 1876 ont doté les combles du pavillon occidental de lucarnes monumentales à fenestrelles jumelles, accostées d'ailerons, sous une corniche à modillons. Celle-ci supporte un tympan triangulaire, timbré de deux écus accolés. Le premier est toujours aux armes des Beauchaine, le second est soit de Couët de Montarand, soit de Vendel. Le mur ouest est flanqué de deux tourelles carrées entre lesquelles s'ouvre l'entrée d'une cave en voûte appareillée, précédée d'un petit caveau sous plancher.

La façade méridionale présente la même succession de constructions en décrochement plus ou moins prononcé, qui donnent à l'Hermitage son caractère d'une grande originalité. Chacune a des lucarnes d'un type différent : à fronton triangulaire dans le toit à la Mansard du levant, aux petites baies en plein cintre sur la partie médiane accostée d'une tour quadrangulaire, très hautes à tympan courbe sur pilastres à l'autre extrémité. La porte centrale s'ouvre sur un perron avec escalier en fer à cheval. Entre les volées convergentes, un couloir voûté conduit à une autre cave. Les trois pièces orientales sont chauffées par de grandes cheminées à hotte. Celle de la première n'a pas loin de 3 mètres de large. Le foyer, protégé par une taque datée de 1701, possède un petit four à pâtisserie. La dernière comporte deux fours à pain séparés curieusement par un conduit en briques, mais la motte, saillant à l'extérieur, est sans toiture !

L'Hermitage figure sur la carte de Cassini, mais le lieu-dit est simplement cité comme ferme dans le dictionnaire d'Indre-et-Loire (1) sans donner aucun renseignement sur sa longue histoire. Il faut s'en référer au dépouillement des registres paroissiaux et d'état civil, effectué par un curé d'Huismes il y a un demi-siècle (2), pour connaître ses propriétaires depuis 1528 où Thomas des Essards rendit aveu à Usage pour sa terre de l'Hermitage. L'une de ses filles épousa Jehan Nau, « contrôleur général des vivres des camps et armées de France ». Son fils Claude, sieur de l'Hermitage en 1609, est « maréchal des logis du roi ». Le partage de sa succession, le 12 décembre 1628, fit passer pour un temps l'Hermitage à l'une des filles, Jehanne, épouse de Galliot Péquineau, écuyer, seigneur de Vaudésir et de Beaulieu (3), mais le domaine revint semble-t-il, dès 1644, à Charles Nau, puis à Claude Nau qui rend encore hommage en 1674 (2).

L'hôte le plus illustre de ces lieux fut sans aucun doute son successeur, Charles le Brun de la Brosse, officier d'artillerie sous Louis XIV, qui nous a laissé ses carnets de route (4). Il y réside généralement de « décembre à mars quand les troupes prennent leurs quartiers d'hiver » (4). Il y est le 11 mars 1702, quand il se fait adjuger le château d'Usage. A cette demeure alors en mauvais état, il préfère l'Hermitage où il fait achever les bâtiments de la basse-cour. Il y fait venir des meubles de Paris qui arrivent par le port d'Ussé (4). Le 16 février 1705, il épousa à Saint-Louand Marguerite-Françoise-Antoinette de Valory, fille du châtelain de Destilly. Mais nommé en 1711 lieutenant du roi de la ville d'Arras, il loua l'Hermitage pour 300 livres et une durée de sept ans, et le 29 mars il partit rejoindre son poste avec son épouse, ses carrosses et trois domestiques (4). Quand on estima ses biens en 1728, la description qui est faite de l'Hermitage montre que tous les bâtiments actuels existaient. Le partage de sa succession en 1737 donna le manoir à son neveu Charles de Signy, gouverneur de Chinon (2).

A la Révolution, Monsieur de Signy l'aîné ayant émigré, l'Hermitage fut vendu comme bien national et adjugé, le 11 brumaire an IV (2 novembre 1795), à Monsieur de Signy le jeune pour 572 800 livres (5). Le 18 nivôse an XIII (9 janvier 1804), Marie-Gabriel de Signy revendit son acquisition à son frère, amnistié et rayé des listes d'émigration en l'an X (6). Major de la Légion hanovrienne, il devait être tué, au Portugal, le 4 septembre 1810. Sa veuve, Catherine-Régine de Raimbold, qui perdit en 1836 son second mari le baron Quirit de Coulaines, donna l'Hermitage en dot, par contrat du 5 janvier 1843 (7), à Marie-Louise de Vendel, demeurant avec ses parents à Usage, à l'occasion de son mariage avec Charles Isle de Beauchaine. De cette

de mariage. En effet, son mari trépassa à Joué, le 9 juin, laissant son épouse enceinte. On nomma pour tuteur un cousin, Estienne Bastard, pour l'enfant posthume qui naquit le 23 janvier 1763 : Jean-Nicolas Bouilly. Estienne Bastard, après avis du conseil de famille, fit mettre en vente la Coudraye. Les affiches apposées le 30 juillet 1763 en donnent une description révélant un aspect à peu près identique à ce que nous voyons : « des bâtiments solides, commodes et construits entre grande cour et beau jardin » (5).

La maison, entre deux pignons « à rondelis », est partagée par un vestibule donnant sur un perron accessible de part et d'autre par un escalier à double rampe rectiligne d'une douzaine de marches. La porte d'entrée, au linteau surmonté d'une corniche supportée par des consoles, est aménagée dans un avant-corps limité par des refends. Le fronton triangulaire au niveau du toit est percé d'un oculus circulaire. Le tout constituant le seul élément décoratif d'une architecture d'une grande sobriété mais d'une parfaite symétrie.

Ce modeste édifice du XVIIe siècle, d'un seul niveau, a été agrandi postérieurement de chaque côté d'une aile moins élevée. Celle du couchant a d'ailleurs été prolongée récemment par une addition assez disgracieuse ! Sous les salles, un couloir ayant son entrée sous le perron communique avec deux chambres sans cheminée avec, à l'arrière, cellier et serre-bois qui, en 1763, était divisé par des cloisons aujourd'hui supprimées. On sort dans le parc par une belle grille en fer forgé !

Au nord, la cour est toujours fermée par un mur ouvert au centre par un portail en plein cintre avec, de part et d'autre, un guichet pour piétons à linteau droit, dont l'un a été muré. A chaque extrémité s'élève un petit pavillon à toit à quatre pans en légère saillie. Celui du nord-est était une boulangerie où l'on voit, encore noircie par la fumée, la cheminée avec poutre de bois, mais le four a disparu. Celle du nord-ouest est plus typique avec hotte droite à corniche, trumeau rectangulaire et jambages obliques. Un escalier à vis de bois à départ rectiligne avec balustres du XVIIe siècle conduit au comble.

Chacun d'eux est éclairé, au midi, par une lucarne de pierre à fronton courbe dont l'une a perdu son allège.

Un arrêté du 1ᵉʳ juin 1948 a inscrit à l'inventaire supplémentaire des monuments historiques les façades et toitures du bâtiment central, les escaliers de la porte d'entrée nord et les deux pavillons.

Donc, le 6 août 1763, la Coudraye fut adjugée au dernier enchérisseur qui déclara sur-le-champ avoir agi pour le compte d'Estienne Bastard qui prenait ainsi la place de son cousin. Mais il disparut quelques années plus tard et, le 24 septembre 1777, le domaine fut revendu à Paul Jusseaume.

A la Révolution, Jean-Nicolas Bouilly, dont nous avons évoqué la vie par ailleurs (6), entama une procédure pour récupérer une propriété dont il estimait avoir été spolié 30 ans plus tôt, au moment de sa naissance. Le président de la commission militaire qu'il était devenu, obtint finalement gain de cause. Une transaction avec Jusseaume, le 7 floréal an II (7), lui redonna « la propriété de ses ancêtres ». Il s'empressa de la revendre le 27 thermidor an III (14 août 1795) et employa une partie des fonds à l'achat de Fontenailles, à Rochecorbon, qu'il fit rebâtir à neuf.

Quant à la Coudraye, son histoire jusqu'à nos jours ne sera qu'une longue suite de mutations : une vingtaine de 1795 à 1972 qu'il serait fastidieux d'énumérer (8). Nous citerons seulement les acquéreurs du 5 fructidor an V (22 août 1797) (9) : Mathurin de la Roche et Rosalie Moransais. Car celle-ci devenue veuve se remaria avec Jean Pécard, et c'est à Monsieur et Madame Pécard que Jean-Nicolas Bouilly rendit visite, le 20 septembre 1831. Il y composa le poème précieusement conservé depuis et dont nous avons extrait les quelques vers placés en introduction.

Signalons également qu'à partir de la vente du 17 octobre 1894, on trouve immuablement répétée jusqu'à nos jours cette mention : « Dans la petite pièce dite salle de billard, existe un casier dans lequel sont placés les œuvres de Jean-Nicolas Bouilly en 14 volumes, un autographe encadré du même auteur et son portrait. Ces objets ont été toujours considérés comme immeubles par destination, ils devront toujours être transmis avec la propriété sans pouvoir en être distraits sous peine de dommages intérêts. Mais il serait possible de les abandonner à la bibliothèque de la ville de Tours. »

En ce qui concerne l'autographe et le portrait sans doute, nous en connaissons donc l'origine ; quant aux livres, aucune explication n'est donnée sur leur provenance. Mais grâce à eux, le souvenir de l'auteur hante ces lieux qui le virent naître, mais dont il n'eut la possession que moins d'un an.

1/ Carré de Busserolle. Dictionnaire d'Indre-et-Loire, tome 2, page 376. — 2/ I. Ardouin et P. Robert : Jean-Nicolas Bouilly et son ascendance. — 3/ Archives départementales. Acte Regnard du 1ᵉʳ septembre 1700. — 4/ Registres paroissiaux de Tours et de Joué. — 5/ Archives départementales. Série B, 30 juillet et 6 août 1763. — 6/ Voir Fontenailles dans le tome 6 des « Vieux logis de Touraine », page 166. — 7/ Archives départementales. Acte Lefèvre du 7 floréal an II. — 8/ Id. Registres de transcription des hypothèques de Tours, volume 3002, N° 20 ; 3415, N° 43 ; 3553, N° 14 ; 4047, N° 29 ; 4426, N° 53. Tous ces actes dus aux recherches de Monsieur Michel Maître. — 9/ Archives départementales. Acte Archambault de Beaune du 5 fructidor an V.

LANGEAIS

Chemilly

Ce toponyme dériverait du latin « Camiliacum » (1) et indiquerait la présence, dès l'époque gallo-romaine, d'un établissement dont de nombreux vestiges ont été trouvés dans le voisinage immédiat (2).

Au Moyen Age, ce fut un fief figurant sur le rôle de 1639 pour un revenu de 105 livres (3). Ses propriétaires ne sont connus que depuis la fin du XVe siècle par un acte du 8 septembre 1476 (4) concernant la vente de Chemilly par François Dupin, dit « le Baschier », à Jean Mairel. Anne Falaiseau, mentionnée en 1527, est dite « veuve de Claude de Troyes, receveur des tailles à La Rochelle ». Anne de Troyes, en 1556, est l'épouse de Jean Gauthier, commissaire des guerres. Anne Gauthier, qui fut la première femme de Jérôme Binet, fut peut-être leur héritière, ce qui expliquerait que Jérôme Binet second du nom ait été, en 1600, seigneur de Chemilly et Vaugodet (5).

A la fin du XVIIe siècle apparaissent les « Courault de Bonneuil ». Quand Bernard Courault de Bonneuil rend aveu au seigneur d'Azay-sur-Indre le 17 novembre 1692, il est simplement qualifié de seigneur de Saint-Michel-de-Chédigny. Ce ne peut donc être qu'entre 1692 et 1697 (4) qu'il acquit le fief de Chemilly qui restera à ses descendants jusqu'en 1832. César Courault de Bonneuil comparut par fondé de pouvoir à l'assemblée électorale de la noblesse de Touraine, en 1789, en tant que chevalier seigneur de Chemilly (6). A sa mort, c'est sa nièce, Marie-Anne de Caulx de Chacé, comtesse de Thienne, qui hérita de Chemilly que ses enfants mirent en vente en 1828.

Le plan cadastral de 1823 et la description établie lors de son estimation donnent une idée précise de ce qu'était alors le château. Un long bâtiment élargi en pavillon à l'une de ses extrémités occupait le fond de la cour d'honneur, les autres côtés l'étaient par les dépendances : écurie, grange, remise, pressoir... Au nord, le mur de clôture percé d'un portail venait s'aligner sur celui de la chapelle qui reste le seul témoin visible. C'est un petit bâtiment rectangulaire, à nef unique éclairée latéralement par deux baies garnies de vitraux signés L. Lobin 1864. La porte d'entrée peut être datée du XVIIe siècle avec son encadrement en pierres en bossage et entablement orné de triglyphes. Le fronton courbe est brisé par une petite ouverture et souligné de denticules. Le bel autel de marbre est resté en place. L'angle ouest communique par un passage avec une tour en moellons faisant partie jadis du système défensif, avec poivrière d'ardoise. Sur le toit, un clocheton hexagonal ajouré est posé au centre du faîte.

Cette chapelle est mentionnée dans le registre de visites de 1776 : « Au château de Chemilly appartenant à monsieur de Bonneuil, en bon état, fondée par la translation du service de la chapelle Saint Martin au cimetière de Langeais. Permission pour les fêtes annuelles et cas extraordinaires. » L'autorisation fut renouvelée en 1787, « avec permission de communier dans la chapelle pour raisons de santé » (7).

Aucun acheteur ne s'étant présenté le 22 septembre 1828 (8), l'un des enfants, le comte Cécar-Gaëtan de Thienne, céda sa part du cinquième à Monsieur Charles Morry et Dame Emilie Thourain. Le 9 janvier 1832, ses frères et sœurs l'imitèrent (9), et Charles Morry en eut l'entière possession. On précise dans l'acte : :« L'ancien château de Chemilly a été réédifié et monsieur Morry déclare le prendre dans l'état où il est aujourd'hui. » Mais quand celui-ci, en 1863, le revendra, il fera inclure cette remarque : « Mr et mme Morry ont fait bâtir depuis leur acquisition le château actuel sur l'ancien emplacement ou à peu près de l'ancien château de Chemilly, ainsi que la plupart des bâtiments qui en dépendent » (10). La reconstruction de l'édifice a donc dû commencer entre 1828 et 1832, et tout laisse à supposer, « puisqu'il le prend dans l'état où il est », que Monsieur Morry mena à son terme des travaux qui ne devaient pas être entièrement achevés.

Cette œuvre, qui a maintenant dépassé ses cent cinquante ans, ne manque pas d'allure. Le corps de logis central de deux étages est flanqué, de part et d'autre, d'une aile un peu plus basse. Les balustrades du sommet laissent supposer l'existence de terrasses ; elles dissimulent en fait des toitures à très faible pente, mais l'illusion est parfaite. Les ouvertures du rez-de-chaussée sont sommées de frontons triangulaires, celles du premier étage d'une corniche saillante, celles du second ayant un simple encadrement mouluré. Un cordon court au niveau des appuis de fenêtres. La comparaison des deux cadastres montre que ce nouveau château occupe à peu près exactement l'emplacement de l'ancien. De celui-ci subsiste la partie inférieure d'un escalier à vis de pierre se déroulant autour d'un noyau de 90 centimètres de diamètre. Il descend à deux caveaux voûtés dont l'un est sous la cour.

Les autres constructions du plan de 1823 ont disparu en surface, mais les caves avec lesquelles elles communiquaient par un escalier étroit, éclairé par un soupirail ménagé dans la pelouse existent toujours. On y accède par le parc où une volée rectiligne aboutit à l'entrée d'une galerie en voûte appareillée de plus de 20 mètres de long, prolongée par une seconde creusée directement dans le rocher. Une porte latérale donne accès à trois salles de forme irrégulière dont l'une possède un puits.

La pelouse descend en pente douce vers le ruisseau venant des étangs séparant Langeais de Cinq-Mars. S'élargissant parfois pour former une pièce d'eau, il se rétrécit dans un passage où des rochers le transforment en cascade. Sur sa rive gauche a été édifiée une orangerie adossée à la falaise. La façade en pierres de taille forme une rotonde accostée d'ailes rectilignes aux chaînages d'angle à refends. Dans le coteau sont creusées deux galeries d'une trentaine de mètres de long.

Le 14 novembre 1863 (10), Monsieur et Madame Morry vendirent Chemilly à Albert-Pierre le Vaillant de Bovent, dont les enfants le cédèrent, le 1er juillet 1868 (11), à Augustin Orfila, médecin à Langeais dont il devint le maire. C'est à ce titre que, le lundi de Pâques 1874, il présida l'inauguration du nouveau pont remplaçant celui détruit par l'armée française le 20 janvier 1871 (12). Il donna ensuite une réception « en son château de Chemilly ». Mais à la requête de ses enfants, la licitation des biens après sa mort fut ordonnée et l'adjudication fixée au 30 mars 1912.

Depuis, de nombreuses mutations sont intervenues en 1923, 1930 et, le 10 mai 1957, un marchand de biens en fit l'acquisition pour le revendre le 28 juin suivant à la « société civile immobilière de Chemilly » qui en garda la possession durant 28 ans. Aliéné de nouveau en 1985, le château a depuis le 28 septembre 1986 de nouveaux propriétaires.

Victime de l'épithète « château moderne » que lui ont attribuée les écrivains de notre temps, entouré d'un parc verdoyant dans un site privilégié dissimulé aux regards indiscrets, Chemilly est une agréable résidence, méritant l'attention ne serait-ce que pour sa chapelle flanquée de sa tour féodale.

1/ Bulletin de la Société Archéologique de Touraine, tome 30, page 151. — /2 J. Boussard. Carte archéologique de la Gaule romaine : Indre-et-Loire, page 47. — 3/ Rôle des fiefs de Touraine, page 108. — 4/ Carré de Busserolle. Dictionnaire d'Indre-et-Loire, tome 2, page 218. — 5/ Lhermitte Souliers. Histoire de la noblesse de Touraine, page 103. — 6/ Mémoires de la Société Archéologique de Touraine, tome 10, page 104. — 7/ Archives départementales G 14, pages 15 et 32 verso. — 8/ Archives départementales. Acte Buzelin (28 septembre 1828). Tous ces actes dus aux recherches de Michel Maître. — 9/ Archives départementales. Acte Buzelin (9 janvier 1832). — 10/ Archives départementales. Registre de transcription des hypothèques de Chinon, volume 590, N° 34. — 11/ Archives départementales. Registre de transcription des hypothèques de Chinon, volume 731, N° 40. — 12/ Histoire du pont de Langeais. Publication des « Amoureux du vieux Langeais ».

LARÇAY

Le logis prévostal

La prévôté de Larçay formait un hébergement et un fief relevant de l'archevêque de Tours « à foi et hommage lige, un roussin de service et 25 sols d'aide » (1). Il figure sur le rôle de 1639 (2) avec ses dépendances à Sonzay et à Monts pour 250 livres de revenu. Le prévôt était tenu de garder et faire garder l'entrée principale du palais de l'archevêque le jour de son entrée solennelle et de sa fête (1). Le premier qui nous soit connu et rendit aveu en 1358 fut Pierre de Larçay dont les descendants s'y succédèrent jusqu'au début du XVIIe siècle.

François de Larçay, étant mort avant 1632, fut remplacé par sa sœur Françoise qui avait épousé, par contrat du 7 mai 1605, Louis de Voyer, vicomte de Paulmy et de la Roche de Gennes. Celui-ci donna à la cure de Larçay, le 15 avril 1632, une rente de 10 livres pour un service de quatre messes annuelles pour les parents de sa femme (3). Peu de temps après, le ménage vendit la « prévosté de Larçay » à Denis le Bouthillier de Chavigny qui, le 14 octobre 1637, avait acquis la terre de Véretz (4), et elle restera annexée à celle-ci jusqu'à la Révolution. A cette époque, elle appartenait à Armand-Louis de Richelieu, duc d'Aiguillon, l'un des plus riches propriétaires de France, émigré en 1792. Dans ses biens qui furent vendus nationalement figure la Prévôté scindée en plusieurs lots (5).

Depuis longtemps, ce n'était pour le seigneur de Véretz qu'une métairie généralement louée à moitié (6). Le logis seigneurial abandonné était en ruines si l'on en juge par la description qui en est faite pour sa vente le 8 vendémiaire an III (29 septembre 1794) (7). S'il a complètement disparu, l'article 4 a eu un meilleur sort. Il désigne un « bâtiment au levant de la cour, composé au rez-de-chaussée d'une chambre à feu, on monte au premier par un degré de pierre dans une tour, grenier couvert en ardoises, cave voûtée sous la dite bâtisse avec moitié des ruines du ci-devant château ». Cette construction est toujours debout et reste un vestige authentique de l'ancienne prévôté de Larçay suscitant l'attention !

De plan quadrangulaire, elle occupait l'angle sud-est de la cour qui devait être fermée par un mur dont les arrachements sont visibles sur le flanc de la tour circulaire en moellons. Celle-ci abrite un escalier à vis. A la partie supérieure sont aménagées deux meurtrières pour armes à feu. Près d'elles, une petite baie montre, gravée sur une pierre, la date de 1578. Le premier étage a été transformé au XIXᵉ siècle en chapelle, et toutes les fenêtres sont garnies de vitraux signés « L. Lobin 1882 ». Les combles, sous une charpente en pavillon avec toiture d'ardoises cloutées, sont éclairés par une grande lucarne qui en a remplacé une autre plus petite. Au-dessus de sa croisée de pierre, le tympan encadré de deux pinacles porte un M, initiale sans doute de Séverin Morin qui en avait hérité de son beau-père, Lazare Thibault, mort en 1887. Ceci permet de dater cette lucarne néo-gothique de la fin du XIXᵉ siècle.

La cave couverte d'une voûte appareillée en berceau était une vraie casemate avec ses meurtrières. Leur embrasure intérieure forme un rectangle de 65 centimètres sur 35, et le conduit percé dans la paroi d'un mètre d'épaisseur aboutit à un orifice circulaire, minuscule, à peine visible de l'extérieur. Le pavillon étant en légère saillie par rapport à la muraille soutenant la terrasse, celle-ci pouvait être surveillée jusqu'à son angle nord où existait peut-être un ouvrage semblable à l'origine ?

Au bord de la route s'ouvre l'entrée d'une immense carrière avec de multiples galeries au plafond soutenu de loin en loin par des piliers de rocher, le tout formant un vrai labyrinthe sous toute la surface du château. A l'angle sud-ouest de celui-ci existe un puits dont la margelle était, en 1843, couverte d'un dôme cn pierre. Elle est dissimulée actuellement dans unc haute tour crénelée. Mais dans l'un des couloirs souterrains, une ouverture donne à mi-hauteur dans ce puits dont on peut apprécier la profondeur. La vue intérieure en est vraiment impressionnante !

Le nouveau château a été reconstruit à peu près exactement sur le même emplacement, et l'on a même réutilisé une cave voûtée appartenant de toute évidence à l'ancien édifice. Il dut y avoir deux campagnes de travaux. Quand il fut vendu en 1843 (8), on parle « d'un corps de bâtiment de maître non encore achevé, construit en pierres de taille, couvert en ardoise et surmonté d'un belvédère avec paratonnerre ». Ce fut probablement l'œuvre de Jean Delahaye qui en eut la propriété de 1798 à 1837. L'acte de 1838 (9) indique que « Monsieur et Madame Delaye ont fait reconstruire une grande partie des bâtiments et changé les dispositions ». Quand Monsieur Lazare Thibault en fit l'acquisition le 26 octobre 1855 (10), on parle « d'un corps de bâtiment de maître nouvellement construit ». Mais quand il sera revendu par son petit-fils, Georges Morin, le 12 juillet 1921, on précise : « que la majeure partie des constructions actuelles existantes ont été édifiées par Monsieur Thibault pendant son premier mariage, son veuvage et son second mariage », soit entre 1855 et 1877, date de son décès. C'est donc lui, sans doute, qui donna à l'édifice l'apparence que nous lui voyons avec ses quatre tourelles polygonales d'angle montant de pied et son comble à la Mansard avec lucarnes de pierre. De la terrasse où il s'élève, la vue se perd dans les lointains de la vallée du Cher !

Depuis 1985, ses nouveaux propriétaires s'efforcent de remettre en état l'ensemble de ces constructions dont les parties les plus anciennes représentent une page importante du passé de Larçay !

1/ *Carré de Busserolle. Dictionnaire d'Indre-et-Loire, tome 4, page 24. — 2/ Rôle des fiefs de Touraine (1639), page 71. — 3/ Archives départementales G 833. — 4/ Bossebœuf. Le château de Véretz (1903), pages 145, 452. — 5/ R. Caisso. Vente des biens de 2e origine, page 24. — 6/ Archives départementales E 149. — 7/ Id. Q 745. — 8/. Id. Acte Mahoudeau, 2 août 1843. Tous ces actes recherchés par Monsieur Michel Maître. — 9/ Id. Acte Belle du 5 mai 1838. — 10/ Id. Registre de transcription des hypothèques de Tours, vo'ume 4757 N° 31 et 4767. Cet acte donne tous les noms des propriétaires depuis la Révolution.*

LÉMERÉ

La Grande Maison

A quelques centaines de mètres au nord du bourg de Léméré, au bord de la route, s'ouvre la porte charretière de la Grande Maison, entre deux hauts piliers quadrangulaires aux chapeaux soulignés de denticules et plaqués de pilastres ioniques à l'extérieur et doriques à l'intérieur. Un guichet pour piétons à linteau de bois existe de part et d'autre, mais celui de droite est muré.

La « Grande Maison », qui mérite bien son nom, est un long bâtiment élevé d'un étage et d'un comble à quatre pans, éclairé de chaque côté par cinq lucarnes généralement à fronton courbe et ailerons. Mais à l'ouest, celle du centre portant la date de 1843 a été refaite par Léon Maupiou, arrière-petit-fils de Pierre Marcou, qui l'avait reçue en dot le 11 décembre 1824 (1). Son tympan triangulaire surmonte un entablement prenant appui sur des pilastres doriques. Au levant, on retrouve la même disposition, mais les initiales MD (donc Maupiou-Doublet) indiquent une restauration de la même époque. Le toit, sur une charpente à double faîtage renforcé de croix de saint André, repose, sur tout son pourtour, sur une large corniche à gros modillons suivant un type très répandu dans tout le Richelais. Les percements sont à huisseries à petits carreaux, et la porte d'entrée sur chaque face est simplement surmontée d'une moulure en forte saillie, endommagée par le temps.

Le vestibule auquel elles donnent accès est occupé par un escalier d'une seule volée rectiligne sous laquelle est aménagée la descente d'un sous-sol qui n'est pas la partie la moins curieuse du logis. Un degré de vingt-cinq marches de pierre, larges d'un mètre, aboutit à une vaste galerie, entièrement sous la cour, prolongée perpendiculairement par trois salles inégales dont la plus grande, au centre, arrive jusque sous le talus du chemin. Elles sont creusées grossièrement dans un rocher de mauvaise qualité, et leurs contours sont irréguliers. Seul un petit caveau à gauche en descendant est en voûte appareillée en arc brisé. Dans la paroi, à la hauteur de la huitième marche, s'ouvre la bouche d'un puits.

La cuisine, au nord, est chauffée par une cheminée à hotte droite avec petit four à pâtisserie. De ce côté, un bâtiment d'un simple rez-de-chaussée va rejoindre une haute tour carrée en moellons enduits sous une toiture à quatre versants sur la même corniche à modillons. Un cordon la ceinture aux trois quarts de sa hauteur. Tout l'étage est une fuie en bon état ne faisant plus partie actuellement de la propriété. Les boulins ne forment que deux travées séparées par un seul repose-pied, la première n'a pas moins de onze rangées, la seconde n'en a que dix, ce qui est peu courant. L'arbre tournant avec une seule échelle est encore en place, ce qui est encore plus rare. L'angle nord-ouest, qui forme à l'intérieur un pan coupé, a été reconstruit avec une partie de la paroi méridionale. Au levant, une ouverture triangulaire du toit permettait l'entrée des pigeons.

La recherche de ses propriétaires n'a pas permis de remonter au-delà de la fin du XVIIIe siècle où la Grande Maison appartenait à une dame Guillot. Un bail de location à moitié de la ferme, signé le 11 juin 1780 (2), nous apprend qu'elle avait été vendue à Pierre Marcou, marchand à Azay-le-Rideau, mais ne nous donne ni la date, ni le nom du notaire !

Les descendants en ligne féminine de ce dernier vont s'y succéder, pendant six générations, jusqu'au 11 avril 1908 où Germaine-Marie Guertin, épouse de Joseph-Benoist Dujat des Allines, l'échangea avec Monsieur Pierre Tranchant et Angéline Barbot, habitant Coussay, dont la petite-fille en a aujourd'hui la possession (3).

Si la Grande Maison n'est jamais signalée, elle n'en occupe pas moins une place honorable dans le si riche patrimoine architectural de la commune de Léméré (4) !

1/ Archives départementales. Acte Bouré, à Azay-le-Rideau, du 11 décembre 1824. — 2/ Id. Acte Joubert, à Chinon, du 11 juin 1780. Recherches de Monsieur Michel Maître. — 3/ Id. Registre de transcription des hypothèques de Chinon, volume 2184, N° 2. — 4/ Voir « Vieux logis de Touraine », tome 4, pages 117 à 120, tome 6, page 104.

LOCHES

L'ancien couvent des Cordeliers

Deuxième établissement de l'ordre de saint François créé en Touraine après celui de Tours (1), le couvent de Loches fut élevé sous le règne de saint Louis. Le roi donna à cet effet la plus grande partie de « l'île de la Madeleine », encore appelée ainsi en 1789 (2), formée devant la ville forte par le terrain compris entre le bief inférieur du moulin des Bans jusqu'à son confluent avec l'Indre passant devant l'hôtel-Dieu.

Le plan de 1750, conservé à la bibliothèque municipale, nous montre les bâtiments formant un quadrilatère un peu en retrait de la rue des Ponts, suivi d'une cour avec parterres et d'un immense jardin, terminé en verger.

On accède à la cour intérieure par une porte charretière à encadrement en bossage, prolongée par un porche sous plancher. Le tout précédé d'un portail monumental avec un grand fronton triangulaire sur un entablement reposant sur des colonnes annelées à chapiteaux ioniques. Le côté ouest présente six arcades en tiers point, plus ou moins partiellement murées, qui sont les vestiges du cloître daté du XVIe siècle par Ranjard (3). Il n'était pas voûté, mais couvert d'un plafond dont les chevrons prenaient appui sur une poutre énorme encore visible à l'intérieur et portant sur des colonnes cylindriques à chapiteaux dont l'une est miraculeusement conservée. Ce préau était encore ainsi en 1899 (4).

119

Mais c'est du parc de stationnement, devant la station, qu'il faut admirer l'imposante façade de ce monument qui reste méconnu. Il apparaît formé d'un corps de logis central, accosté de deux ailes de même élévation. La partie médiane forme avant-corps, à deux rangées de trois percements, limité par deux lignes de refends, supportant un grand tympan triangulaire timbré d'un blason encadré de feuillages, surmontés d'un fleuron. Les armoiries ont été bûchées, mais les traits horizontaux qui subsistent et la forme des motifs disparus permettent d'y voir les armes : « d'azur à trois fleurs de lys d'or », en hommage à leur royal fondateur. Le même existe, au-dessus de la porte d'entrée, dans un fronton minuscule. A la clef apparaît en relief la date de 1716. Cette longue façade, entre des chaînages d'angle à bossages, comporte quinze travées d'ouvertures à linteau incurvé, en deux rangées séparées par un cordon plat. Un tympan courbe en forte saillie souligne chaque porte d'entrée des ailes. Les toits à quatre versants d'ardoise sont percés de lucarnes de pierre réparties symétriquement. Celui du bâtiment principal, très élevé, repose sur une belle charpente en carène de navire inversée ! L'examen des combles montre qu'il est antérieur aux pavillons des extrémités !

L'aile orientale est contiguë à l'église dont le chœur arrivait jusqu'au bord de la rivière. Antoine d'Anglerais, dit Chicot, portemanteau du roi, avait demandé par testament, en 1585, à y être inhumé avec sa femme, mais il mourut à Pont-de-l'Arche (5). En 1634, on y voyait à côté de l'évangile son portrait en costume noir, en armes avec son blason meublé d'un aigle éployé (4). En novembre 1612, Claude d'Argy, seigneur de Pont, y fut enterré dans le mausolée familial (6). Tout cela fut détruit en 1878 par la construction de la ligne de chemin de fer Tours-Châteauroux.

Dans le dernier quart du XVIIIe siècle, le couvent n'avait plus que deux religieux, aussi le chapitre de la province, réuni à Blois le 14 octobre 1772, demanda la suppression et la réunion des revenus à celui de Tours (7). La vente en fut décidée par décret de l'archevêque de Tours du 26 juillet 1774, ce qui fut entériné par lettres patentes données à Versailles en décembre 1774. Les échevins de Loches tentèrent vainement d'y établir le Collège des Barnabites en partie ruiné par l'inondation de 1770. Ils proposèrent de vendre, pour la démolir, l'église paroissiale Saint-Ours et son presbytère, ainsi que celle de Saint-Antoine pour réunir les fonds nécessaires. Ce projet se heurta à une fin de non recevoir catégorique et, le 28 janvier 1777, en l'étude de Me Boisquet à Tours, Pierre-Etienne Cormeille, maître de poste, acheta « le couvent des Cordeliers situé en l'isle de la Madeleine de cette ville » et en fit « l'*Hôtel de France* ». L'église devint une grange, la galerie du cloître servit de remise et d'écurie pour dix chevaux, le grand « bâtiment neuf » avançant sur la rue, « salle de comédie » !

Si cet hôtel n'eut qu'une existence d'une douzaine d'années, son nom s'est perpétué jusqu'à nos jours à la place de celui « des Cordeliers ». Le 19 janvier 1789 (2), Monsieur et Madame Cormeille vendirent « une portion de l'ancien couvent des Cordeliers aujourd'hui l'Hôtel de France », comprenant « le grand corps de bâtiment au fond de la cour, l'aile gauche face à l'Hôtel Dieu jusqu'à l'église, l'aile du côté de la ville jusqu'à la salle de comédie ». Ses ouvertures seraient murées en y laissant « un jour de souffrance jusqu'à sept pieds au-dessus du plancher » comme on peut le constater encore aujourd'hui. L'acquéreur, pour 21 200 livres, était François-Gaston de Nogerée, ancien lieutenant des vaisseaux du roi qui deviendra le grand-oncle d'Alfred de Vigny. Tout le prix était à verser aux créanciers du vendeur, dont plus de la moitié aux Cordeliers de Tours pour solde de l'acquisition de 1777 (2). Notre maître de poste mourut peu après car, le 1er mars 1792 (8), sa veuve,

Anne-Catherine Chauchemiche, vendit ce qu'ils avaient conservé à Louis Prévost, « l'un des officiers municipaux de cette ville ». On le dit « ancien juge au tribunal » quand, après son décès, sa femme et son fils revendirent à Mademoiselle Marie Armfield, le 25 mai 1821.

D'origine américaine, celle-ci avait acheté, le 9 juillet 1813, le moulin du chapitre qu'elle avait fait démolir pour édifier l'énorme bâtiment de quatre niveaux, couronné de balustrades malheureusement disparues, pour en faire une filature de laine. Le 8 novembre 1824, elle devint propriétaire du moulin de Quintefol. Elle céda tout cet ensemble immobilier, le 17 mars 1836 (9), à Jeanne-Françoise Letourmy, veuve de François Priot. Cette dernière agrandit encore son patrimoine en y joignant, le 22 septembre 1839, le reste de l'*Hôtel de France* qui, depuis le 13 ventôse an XIII (4 mars 1805), avait changé de mains plusieurs fois.

Madame Priot voyait sans doute trop grand, car un jugement du 24 novembre 1848 ordonna la vente de tous ces immeubles. L'ancien *Hôtel de France,* composant le troisième lot, fut l'objet de la seconde adjudication le 26 février 1849 (10) et devint, pour 76 200 francs, la propriété de Jean Fournery et Françoise-Marthe Priot. Celle-ci ayant perdu son mari devait l'aliéner avec ses enfants, le 18 mars 1869, à Daniel Wilson, frère de Madame Pelouze, propriétaire du château de Chenonceau, qui songeait à se faire élire dans le Lochois. Il acquit, le 22 juin suivant, le domaine des Montains (11). Nous lui avons consacré à ce sujet une notice sur laquelle nous ne reviendrons pas ici. La personnalité de celui qui deviendra le gendre du Président de la République, Jules Grévy, étant bien connue !

Ses trois enfants qui en héritèrent à sa mort, le 13 février 1919, se constituèrent, le 9 janvier 1951, en « société civile immobilière de Loches ». Celle-ci, le 15 décembre 1958, considérant « que malgré les réparations faites, les gros travaux sont encore à faire », en décida la vente en 7 lots en 1959 (12). C'est ainsi que fut créée la situation actuelle qui assure au moins la sauvegarde d'un édifice intimement lié à la vie de la cité !

Pourrions-nous trouver une meilleure conclusion à cette étude que cette phrase tirée d'une lettre des échevins à l'intendant, le 5 septembre 1774 : « la maison des Cordeliers est par l'épaisseur de ses murs, un de ces monuments d'ordre qui ne doivent finir qu'avec le monde » (7). C'était compter sans le chemin de fer qui mit bas la chapelle en 1878 ! ! ! (13).

1/ *Histoire religieuse de la Touraine (C.L.D., 1975, page 110). — 2/ Archives départementales. Acte Pescherard (Loches), 19 janvier 1789. — 3/ Ranjard. Touraine archéologique (1968), page 440. — 4/ Bulletin de la Société Archéologique de Touraine, tome 12², page 15 et 12¹, page 200. — 5/ Gautier. Donjon de Loches, page 177. — 6/ Carré de Busserolle. Dictionnaire d'Indre-et-Loire, tome 4, page 100. — 7/ Archives municipales de Loches GG 20. — 8/ Archives départementales. Acte Lesleu (Loches), 1ᵉʳ mars 1792. — 9/ Id. Acte Julien(Tours), 17 mars 1836. — 10/ Id. Acte Guicestre (Beaulieu), 26 février 1849. — 11/ Voir les Montains dans le tome 4 des « Vieux logis de Touraine », pages 145, 146. — 12/ Nous remercions Monsieur Freslon père qui, en nous communiquant son acte de propriété, a permis cette étude. — 13/ Bulletin de la Société Archéologique de Touraine (1989), pages 175, 176.*

L'Hôtel n° 1 rue du Château

Bien qu'ayant été défiguré au fil du temps, cet immeuble présentait assez d'intérêt architectural pour avoir été inscrit à l'inventaire supplémentaire des monuments historiques par arrêté du 27 juin 1962.

Naguère encore, le rez-de-chaussée était occupé par deux magasins aux devantures en bois, de part et d'autre d'une porte timbrée d'un blason sans armoiries, dont elles dissimulaient en partie les jambages moulurés. Seul le linteau légèrement incurvé était intact. Comme à la maison voisine, les étages sont en encorbellement, mais un faible décrochement vertical indique deux campagnes de travaux, peut-être proches l'une et l'autre. Les baies de droite avaient, seules, gardé une partie de leur caractère ancien, avec encadrement de baguettes et écu à la clef. Si toutes deux avaient perdu leurs meneaux, et la plus basse son allège remplacée par un garde-corps métallique, leur état n'en permettait pas moins facilement une restauration à l'identique. Une seule lucarne de pierre à fronton courbe éclaire le comble. Deux percements sur la cour étaient encore plus remarquables, surmontés d'une moulure retombant sur des culots sculptés de fleurettes et blason lisse au linteau, mais sans croisillons.

De ce côté, au nord, une grande arcade murée soutenait le début d'une loggia du XVIᵉ siècle dont le toit en appentis reposait alors sur trois courtes colonnes cylindriques. Elle faisait communiquer le premier étage avec les servitudes se trouvant de plain-pied avec la rue des Fossés-Saint-Ours. Un escalier à vis de pierre dessert tous les niveaux et donne accès au sous-sol, assez curieux comme dans la plupart des demeures de cette voie. On trouve d'abord une première cave voûtée en moellons, soutenue par quatre doubleaux. Une volée de huit marches aboutit à un caveau irrégulier dont une partie creusée dans le rocher a son plafond consolidé par un arc appareillé. Une porte ouvre sur la salle du puits dont l'eau est très limpide. Par ailleurs, une haute entrée en plein cintre communique avec un boyau étroit où se voit la tourelle supportée par un cul-de-lampe contenant la vis de pierre descendant à la cave de la maison voisine. Une longue volée rectiligne de degrés de pierre remonte vers la rue où elle n'a plus de débouché, donc antérieure à la façade du xvᵉ siècle.

Comme toutes les belles demeures du centre-ville, celle-ci, dans la première moitié du xviiiᵉ siècle, était encore la résidence d'un notable, Pierre-André Moreau, écuyer, sieur de « Brézolles ». Il la vendit en 1741, mais les actes de cette année faisant défaut dans les minutes de Mᵉ Ledet, il s'avère impossible de retrouver une origine de propriété certaine.

Toutefois, on peut émettre l'hypothèse qu'il la tenait de ses parents. Son père, Pierre-Jean Moreau, « escuier, sieur de Brézolles », originaire de Négron, avait épousé dans l'église Saint-Ours, où elle avait été baptisée le 20 mars 1681, Catherine Garreau, fille de « noble André Garreau », seigneur du Grand Breuil, lieutenant général et criminel de Loches, et de Catherine Harenc, laquelle avait été inhumée dans l'église le 16 mars 1700. Son mari viendra l'y rejoindre, à 80 ans, le 12 août 1727, fils lui-même d'André Garreau, assesseur en l'élection de Loches, et d'Anne Joly dont le mariage avait été célébré le 25 avril 1645. Il s'agissait donc bien d'une vieille famille lochoise (1) !

Pierre-André Moreau, baptisé le 16 mars 1703, vendit le 15 décembre 1741 la maison « près la Halle » à Mᵉ Gosmer, notaire. Les cinq enfants de ce dernier la revendirent le 31 janvier 1793, et l'on constate alors qu'elle abrite deux commerces. La description qui en est faite montre que peu de choses avait changé depuis lors. On la situe ainsi : « joignant d'un long à la Halle et maison du docteur Henry, d'autre aux héritiers Saulquin, du devant à la Grande rue et par le derrière à la rue qui descend du château à l'arche qui conduit à Saint-Ours » (2). L'acquéreur était Henri Dhumeaux dont la fille Marie-Anne la céda, le 12 janvier 1853 (3), à la famille Chargé dont les descendants en gardèrent la propriété jusqu'en 1940 où, le 24 avril, elle fut achetée par Monsieur Freslon (4).

Acquise en 1981 par son propriétaire actuel, celui-ci en a entrepris la restauration sur les plans de Monsieur Caubel. Les travaux, commencés au début de 1985, s'achevèrent à l'été de 1986.

L'enlèvement de la devanture de droite fit apparaître deux arcades cintrées sur des piliers moulurés qui ont été reconstitués à l'identique. La porte à décor de serviettes plissées s'accorde bien avec le style de cette maison pouvant être datée de l'extrême fin du xvᵉ ou du tout début du xviᵉ siècle. Les fenêtres supérieures ont retrouvé leur croisée de pierre, mais celles de gauche ont reçu des huisseries à meneaux de bois, faute de témoins anciens. Dans la cour, la galerie a été fidèlement reconstituée et prolongée, les arcades de soutien remises en valeur et les ouvertures ont de nouveau leurs meneaux. Grâce à la compréhension des services départementaux des monuments historiques, nous avons pu obtenir que le mur soit d'une hauteur permettant la vue sur l'arrière de ce beau logis. Et c'est toute la rue Saint-Ours qui s'en trouve revalorisée !

1/ *Registres paroissiaux de Loches.* — 2/ *Archives départementales. Acte Gaudin, à Tours, du 31 janvier 1793.* — 3/ *Archives départementales. Acte Boileau, à Loches, du 12 janvier 1853.* — 4/ *D'après l'acte que Monsieur Freslon a mis à notre disposition.*

LOUESTAULT

Fontenailles

Sur le rôle de 1639 (1) : « le chastel, châtellenie, fief et terre de Fontenailles » sont portés pour un revenu de 400 livres. Le tout relevait à foi et hommage simple de « l'insigne église saint Martin de Tours ».

Dans la liste des premiers « chevaliers bannerets » créés en 1213 par Philippe Auguste, figure « Hugonis de Fontenellis » (2). Ensuite, pour toute la période allant jusqu'au XVIe siècle, il y a une absence complète de documents, mais une légende voudrait que Fontenailles ait été donnée par Charles VII à Agnès Sorel. Cette tradition restée vivace dans le pays est illustrée par un vitrail de Lobin de 1881, dans l'escalier moderne du château, représentant « Agnès avec un faucon sur le poing droit, un chien couché à ses pieds » avec, en arrière-plan, la façade néo-gothique du manoir ! Elle passait pour la protectrice du pays, et le don de son buste (?) au préfet Pommereul ayant été suivi d'une épidémie faisant périr beaucoup de bétail, les habitants, en 1815, obtinrent qu'il fut remis en place (3) !

Dès le XIVe siècle au moins, il y avait là une forteresse dont il reste des vestiges (4). Le plan cadastral de 1834 montre une partie des douves toujours visible, baignant les murs d'une terrasse. L'une des extrémités présente l'infrastructure d'une construction carrée avec emplacement de meurtrières. L'autre est occupée par une tour massive, cylindrique, aux murailles d'environ 2 mètres d'épaisseur avec salle basse communiquant avec deux caveaux parallèles, couverts d'une voûte en moellons.

Sur cet emplacement, indiqué comme étant de forme circulaire dans un acte de 1849 (5), le vieux manoir fortifié fit place à une résidence plus agréable à habiter. Un dessin de Lacoste de 1845 (3) nous en montre un élément qui se reconnaît encore dans l'édifice actuel. Il s'agit d'un corps de logis couvert d'un toit à quatre pans, flanqué à un angle d'une tour ronde, tandis qu'une grâcieuse échauguette coiffée en poivrière s'accroche au coin opposé. A l'arrière, on devine le pavillon carré abritant le large escalier à vis de pierre aménagé dans l'angle rentrant d'une aile très courte en retour d'équerre. Il existait une autre tour dont une partie est visible dans la cage de l'escalier moderne car, au début du XVIIIe siècle, le logis fut considérablement remanié et agrandi. Il était à peu près le double de l'édifice actuel, d'après le cadastre de 1834.

Le baron d'Aumont, qui acheta le domaine en 1849 (5), transforma complètement les bâtiments conservés « en plaquant un décor néo-gothique sur les façades anciennes » (6), éclairant les combles par de nombreuses lucarnes à gâble aigu. La tour d'escalier fut surmontée d'un double étage octogonal aux murs de briques et de pierres de taille portant terrasse, percés sur chaque face de baies à lancettes, inspirée de celle du Vivier des Landes, à Courcelles. Aujourd'hui, celle-ci a perdu cette sorte de beffroi prétentieux, remplacé par une pyramide d'ardoises, mais la copie ici a survécu au modèle !

Le registre de visite des chapelles, de 1776 comme de 1787, indique celle de Fontenailles comme étant en bon état (7). C'est une construction rectangulaire à nef unique, au pignon épaulé par deux minces contreforts. L'autel est en place dans le chœur éclairé par trois baies à double fenestrage et rosace, garni de vitraux de Lobin. La porte, avec son tympan sculpté de deux angelots accroupis, est de 1880. Sous le vocable de saint Léonard, cet édifice doit avoir remplacé une chapelle plus ancienne dont les fondations furent retrouvées dans les jardins au milieu du XIXe siècle (3).

A partir de 1500, la liste des seigneurs puis des propriétaires peut être établie d'une façon continue. Au début du siècle, on trouve Charles de Couhé qui aurait participé, en 1507, à la réformation de la Coutume de Touraine (8). Il eut trois enfants dont l'aîné, qui lui succéda, se maria vers 1530 à Claude de l'Hôpital. Il fut en son temps un poète assez renommé, ayant Ronsard dans ses relations (9). Selon Bossebœuf, on lui devrait les travaux importants qui modifièrent Fontenailles (10). Sa fille Aimée s'allia à Antoine de la Châtaîgneraie qui, de ce fait, fut seigneur de Fontenailles jusqu'à sa mort survenue en 1580 (8).

Le fief passa par la suite à Pierre de Molan, seigneur de Saint-Ouen où il fut inhumé, le 16 novembre 1607, dans l'église paroissiale où se voit encore sa dalle funéraire. Son fils Nicolas qui eut Fontenailles l'échangea avec son frère, Pierre, qui rendait encore aveu à Saint-Martin le 18 novembre 1625 (11). Deux ans plus tard, il vendit à Roger du Gast dont le fils, Charles, fait encore hommage le 20 mars 1651 (12). Mais dès 1654, la terre était passée à René Bouault ,secrétaire du roi, qui eut pour successeur son fils Etienne.

Par contrat du 26 juin 1700 et décret du 18 juin 1701, Fontenailles fut alors acquis par Louise Moreau, épouse de Jean-Gilles de la Grue, dont les descendants se feront appeler simplement « de Fontenailles » et vont en garder la possession, durant cinq générations, jusqu'en 1848. Leur petit-fils, Alexandre-Victor-Gilles, comparut en personne à l'assemblée électorale de la noblesse de Touraine en 1789 (13). Ancien officier et écuyer de main du roi, il avait démissionné en 1787. Il n'émigra pas mais n'en fut pas moins emprisonné sous la Terreur (14). Son fils aîné, Charles-Armand, entra à l'école spéciale militaire en 1809 et était lieutenant en 1811 (15). Pendant les Cent Jours, il fit campagne dans l'armée royale de la Sarthe comme capitaine. C'est lui qui, le 26 novembre 1847, céda Fontenailles à Monsieur de la Forest d'Armaillé qui, le 17 mai 1849 (5), revendit à William-John Curtis, baron d'Aumont.

Ce dernier, comme il a été indiqué, entreprit une restructuration complète de l'édifice qui lui donna son aspect actuel, mais dut le revendre en 1856. Après trois échanges en 1876, 1878 et 1880, le domaine fut acquis, le 4 août 1888, par Angélique-Marguerite Sieber, épouse du baron de Boucheborn qui, pendant la guerre de 1914, commandait la place de Tours comme colonel.

Au cours du dernier conflit, le ministère des Pensions vint s'y installer mais, devant l'avance allemande le 18 juin 1940, les employés se replièrent vers le sud, abandonnant leurs archives qui furent récupérées par la suite. Le château devait être occupé de juin à octobre 1940, puis à partir de 1942 par sept réservistes seulement affectés à un poste de défense aérienne installé sur la terrasse de la tour (16).

Le 9 janvier 1949, Fontenailles devint la propriété de l'association « la Joie par la santé » (17), centre de repos pour les jeunes travailleurs malades, puis depuis 1983 un centre de rééducation professionnelle. Pour abriter les services et le personnel, on construisit dans le parc un véritable village.

Ces pavillons modernes se développent en demi-cercle autour de l'ancienne gentilhommière. Le contraste entre ces deux époques architecturales si différentes n'en est marqué que plus durement.

1/ Rôle des fiefs de Touraine, page 134. — 2/ Bourassé. La Touraine, page 354. — 3/ Bellanger. La Touraine ancienne et moderne (1845), page 453. — 4/ Ranjard. La Touraine archéologique (1968), page 450. — 5/ Archives départementales. Acte Sansier, à Tours, 17 mai 1849. Tous ces actes dus aux recherches de Monsieur Michel Maître. — 6/ Touraine Néo-gothique (1978), page 27. — 7/ Archives départementales G 14, p. 15 verso, page 33. — 8/ Carré de Busserolle. Dictionnaire d'Indre-et-Loire, tome 3, page 95. — 9/ Bulletin de la Société Archéologique de Touraine, tome 21, pages XIII et XXXVI. — 10/ Id. Tome 22, page 151. — 11/ Archives départementales G 418. — 12/ Id. G 423. — 13/ Mémoires de la Société Archéologique de Touraine, tome 10, pages 123, 152. — 14/ Bulletin de la Société Archéologique de Touraine, tome 20, page 123, note 1. — 15/ Vincennes. Archives de l'armée de terre. Dossier 1080. — 16/ Notes de Monsieur de Saint-Joris, d'après les souvenirs de Jacqueline Boistard. — 17/ Nous remercions la direction de Fontenailles qui, en nous communiquant son acte de propriété, a permis cette étude.

METTRAY

La Ribellerie

« Au milieu d'un beau parc, précédé d'une grille en fer forgé, la Ribellerie est une demeure typiquement tourangelle. Bon marcheur, Balzac y venait de Tours par le chemin de la Chanterie » (1).

S'il y revenait aujourd'hui, il reconnaîtrait sans peine le long bâtiment rectangulaire d'un rez-de-chaussée coiffé d'un toit d'ardoises à la Mansard. La porte centrale sur le parc est précédée d'une petite terrasse accessible par cinq degrés de pierre. Son huisserie à petits carreaux s'encastre dans des claveaux en bossage, et l'imposte semi-circulaire est surmontée d'une lucarne. Le fronton triangulaire repose sur des jambages à refends et ailerons sur lesquels est fixé un avant-corps métallique où le fer forgé compose des arabesques. L'entrée opposée est à peu près identique mais de plain-pied avec la cour d'honneur. Les autres lucarnes de part et d'autre de celle-ci sont en bois, et deux autres sont aménagées sur chacun des petits côtés. L'une d'elles à l'ouest, avec son double fenestrage, indiquerait l'existence d'un oratoire mentionné comme chapelle dans les actes de 1902 (2), 1922 (3) et 1927 (4) ?

Il ne saurait s'agir de celle figurant dans le registre de visite de 1776 signalée comme étant « en très mauvais état ». L'autorisation de l'utiliser fut refusée, et le nécessaire n'ayant pas été fait, elle fut interdite jusqu'à nouvel ordre en 1787 (5). Il n'en subsiste aucune trace.

A l'intérieur, il faut signaler l'escalier en bois à trois volées inégales avec rampe à balustres tournés en poire et large main courante.

Au sud du château, le terrain descend en pente douce jusqu'aux rives du ruisseau de la Perrée, limite communale. Il s'y étale en une pièce d'eau vers laquelle convergent des allées aménagées à travers les futaies et les taillis du parc.

Cet élégant édifice du XVIIIᵉ siècle a dû succéder à des constructions plus anciennes ayant disparu, car le lieu était habité dès le XVIᵉ siècle, d'après le dictionnaire d'Indre-et-Loire (6). Celui-ci donne, en 1522, Denis Rodier chapelain de Tours, qui vendit le 5 décembre à Guillaume Binet, curé de Saint-Saturnin, la moitié de la Ribellerie qu'il tenait de son père Jean Rodier. Il cite, en 1575, Aimée le Lièvre, veuve d'André Quétier, suivie en 1612 de Jules Quétier qui est peut-être son fils ?

Le 11 février 1646, on trouve comme marraine, à Mettray, « Renée Galland, femme d'honorable homme Jean Guitton, receveur des tailles à Tours, sieur de la Ribellerie » (7). Celui-ci, qui porte le curieux surnom de « Canon », fut inhumé en l'église paroissiale le 2 août 1652, et l'on peut dès lors établir la liste continue des propriétaires de la Ribellerie. Gabriel, sieur de la Ribellerie, capitaine au régiment de Champagne, fut enterré avec son père, le 14 août 1692. C'est probablement son frère François, receveur des tailles qui, après cette date et sûrement avant 1709, se sépara de la Ribellerie.

En effet, le 4 décembre 1709, on célébra, dans la chapelle de la Ribellerie, le mariage de « Pierre de la Roche de la Ribellerie », fils d'un avocat au Parlement de la ville, avec Catherine Chotard, fille de feu Paul Chotard, receveur et caissier de la Généralité. Quand le père, Pierre de la Roche, avait été parrain à Mettray le 18 octobre 1704, on ne le qualifie pas de « sieur de la Ribellerie ». On peut donc en déduire que celle-ci fut acquise par le fils avant son union avec Catherine Chotard, laquelle, à 75 ans, sera inhumée dans l'église le 23 novembre 1759.

Leur fils né en 1711 à Saint-Pierre-du-Boille, Pierre-Augustin, fut greffier en chef de la Monnaie de Tours. C'est certainement l'un des membres de cette famille qui entreprit, au cours du XVIIIᵉ siècle, la reconstruction de la Ribellerie, qui lui donna son aspect actuel !

Pierre-Augustin était veuf lorsque, le 30 août 1771, il alla rejoindre ses ancêtres dans l'église de Mettray (7). Il laissait un garçon, Augustin-Claude, maître ordinaire en la chambre des comptes de Bretagne, qui mourut à Tours le 8 mars 1827. Sa fille, seule et unique héritière, Marie-Albertine de la Roche de la Ribellerie, s'était unie à Honoré-René Marchant, intendant général de la Grande Armée, élevé à la dignité de baron en 1813, mais mourut trois ans plus tard. Il avait eu deux enfants qui furent les compagnons de jeux de Balzac (1). Le garçon, Augustin-Albert, intendant militaire, mourut de la dysenterie en Algérie ; la fille, Marie-Eléonore-Honorine, épousa Simon-Etienne Chaulet dont elle eut deux fils. Mais sa mère s'étant remariée le 4 juin 1819 au comte d'Outremont, général de brigade, celui-ci adopta les deux petits-fils de sa femme qui s'appelèrent, dès lors, Chaulet de la Ribellerie d'Outremont (8).

Si l'aîné Marie-Albert fit une carrière militaire comme ses ancêtres, le cadet, Hector, né le 17 février 1825, eut une destinée différente et entra au séminaire. Le comte d'Outremont eut cette parole prophétique : « nous voulions en faire un préfet, nous en ferons un évêque » (1). Il le fut, en effet, d'Agen en 1871 et du Mans en 1874 jusqu'à sa mort « en odeur de sainteté » en 1884.

Son frère, comte d'Outremont, avait épousé Louise-Jeanne Auvray qui était veuve à son décès, le 6 septembre 1906, laissant la Ribellerie à sa sœur Hélène-Thérèse Auvray. Celle-ci devait mourir le 19 décembre 1916 ne laissant pour héritiers que quatre neveux qui mirent la Ribellerie en vente. Elle fut adjugée, le 25 juillet 1920, à Jean Sartori, publiciste et gérant d'un journal appelé « la Bonne Guerre » ! ! ! Ayant contracté une dette qu'il ne put rembourser, la Ribellerie et sa ferme furent saisies et adjugées définitivement, le 14 octobre 1922, aux époux Delfosse.

Depuis lors, plusieurs mutations sont intervenues en 1926, 1941, 1956 et 1978. Enfin, le 9 février 1981, elle fut acquise par ses actuels propriétaires qui entretiennent avec soin ce bel exemple de l'architecture du XVIIIᵉ siècle. A notre époque, son environnement a été défiguré par un lotissement moderne qui a été dénommé assez abusivement « les Ribelleries » !

1/ Balzac en Touraine du nord. J.-E. Wellen (1968). — 2/ Archives départementales. Registre de transcription des hypothèques de Tours, vo!ume 4658, N° 19. — 3/ Archives départementales. Registre de transcription des hypothèques de Tours, volume 180, N° 2. — 4/ Archives départementales. Registre de transcription des hypothèques de Tours, volume 606, N° 14. Tous ces actes ont été recherchés par Monsieur Michel Maître qui a établi une généalogie de la famille Gitton de la Ribel!erie. — 5/ Archives départementales G 14, page 12 verso, page 31. — 6/ Carré de Busserolle. Dictionnaire d'Indre-et-Loire, tome 5, page 298. — 7/ Registres paroissiaux de Mettray. — 8/ Note de Luc Boisnard.

NAZELLES

Mondomaine

Si Mondomaine figure bien sur la carte de Cassini, le dictionnaire d'Indre-et-Loire cite simplement le lieu-dit comme : « ferme, commune de Nazelles » (1). Il s'agit pourtant d'une « maison noble » dont l'existence est attestée depuis 1582-!

Le 2 février de cette année-là, Jehan de Falaize, sieur de Mondomaine, fut, en remplacement de Gilles Champion, élu maire d'Amboise et prêta serment. Le 18 juillet, en cette qualité, « noble homme Jehan de Falaize » loua une maison appartenant à la ville au marchand Jean Hubert (2). Sa fille, Hélène de Falaize, s'allia par contrat du 8 juin 1595 à Pierre Denis, écuyer, seigneur de la Guichetière (Souvigny) (3). C'est lui sans doute l'un des 24 échevins de Tours, anobli en mai 1583 par Henri III, auquel se réfèrent ses descendants pour justifier de leur noblesse en 1666 (4). Ces derniers vont s'appeler maintenant Denis de Mondomaine.

Jean Denis, qui est le deuxième du nom, partagea avec ses sœurs les biens de ses parents le 7 novembre 1638 (3) : Mondomaine resta sa propriété qu'il transmit à son fils Jean III. Fourrier du roi, celui-ci se maria à Saint-Pierre-le-Puellier, le 7 septembre 1682, à Marguerite Boursier (5). De leurs sept enfants, cinq sont encore vivants pour liquider leur succession le 25 janvier 1729 (6). En tant qu'aîné noble, Jean IV reçut : « la terre, fief et seigneurie de Mondomaine consistant en maison noble, cour, jardin, pressoir, rivière, fuie, chargée de 25 livres de rente envers la chapelle Saint-Florentin, plus la métairie de Souvé, de la Hardouinière à Noizay, une closerie à Limeray et deux maisons l'une à Amboise, l'autre à Tours ».

Le 30 août 1729, en l'église de Nazelles, il unit ses jours à Marguerite Pic-Paris (5). Ils eurent au moins un garçon, Jean (cinquième du nom), et deux filles dont l'une, Françoise, se maria à Nazelles, le 24 juillet 1764 (5), à Henri de Boyneau. Ancien major des ville et château de Saumur, Jean Denis de Mondomaine comparut par fondé de pouvoir à l'assemblée électorale de la noblesse de Touraine (7). Il mourut sans héritier, à Amboise, le 10 nivôse an VIII (31 déc. 1799). Sa succession fut partagée, les 6 et 7 messidor an VIII (25 et 26 juin 1800), entre ses trois neveux : Sylvine-Françoise, déjà veuve de Joseph-Alexandre Gilloire, homme de loi à Château-Renault, qu'elle avait épousé, à Saint-Florentin d'Amboise, le 24 novembre 1791 ; sa sœur Antoinette et Louis-Henri, « chef élu au 73ᵉ régiment au Grand Fort de l'isle de Saint-Domingue » où il devait finir ses jours (8). Antoinette étant également décédée, Madame veuve Gilloire était seule propriétaire quand elle en vendit la nue propriété à Alexandre-Claude Ouvrard de Martigny, lieutenant-colonel de la Légion portugaise, le 10 août 1811 (9). Elle s'en réservait la jouissance sa vie durant et recevrait une rente viagère de 600 francs. Mais son acquéreur disparut avant elle, et le 17 août 1831, à la requête de sa veuve, le tribunal de Tours adjugea la nue propriété de Mondomaine à Jean-Baptiste-Martin-Henri Faré, chef du bataillon, chevalier de la Légion d'Honneur et de Saint-Louis, et Marguerite Gournay. Le 20 février 1832, Madame Gilloire lui cédait ses droits usufruitiers moyennant la même rente de 600 francs (10).

Monsieur Faré, trouvant sans doute trop modeste le logis alors placé parallèlement au coteau, le fit entièrement raser, et les matériaux servirent pour la construction du pont permettant à la route de Noizay de franchir le ruisseau de « Vaugadeland » qui traverse le parc, y faisant mouvoir le moulin de la Roche Fleurie avant d'aller se perdre dans la Cisse. L'architecte

130

Sylvain-Philippe Chasteigner, de Saint-Denis-Hors, sans doute le même qui devait, vers 1845, édifier Comacre à Sainte-Catherine-de-Fierbois, éleva en pierres de taille de Pontlevoy une maison de plan rectangulaire à deux niveaux. La façade méridionale présente un avant-corps à fronton triangulaire. L'entrée en plein cintre donne sur un perron de cinq marches en pierre de Sainte-Maure. La porte-fenêtre du premier étage ouvre sur un grand balcon et s'encadre de deux niches abritant les bustes en plâtre de La Fontaine et de Franklin ! Le toit repose sur une corniche à petits modillons et était surmonté par un belvédère couvert portant un petit campanile. Cette disposition, donnant un aspect curieux à l'édifice, a été supprimée en 1985. Seul, le clocheton a retrouvé sa place, au centre, sur la ligne de faîte de la toiture.

On remarquera, à l'intérieur, la technique de l'escalier tournant de 24 marches dont le limon porteur est suspendu dans le vide. Le départ de la très sobre main courante est une haute colonnette s'épanouissant en corolle supportant un fleuron en cône. On connaît le nom des artisans qui exécutèrent ces menuiseries : Monsieur Arnoult, à Nazelles, et Sabouré, à Amboise, suivant un accord signé le « 28 may 1833 » !

L'édifice est dominé, au levant, par la haute falaise calcaire où l'on remarque trois rangées de six à sept boulins creusés dans le rocher, vestiges possibles de l'ancienne fuye. Une douzaine de caves plus ou moins vastes, s'ouvrant chacune par une grande arcature en plein cintre, sont aménagées dans le coteau. On y trouve même, dans l'une d'elles, un large escalier circulaire de 39 degrés très usés, taillés directement dans la roche, aboutissant à un fruitier fermé par une clôture pseudo-gothique, et d'où l'on a une vue étendue sur la vallée de la Loire.

Sur la pente douce de la pelouse montant vers le logis, une source se dissimule dans un massif de verdure.

Les descendants de Jean-Baptiste Faré, mort en 1876, se sont succédés sans interruption jusqu'à nos jours, durant quatre générations, et ce sont ses arrière-arrière-petits-enfants qui en ont aujourd'hui encore la possession.

1/ *Carré de Busserolle. Dictionnaire d'Indre-et-Loire, tome 4, page 276.* — 2/ *Chevalier. Archives communales d'Amboise (1874), pages 91, 269.* — 3/ *La Chesnaye Desbois-Badier. Dictionnaire de la noblesse, tome 6, page 818.* — 4/ *Chambois et Farcy. Recherche de la noblesse en 1666 (1895), page 260.* — 5/ *Dates communiquées par P. Robert du CGT.* — 6/ *Acte Mouy, à Tours, du 25 janvier 1729.* — 7/ *Mémoires de la Société Archéologique de Touraine, tome X, page 115.* — 8/ *Acte Legendre, à Amboise, des 6 et 7 messidor an VIII.* — 9/ *Acte Guiot, à Noizay, du 10 août 1811. Tous ces actes tirés des archives de Mondomaine mises à notre disposition par Madame la baronne de Lignières.* — 10/ *Journal d'Indre-et-Loire, 28 mai 1832, pages 5 et 6.*

épouse de Jacques Chauvelin de Beauregard, recueillit la Vallière dans la succession de ses parents. Leur fils Marie-Jacques comparut à l'assemblée électorale de la noblesse de Touraine, en 1789, en tant que seigneur de la Vallière, Rosnay... (7), mais émigra par la suite. Ses biens furent vendus nationalement, sauf ces deux terres qui, le 6 prairial an IX (26 mai 1801), furent attribuées à ses tantes, Florence et Geneviève de Bridieu. Au partage du 27 pluviôse an X (16 février 1802), la Vallière échut à Geneviève qui la légua à son neveu, Louis-Geneviève (4).

Maire du Négron à partir de 1812, on lit son épitaphe dans l'ancienne église de Saint-Laurent de Beaulieu-lès-Loches : « Ci-gît Louis-Geneviève de Bridieu, né le 22 mars 1773, mort le 20 février 1820 en sa terre de la Vallière. » Célibataire, il laissait pour légataire universel aux termes de son testament du 17 février 1820 (4) son filleul Louis-Amédée, fils de Monsieur de Bridieu, dit de « Saint-Germain », alors âgé de 14 ans. C'est lui qui, entre 1849 et 1884, donna au château son aspect actuel !

La Vallière, aujourd'hui séparée des bâtiments de sa ferme vendus en 1987, appartient à son arrière-arrière-petit-fils qui, avec son épouse, s'efforce de remettre en état ce vieux logis que hante encore le souvenir du poète Scarron et de sa jeune femme. Dans la chambre qu'on lui attribue, on peut voir une copie de son portrait, tandis que sont peints entre les poutres les noms de quelques-uns des possesseurs du logis avec leur blason.

Nul n'ignore le rôle joué par Madame de Maintenon qui se maria secrètement à Louis XIV vers 1684-1685. Ne serait-il pas juste que son souvenir soit rappelé sur les lieux mêmes où elle vécut dans sa jeunesse et que soit effacé le lamentable lapsus rappelant celui d'une autre favorite du grand roi qui n'est certainement jamais venue à Négron !

1/ Chevalier. Promenades pittoresques en Touraine, page 237. — 2/ Rôle des fiefs de Touraine, page 171. — 3/ Carré de Busserolle. Dictionnaire d'Indre-et-Loire, tome 6, page 356. — 4/ Nous remercions le baron et la baronne de Rosny qui nous ont ouvert les archives de la Vallière. — 5/ Chevalier. Archives municipales d'Amboise, page 298, note 1, page 308. — 6/ Voir Fourchette dans le tome 3 des « Vieux logis de Touraine », page 169. — 7/ Mémoires de la Société Archéologique de Touraine, tome 10, page 102.

NEUILLÉ-PONT-PIERRE

La Donneterie

La « Doynneterie », comme l'indique la carte de Cassini, se dissimule dans un petit massif boisé, à gauche de la route allant de Neuillé-Pont-Pierre à Neuvy-le-Roi, presque à la limite des deux communes.

Un acte du 26 février 1878 (1) permet d'y retrouver presque tous les éléments figurant sur le plan cadastral de 1827. Le château occupe une esplanade quadrangulaire, alors entourée par des douves en eau aujourd'hui asséchées. Trois des angles étaient flanqués de tours, vestiges d'une enceinte fortifiée, la quatrième à l'ouest est une reconstruction moderne. Les deux plus importantes limitent le flanc oriental, celle du nord-est étant le colombier. Ses murs de moellons enduits sont percés de meurtrières horizontales et ceinturés à la partie supérieure d'une moulure. Le toit est coiffé d'un lanternon octogonal. A l'intérieur, tous les boulins sont intacts, disposés en trois travées séparées par des cordons de pierre.

La tour orientale, plus massive, est dotée d'une toiture très haute avec clocheton octogonal, surmonté d'un lanternon en retrait. La porte à linteau droit s'encadre de pilastres doriques. Son fronton courbe est brisé par une croix. La voûte en dôme est divisée en dix registres dont les nervures retombent sur des culots sculptés. L'autel en bois de cette chapelle est en place sous une baie en plein cintre occupée par un vitrail signé : Lobin 1889.

Entre ces tours, il y avait, séparés par l'entrée, deux corps de bâtiment dont l'un a été entièrement rasé. Attenant à celui qui subsiste, le portail présente son arcature aux claveaux en bossage, doublé d'une porte piétonne semblable datant du début du XVIIe siècle comme le logis d'habitation (2). Sa façade sur la cour a conservé ses fenêtres à meneaux éclairant son premier niveau. Il est accessible par un perron d'où part un escalier rectiligne, accolé au mur avec une rampe pleine côté cour. Le comble à quatre pans est percé de trois lucarnes à croisée de pierre, une grande entre deux plus petites avec fronton courbe de style Renaissance. Celles sur les douves sont à tympan triangulaire avec huisseries à petits carreaux. Si les baies de cette façade ont été remaniées, les allèges sont limitées par un double bandeau rectangulaire. La moitié du logis est élevée sur une cave en voûte en berceau, sans doute l'ancienne cuisine avec une ample cheminée accompagnée d'un four à pâtisserie.

Dans la troisième tour, à l'angle sud-ouest, coiffée en poivrière, on aménagea un four à pain dont la motte forme une excroissance dans le fossé, protégée par un toit à deux versants.

Le site de la Donneterie semble avoir été occupé très anciennement. Dans un champ à proximité, des traces de constructions, peut-être gallo-romaines, ont été relevées (3). Au Moyen Age, ce fut un fief, et il figure à ce titre sur le rôle établi en 1639 (4).

Le premier propriétaire connu n'en est pas le moins célèbre : Hector le Breton, né vers 1583 et mort entre 1652 et 1653 (5). Il épousa, le 12 juillet 1610 (6), Antoinette de Mouys dont il eut un garçon et une fille. « Roy d'armes » de Louis XIII, il écrivit pour son fils François le manuel « des parfaits roys d'armes » (7) et publia, en 1644, « les proverbes de Salomon » paraphrasés en rime « françoise » (5). Louis XIII l'honora en lui donnant l'autorisation, le 4 juin 1638, de remplacer l'étoile d'argent au cœur de ses armes par une fleur de lys d'or. On peut supposer que cet important personnage remania le vieux manoir fortifié pour en faire une demeure plus agréable à habiter.

François, qui lui succéda, « roy d'armes » comme son père, épousa en secondes noces Marie Rioland, fille de Jean, médecin de Marie de Médicis (8). De cette union naquit un fils, Hector 2e du nom, qui le 30 janvier 1673, à Neuillé-Pont-Pierre (9), s'allia à Michelle Bigot. Leur fils Pierre devint receveur des gabelles à Loches et épousa à Saint-André de Beaulieu, le 14 août 1714, Marie-Anne Collin. Ils eurent trois enfants dont Pierre-Hector-Etienne baptisé en la même église le 4 février 1719 (10)

Dans le second quart du XVIIIe siècle, la Donneterie passa à Madeleine Jouye, veuve douairière de César-Alexis de la Barre, chevalier seigneur de la « Doynetrie » et y demeurant. Elle devait y mourir, à 67 ans, le 4 juin 1740, ayant légué une rente de 100 livres à sa femme de chambre et 200 livres à son aumônier pour « se souvenir d'elle dans ses prières » (11).

Lorsque le 6 novembre 1755, Charles-Nicolas le Pellerin, baron de Gauville, acheta Genneteuil en la même paroisse (12), il est dit « seigneur de la Doinetterie » où il habite. Nous avons vu (13) qu'au moment de la Révolution, l'aîné de ses petits-fils ayant émigré, un partage eut lieu en frimaire de l'an IV (14) où la République prenait la place de l'absent. Malgré ces circonstances, ce sont ses quatre enfants qui purent conserver la Donneterie. Ils la revendirent d'ailleurs, le 19 décembre 1808 (15), à Louis Jousset de Lépine, notaire impérial, et Marie-Madeleine-Françoise Leguy de la Villette.

Ces derniers partagèrent leurs biens, le 4 décembre 1823, entre leurs deux enfants, et Louis, alors lieutenant de gendarmerie à Saumur recueillit la Donneterie dans sa part, et il y mourut le 14 avril 1852. Une licitation à la requête de sa veuve fut alors prononcée et, le 28 août 1852, les époux Fillon s'en rendirent adjudicataires. Ce sont eux qui revendirent, le 26 février 1878, à Monsieur et Madame Moisant.

Armand-Onésime Moisant était né, à Neuillé-Pont-Pierre, le 28 août 1838 (16). Elève à l'Ecole Centrale, il devint ingénieur des arts et manufactures, puis industriel et constructeur. A l'exposition universelle de 1889, il réalisa la construction du dôme central et la passerelle de l'Alma. Il eut l'heureuse idée de ne pas raser la « vieille Donneterie », dont l'aspect n'avait pas changé depuis le XVIIe siècle, pour en faire les communs de l'édifice plus spacieux et confortable dont il entreprit la construction. Celui-ci est un pastiche réussi dans le style de l'époque François Ier, ressemblant un peu à Azay-le-Rideau. Le grand salon est éclairé par une double fenêtre garnie chacune d'un vitrail aux figures allégoriques : d'un côté, l'Agriculture, de l'autre l'Industrie. Ils sont signés et datés : Lobin 1889, ce qui suppose que le monument était achevé !

Conseiller général et maire de Neuvy-le-Roi (17), Monsieur Moisant décéda, à la Donneterie, le 10 juillet 1906, Sa veuve, puis sa petite-fille qui la reçut en dot le 26 juin 1922, et les enfants de cette dernière en ont gardé la possession jusqu'en 1984 où, le 31 janvier, la société civile immobilière « Les Trois Lys » en a fait l'acquisition.

Dans cette Gâtine tourangelle, la Donneterie est un lieu remarquable, présentant à la fois les vestiges d'une forteresse médiévale protégeant un manoir du XVIIe siècle devenu les communs d'un château pseudo-Renaissance qui ne manque pas d'allure. On regrettera qu'aucun de ces éléments ne soit l'objet d'une protection au titre des monuments historiques.

1/ Journal d'Indre-et-Loire du 7 avril 1878. — 2/ Ranjard. Touraine archéologique (1968), page 501. — 3/ J. Boussard. Carte archéologique de la Gaule romaine (1960), page 113. — 4/ Rôle des fiefs de Touraine, page 125. — 5/ Dom Oury. Petites chroniques de la Gâtine tourangelle, pages 112 à 117. — 6/ Carré de Busserolle. Dictionnaire d'Indre-et-Loire, tome 2, page 468. — 7/ Le « roy d'armes », chef des hérauts, avait dans ses fonctions de blasonner toutes sortes d'armoiries. — 8/ Généalogie Rioland par Claude Rioland. — 9/ Renseignement dû à Pierre Robert. — 10/ Registres paroissiaux de Saint-André de Beaulieu-lès-Loches. — 11/ Archives départementales G 865, pages 56, 57. — 12/ Voir Genneteuil, tome 6 des « Vieux logis de Touraine », page 157. — 13/ Voir le Rouvre dans le tome 4 des « Vieux logis », pages 158, 162. — 14/ Archives départementales Q 787. De ce dossier, il semble ressortir que certaines lois modifièrent les dispositions sur les biens d'émigré, et les enfants de Charles-Marc-Antoine purent recueillir une partie des biens de leur père. — 15/ Archives départementales. Acte Moreau, à Sonzay, du 19 décembre 1808. Tous ces actes recherchés par Monsieur Michel Maître. — 16/ Acte trouvé par Madeselle Monique Fournier. — 17/ Dictionnaire biographique d'Indre-et-Loire (1895).

NEUVY-LE-ROI

Beauvais

Une longue ligne ombrée, sur le premier cadastre terminé en 1828, indique à Beauvais le tracé d'une vaste enceinte qui gardait encore, au nord-ouest, une petite partie de ses douves en eau. Elle était jadis cantonnée de tours dont les deux limitant le plus petit côté sont identiques et toujours debout.

Construites sur plan circulaire en maçonnerie de petits moellons irréguliers, elles sont aujourd'hui de dimensions inégales. Mais la plus élancée présente, à mi-hauteur, trois archères en parement de pierres de taille. Un arrachement est le seul indice de la courtine qu'elle protégeait, et un témoin semblable se remarque sur la seconde, 20 mètres plus loin.

Le vestige le plus important est constitué par les ruines du chœur d'une chapelle dont la construction fut commencée vers 1536 par Abel de la Bonninière, seigneur de Beauvais (1). Ce qui en subsiste ne permet guère d'y déceler quelques caractères de la Renaissance. Le chevet plat est percé au midi par un oculus dont il ne reste que la circonférence. Dans la paroi orientale, une haute baie romane surplombe une large brèche de la muraille. Trois arcs formerets sont encore visibles et retombent sur des culots cannelés très simples. La nef, qui a disparu, devait être doublée par un collatéral dont le mur aveugle est en retour d'équerre. L'angle sud-est de cette chapelle est flanqué d'une tour qui abritait un escalier à vis dont on voit les traces d'encastrement des marches. Une remise couverte en appentis utilise les trois côtés du chœur.

On y trouve l'entrée d'une cave voûtée sur couchis, presque carrée, d'environ 4 mètres de côté, où l'on descend par quelques degrés de pierre.

Ces ruines à la fois pitoyables et impressionnantes rappellent que Beauvais fut jadis un fief relevant des Châtelliers. En 1526, il appartenait à Abel Bonnin de la Bonninière qui, cette année-là, partagea la succession de ses parents avec son frère Guérin. Mais le 7 septembre 1537, il fit don de tous ses biens à Olive Louault, femme de son neveu Jacques Bonnin de la Bonninière, « en reconnaissance des bons services qu'elle luy a faicts à charge de dire deux messes par semaine pour le repos de son âme » dans la chapelle qu'elle fera terminer et bénir par l'archevêque de Tours (1).

Leurs descendants allaient en garder la possession jusqu'en 1902. Mais nous ne referons pas ici l'histoire de cette illustre maison (2), nous rappellerons seulement que, par lettres d'août 1757, Louis XV érigea en marquisat la terre de Beaumont-la-Ronce acquise, en 1691, avec ses dépendances, parmi lesquelles les Châtelliers, dont le « château est en partie démoly », et la ferme de Beauvais, ce qui indique que depuis longtemps sans doute, ce n'était plus qu'une exploitation agricole !

A la Révolution, l'un des treize enfants d'Anne-Claude Bonnin de la Bonninière de Beaumont, Charles, chevalier de Malte, fut inscrit sur la liste des émigrés le 8 février 1793. Il en sera rayé par le Consulat, le 3 messidor an IX (22 juin 1801), comme ayant appartenu à un ordre étranger avant 1789 (1). Il avait participé à l'armée des Princes, en 1792, et à la campagne de Quiberon en 1795. Son père, considéré comme ascendant d'émigré, vit ses biens mis sous séquestre, et un partage, le 23 ventôse an IV (13 mars 1798), attribua la « ferme de Beauvais » à la République qui la mit en vente le 3 floréal (22 avril 1798). Elle fut adjugée, le 6 floréal, pour 360 000 francs à... « Anne-Claude Labonninière-Beaumont » (3). Beauvais réintégrait ainsi le patrimoine familial auquel elle appartint encore pendant plus d'un siècle.

Le comte Pierre de Beaumont, qui reçut Beauvais dans la donation faite par ses parents à leurs quatre enfants le 3 décembre 1891 (4), vendit la ferme qui était dans sa famille depuis six siècles, le 30 octobre 1902, à Monsieur Badère (5). On parle, dans cet acte, de « vieilles murailles avec cave dessous et d'un jardin entouré en partie de vieux murs avec deux tourelles ».

Ce sont les héritiers de Monsieur Badère qui, le 5 juillet 1925 (6), ont cédé le domaine de Beauvais à Monsieur Germain Bodin, père de l'actuel propriétaire. Sur le plateau de Neuvy, ce ne serait qu'une ferme comme une autre, si ces ruines romantiques et méconnues ne venaient en rappeler le long passé !

1/ La Maison Bonnin de la Bonninière de Beaumont (1909), pages 14, 68, 211. — 2/ Voir le château de Beaumont-la-Ronce dans le tome 2 des « Vieux logis de Touraine », page 14. — 3/ Archives départementales Q 769. — 4/ Id. Registre de transcription des hypothèques de Tours, volume 2805, N° 17. — 5/ Id. Volume 3539, N° 57. Actes dus à Monsieur Michel Maître. — 6/ Nous remercions monsieur Jean Bodin qui a bien voulu nous communiquer l'acte d'achat de son père.

PARÇAY-SUR-VIENNE

La Brèche

Un dolmen, dont il ne reste plus guère que les débris épars (1) à environ 400 mètres au sud-ouest de la Brèche, indique une occupation du site depuis les temps les plus reculés !

Un acte de 1888 (2) cite dans les composantes de la terre de la Brèche le château avec pelouses, massifs, terrain d'agrément et les bâtiments dits « le Vieux Château » servant d'écuries et de remises. C'était, au Moyen Age, un fief relevant de L'Ile-Bouchard, et le cadastre de 1816 montre encore une imposante demeure assez irrégulière, sur une plate-forme complètement entourée de larges fossés en eau franchis par deux ponts. L'un au nord donnait accès au parc, l'autre au midi à la cour de la ferme. C'est Jean Prunier qui avait obtenu du roi, en février 1510 et mai 1511, l'autorisation de fortifier sa maison seigneuriale de la Brèche (3). De cela, il reste d'intéressants vestiges rarement signalés mais présentant un certain caractère puisqu'un arrêté du 28 décembre 1984 a inscrit à l'inventaire supplémentaire des monuments historiques : « les façades et toitures du château, de l'ancien logis et de la grange avec les douves et le pont y compris la tourelle d'angle ».

Celle-ci ,avec son toit en poivrière, a été reconstruite en 1913, mais le cul-de-lampe sur lequel elle repose est d'origine. Elle surveille l'angle nord-ouest de la douve où subsiste le pont de pierre d'une seule arche. Le côté méridional de la cour est occupé par plusieurs constructions à usage de dépendances, dominées par le comble à quatre pans de l'ancien logis éclairé par deux lucarnes à fronton triangulaire sur des pilastres doriques. La baie du rez-de-chaussée, au-dessus du fossé, était une fenêtre à meneaux qui a conservé son linteau et son encadrement de baguettes. Or, à l'intérieur, une baie étroite, encadrée de fines colonnettes est devenue une porte et, dans la cage d'escalier, on remarque le cul-de-lampe d'une tourelle disparue. On peut donc en conclure qu'un remaniement, peut-être au XVIIe siècle, a englobé un bâtiment du XVe siècle, le tout élargi au midi par une construction postérieure ! ?

Au XIXe siècle, tout cela devait être en assez mauvais état, et on décida de construire, à quelque distance dans le parc, un nouvel édifice, vers 1845-1850 si l'on en juge par les mémoires adressés à Monsieur de Fadate de Saint-Georges (4). D'anciennes cartes postales nous montrent une maison bourgeoise, très simple, en pierres de taille, de plan rectangulaire à trois travées de percements sur chaque face. Elle est élevée d'un rez-de-chaussée et d'un étage dont les allèges sont limitées par un double bandeau. Les ouvertures sont encadrées de pilastres doriques, et le toit à quatre versants se termine par un belvédère rectangulaire, limité par une rampe aux balustres de pierre en poire.

En 1913, sur les plans de l'architecte Hardion, on procéda à un agrandissement en édifiant de part et d'autre une aile en légère saillie, dans le même style, mais couverte en terrasse. L'ensemble fut couronné d'un attique comportant des parties pleines et des sections ajourées de balustres sur le modèle du belvédère resté en place. La porte d'entrée centrale fut abritée sous un large balcon soutenu par deux colonnes doriques et un pilier à chaque angle. Il en fut de même de l'autre côté, avec le perron en moins !

Le premier propriétaire connu de la Brèche, cité par le dictionnaire d'Indre-et-Loire (5), est, en 1475, Jean Prunier, « trésorier et receveur général des finances dans les pays de langue d'Oïl », qui fortifia son logis. Un magnifique parchemin de 1,60 mètre de long relate la vente du 6 juillet 1552 par son héritier, Jacques Prunier, seigneur de la Brèche, « ci-devant contrôleur de l'argenterie du roi », à Louis Prudhomme, seigneur de Fontenay (4). La fille de ce dernier, Marie, apporta la Brèche en mariage, le 4 mars 1571, à Antoine « Dubois », seigneur de Fontaine (3).

Les fiefs de la Brèche et Pinchat figurent sur le rôle de 1639 pour un revenu de 300 livres. Le 15 juin, Pierre du Bois, chevalier, seigneur de Fontaines (6), déclara en être propriétaire et fut exempté « du ban et arrière ban » (7). Le 8 mai 1691, aveu est rendu par « honorable homme Louis Pallu pour deux corps de bâtiment à Parçay, à Louis du Bois, marquis de Givry, seigneur de la Brèche » (4). Le partage de sa succession, le 22 février 1706, donna la Brèche à deux de ses fils, Pierre-François, marquis de Givry, et Alexandre-Thomas, chevalier non profès de saint Jean de Jérusalem. Tous les deux, le 12 décembre 1726, vendirent le fief à Urbain Taffonneau, sénéchal de la baronnie de L'Ile-Bouchard (3). Suivant une tradition familiale, ce dernier l'aurait aliéné, en 1735, à Taschereau des Pictières qui se serait seulement soucié d'en percevoir les revenus (4). Enfin et certainement avant 1749, la Brèche fut acquise par Charles Drouin dont les descendants en ont toujours la possession !

Quand Charles Drouin unit ses jours le 27 juin 1749, à Saint-Maurice de L'Ile-Bouchard (8), à Elisabeth-Anne Drouin, il est dit « seigneur de Courcoué et de la Brèche de Parçay ». Il était donc propriétaire de la Brèche avant cette date. Il devint contrôleur ordinaire des guerres à L'Ile-Bouchard et, en 1782, il possédait également la Mabilière, à Courcoué, et la Bellonnière à Cravant (9). La Brèche devait passer à l'un de ses fils, Charles, né le 16 septembre 1753, et qui y mourut à 84 ans, célibataire, le 7 novembre 1837. Par testament du 22 février 1836 (10), il en avait légué la propriété à la veuve de son frère Pierre-Guillaume, Marie-Anne-Radegonde Gaillard, en remerciement de ses soins. Elle n'en profita guère car elle y décéda, le 21 avril 1838. Elle laissait comme seul héritier son fils, Charles, ancien officier d'Empire, décoré le 1er octobre 1807 de la Légion d'Honneur, indique son épitaphe. Il vivait à la Bellonnière, à Cravant, où il finit ses jours le 4 août 1844. Son épouse, Madeleine Voisine, décédera en 1848. C'est donc entre ces deux dates que leur fille unique, Julie, femme comme nous l'avons indiqué par ailleurs (9) de Jacques-Louis de Fadate de Saint-Georges, eut la possession de la Brèche où ils firent construire une nouvelle demeure, entourée du grand parc, pour remplacer l'ancienne habitation féodale, trop vétuste !

Au partage entre leurs deux fils, le 21 septembre 1888 (2), la Brèche échut à Edmond-Charles-Jacques qui s'était marié, le 27 juin 1861, à Blanche Dubois. C'est leur petite-fille, Madame de Boigne, et leur arrière-petite-fille, Madame Jean-Honoré Barth, qui ont aujourd'hui la Brèche.

Si son château moderne « dresse sa blanche façade aux lignes sobres et symétriques » (11), le vieux logis seigneurial, au bord de sa douve, atteste qu'il ne s'agit pas d'une reconstruction (12). Tout cet ensemble reste le témoin d'une longue histoire qui méritait d'être évoquée !

1/ G. Cordier. Inventaire des mégalithes d'Indre-et-Loire (1984), page 62. — 2/ Archives départementales. Acte Tévanne, Ile-Bouchard, 21 septembre 1888. — 3/ Archives nationales. Acte Maultrot, Paris, 12 décembre 1726. CXXII-575. — 4/ D'après les archives de la Brèche et les renseignements communiqués par Madame Jean-Honoré Barth. — 5/ Carré de Busserolle. Dictionnaire d'Indre-et-Loire, tome 1, page 399. — 6/ Voir Fontaine, à Rouzier, « Vieux logis de Touraine », tome 6, page 176. — 7/ Rôle des fiefs de Touraine (1639), page 100. — 8/ Acte retrouvé par Mademoiselle Monique Fournier. — 9/ Voir « Vieux logis de Touraine », tome 3, page 91, et 6 page 69. — 10/ Archives départementales. Acte Jahan, L'Ile-Bouchard, 22 février 1836. — 11/ Dictionnaire des communes de Touraine (1987), page 605. — 12/ Ranjard. Touraine archéologique (1968), page 524.

PERNAY

La Pinardière

A environ dix-huit cents mètres au nord du bourg, un chemin d'exploitation, dont une partie a été goudronnée seulement jusqu'à son portail, conduit à la Pinardière.

Celle-ci se signale à l'attention du promeneur par deux pavillons quadrangulaires, en petits moellons enduits dont l'un est coiffé d'un clocheton carré d'ardoises. C'était au premier étage une fuie, d'une conception on ne peut plus rustique et rarement observée. Les boulins, qui sont murés, sont disposés sur cinq rangées, chacune d'elles n'en comptant guère plus de sept sur chaque paroi, espacés les uns des autres de 30 à 50 centimètres. Une simple pierre plate non taillée, faisant saillie, sert de base d'envol. Le rez-de-chaussée est occupé par une cave voûtée sur couchis. Un acte du 28 frimaire an XIII (19 décembre 1804) mentionne effectivement à l'entrée de la cour, « du côté du midi, à chaque angle un petit pavillon servant autrefois de colombier avec une cave dessous, couvert en thuilles et un autre en parallèle servant de sellier » (1).

Si la cour est toujours entourée de murs, la description du logis apparaît peu conforme à ce que nous voyons aujourd'hui. D'après les matrices cadastrales, il était marqué en démolition en 1865, mais est de nouveau indiqué en 1884. Il pourrait, par conséquent, avoir été reconstruit à la fin du second Empire. Il présente une porte centrale avec linteau en plein cintre très mouluré sur des jambages formant pilastres. Une lucarne semblable servant d'entrée au grenier, à l'extrémité ouest, a été rendue accessible par une volée rectiligne d'une vingtaine de marches, accolée au mur de clôture. Dans l'habitation primitive, un escalier en bois, au centre, conduisait au comble. Il ne serait pas impossible que la hotte de l'une des cheminées au moins soit un réemploi !

La Pinardière figure sur la carte de Cassini, mais le dictionnaire d'Indre-et-Loire cite simplement le lieu-dit. L'acte de l'an XIII, étant un partage, ne comporte aucune origine de propriété, aussi l'histoire de cette ancienne ferme, curieuse par son aspect, reste pour le moment inconnue. On notera toutefois qu'elle appartenait, à cette époque, à Sylvestre-René Raguideau et Pétronille Brebant qui possédaient, en outre, un peu au nord, Villenelle, ancien fief porté sur le rôle de 1639 à la paroisse de « Perrenay » pour un revenu de 67 livres 7 sols (2). Il est donc possible d'émettre l'hypothèse que la Pinardière en dépendait féodalement avec les moulins de la Saudrière, de Blantourneau, de la Butte, la maison de la Boiderie qui constituaient leur patrimoine immobilier.

Tout cet ensemble fut partagé entre Marguerite-Pétronille et Marie-Joséphine le 28 frimaire an XIII. C'est la première, épouse de Vincent Marquis, qui reçut le lot composé de Villenelle et de la Pinardière. Son mari était le deuxième des huit enfants de Vincent Marquis qui acheta le Relay, à Pont-de-Ruan, le 29 juillet 1791 (3). Il fut maire de Pernay de 1834 à 1837 et mourut, veuf, le 9 juillet 1844. Le 13 janvier 1828, il avait agrandi son domaine, de la Borde toute proche. Il laissait quatre enfants dont l'aîné, Vincent-Pierre Marquis, conserva au partage du 6 mars 1845 (4) Villenelle où il demeure et la Pinardière. Mais son fils unique, Vincent Marquis, disparut sans héritier le 20 février 1917. La Pinardière échut à deux cousines au sixième degré, les demoiselles Morisseau. C'est l'une d'elles, Jeanne-Marie-Madeleine, épouse de Louis Desnoues qui, pour la première fois depuis 1804, vendit la Pinardière le 1er juillet 1976 (5).

Une seconde mutation, le 20 février 1987, a donné la maison de maître seule avec la cour qui la précède à ses propriétaires actuels qui en ont fait leur résidence. On peut ainsi espérer que les deux curieux pavillons qui en font tout le charme seront ainsi sauvegardés !

1/ Archives départementales. Acte Moreau, à Sonzay, du 28 frimaire an XIII. Tous ces actes recherchés par Monsieur Michel Maître. — 2/ Rôle des fiefs de Touraine, page 117. — 3/ Voir le Relay, à Pont-de-Ruan, dans le même volume. — 4/ Archives départementales. Acte Bouet, à Sonzay, du 6 mars 1845. — 5/ D'après l'acte mis à notre disposition par Monsieur Yves Letard.

PONT-DE-RUAN

Le Prieuré de Relay

Vers 1100, Payen de Mirebeau, seigneur de Montbazon, et sa femme donnèrent « à Dieu, à la Vierge Marie et aux nonnains de Fontevrault » une partie de bois appelé « Raretum » et l'étendue de terre pouvant suffire au labour de deux bœufs » (1). Ce don fut confirmé par Hugues de Sainte-Maure qui donna aux religieuses son fief du Relay. Ainsi fut fondé en ce lieu sauvage, au fond d'un vallon désert, un prieuré vers lequel les dons ne tardèrent pas à affluer et qui compta bientôt plus de huit métairies.

Mais les recettes au XVIIIᵉ siècle devinrent insuffisantes, et un arrêté royal du 27 juin 1758 réunit « le prieuré, terre, fief et seigneurie du Relay à l'abbaye de Fontevrault ». Ce ne fut plus alors qu'une exploitation agricole, louée par l'abbesse à des fermiers, et cette destination nouvelle amena sans doute les premières dégradations !

A la Révolution, « la maison de ferme du Relay » fut saisie et mise en vente dès le 11 juillet 1791. La description qui en est faite montre que tous les éléments cités se retrouvent sur le plan cadastral de 1819. Mais il est question de plusieurs emplacements sur lesquels était le « ci-devant couvent du Relay », ce qui implique déjà plusieurs démolitions. Entre les deux cours existait un portail surmonté d'un colombier, dont il ne reste plus trace. On mentionne le grand corps de logis servant autrefois d'église et maintenant de grange. « Au couchant des deux cours, il y a un fuie garnie de ses boulins dans un jardin sous lequel est une cave avec un caveau ». Le 29 juillet 1791, l'ensemble fut adjugé par l'intermédiaire d'un mandataire à Vincent Marquis, « fermier du dit lieu de Relay » (2) !

Que reste-t-il aujourd'hui de ce prieuré dont le cadastre de 1819 montre encore l'importance et permet de mesurer l'ampleur des destructions opérées depuis ?

L'élément le plus caractéristique est évidemment l'église placée sous le vocable de Notre-Dame. Utilisée comme grange depuis le milieu du XVIIIᵉ siècle, les partages de 1806 la divisèrent en deux par un mur qui subsiste. Si l'une des parties reste une servitude, l'autre a retrouvé sa destination première en redevenant une chapelle. Les murs de l'édifice de plan rectangulaire sont épaulés par quatre contreforts amortis en glacis. Sur le premier d'entre eux, une inscription, qui devient illisible, rappelle le décès de sœur Agathe de Saché « le six des ides d'avril 1202 » (3). Des deux chapelles latérales, il ne reste plus que les arrachements et leur arcature en tiers point murée. Précédée d'une courte travée en berceau brisé, éclairée de part et d'autre par une fenêtre romane, l'abside voûtée en cul-de-four est percée de trois baies en plein cintre. Une restauration très sobre permet aujourd'hui d'y célébrer le culte.

Le portail principal, aménagé dans l'un des murs gouttterots, se compose d'une seule voussure retombant sur des pieds droits sans décoration. Il est surmonté de cinq petites arcatures portées par des culots sculptés dont deux figurent des têtes de bœufs. Le tout semble supporter un glacis étrange, formé de quatre lignes de petites pyramides placées en retrait les unes par rapport aux autres. Une entrée existait aussi à l'extrémité de la nef, sans aucun décor ; elle a été condamnée comme la fenêtre qui la domine.

Le cloître était limité par l'actuel logis d'habitation, couvert d'une magnifique charpente en carène de navire inversée. A la base du pignon s'ouvrait la porte primitive du prieuré avec voussure en plein cintre circonscrite par une archivolte aux trois quarts détruite où l'on devine des dents de scie. Le premier étage servait de dortoir et prenait jour sur le cloître par six fenêtres en arc surbaissé. Une cheminée à trumeau témoigne d'un remaniement du XVIIᵉ siècle. Le petit bâtiment qui fait suite, placé perpendiculairement, peut dater du xvᵉ siècle avec ses pignons « à rondelis » et sa grande cheminée à hotte reposant sur deux consoles.

Face à l'habitation, le jardin forme une terrasse sous laquelle s'ouvre la porte débouchant sur un escalier d'une vingtaine de marches. Il descend à gauche à un caveau voûté en plein cintre d'environ 4 mètres de profondeur. A droite, par contre, une vaste galerie de 17 mètres de long est interrompue par un mur limitant un éboulement.

A quelque distance à l'écart s'élève une fuie en moellons coupée à mi-hauteur par un bandeau plat. Elle est ruinée à la partie supérieure et n'a plus de toiture. A l'intérieur, les boulins sont disposés en travées de cinq rangées séparées par des cordons en saillie.

Le chemin descendant au prieuré aboutit à un beau portail que Ranjard date de la fin du xviᵉ siècle (4). Son arcature en plein cintre est encadrée de pieds droits, ornés d'une superposition de gros tores horizontaux supportant de courts pilastres doriques. Le fronton curviligne, souligné de denticules, présente un tympan occupé par un blason aux armoiries bûchées sur un faisceau de palmes. Epaulé à l'intérieur par des contreforts, des embrasures aménagées de chaque côté permettaient de surveiller les abords. Ici les murs d'enceinte ont disparu, mais on en retrouve un important fragment formant un angle à l'arrière de la fuie. On y remarque des niches couvertes d'une coquille et sommées d'un fronton courbe.

Du prieuré du Relay proviendraient les deux groupes de stalles jumelles de l'église de Saché aux miséricordes sculptées : buste d'homme faucon au poing, ange portant la couronne d'épines, personnage mains jointes et oiseau au long cou luttant contre un serpent.

L'acquéreur de 1791, Vincent Marquis, avait épousé Perrine Maulay qui mourut le 17 vendémiaire an III (9 octobre 1794) (5). Elle lui avait apporté plusieurs domaines dans la Sarthe, et Vincent Marquis, gros acheteur de

biens nationaux, devint un riche propriétaire foncier. Quand il décéda le 16 avril 1806, on le dit «-ancien maire de Pont-de-Ruan». Il fut en effet le premier à exercer cette charge (3). Il avait eu huit enfants, ce qui amena un partage de son patrimoine le 5 septembre 1806, suivi bientôt d'un second en 1826 (6). Aussi apparaît-il bien fastidieux de suivre, au cours du XIXᵉ siècle, la destinée de ces portions affectées par des successions, des donations, des mutations de toutes sortes. Les différents éléments du Relay furent cependant en grande partie regroupés vers 1880 par François Augeard (7), mais son fils Jean, boucher à Villandry, le morcela à nouveau en deux portions, situation qui existait encore en 1933.

L'une, comprenant la majeure partie sauf une moitié de l'église, fut acquise par le baron Hainguerlot demeurant en son château de Villandry (8). Son fils, le baron Alfred Hainguerlot, l'échangea à sa sœur, comtesse de Pontevès-Sabran, puis l'aliéna en 1898 aux époux Berthier-Aubert. Leur fille, Madame Desbourdes, revendit le 29 mars 1939 au baron de Tayrac qui avait déjà obtenu par échange, à la fin de 1937 (9), l'autre moitié avec notamment la portion de grange dans l'ancienne église. A la veille de la guerre, l'unité du Relay se trouvait reconstituée entre les mains du baron et de la baronne de Tayrac.

Le baron de Tayrac, jusqu'à sa mort, consacra tous ses soins à la sauvegarde des vestiges de ce prieuré de Fontevrault. Il faut souhaiter que son œuvre soit poursuivie dans l'avenir et que l'unité du Relay puisse être maintenue. On regrettera seulement que l'arrêté du 7 août 1930 n'ait inscrit à l'inventaire supplémentaire des monuments historiques que l'ancienne église et le portail, et que le site tout entier n'ait pas été classé !

1/ Archives départementales H 817. — 2/ Id. Q 632. — 3/ J. Maurice. Histoire de la vallée du Lys, pages 35, 73, 93, 8. — 4/ Ranjard. Touraine archéologique (1968), page 535. — 5/ Acte dû à Mademoiselle Monique Fournier. — 6/ Archives départementales. Acte Guiot-Charcellay du 20 juin 1826. Tous ces actes ont été retrouvés par Monsieur Michel Maître. — 7/ Archives départementales. Registre de transcription des hypothèques de Tours, volume 2210, N° 2457. — 8/ Archives départementales. Acte Gizors, à Azay-le-Rideau, du 17 mars 1880. — 9/ Nous remercions Madame la baronne de Tayrac qui nous a donné ces renseignements et communiqué son acte de propriété.

SACHÉ

Bécheron

A l'angle du chemin servant de limite à la commune d'Azay-le-Rideau, mais édifié sur le territoire de Saché, le manoir de Bécheron ouvre sa grille de fer ajourée sur la route reliant les deux localités.

De là, on peut apercevoir la longue façade dont l'élément le plus caractéristique est une tour en moellons enduits de plan presque circulaire. En effet, son premier étage en encorbellement présente une face rectiligne au nord où sa porte donne aujourd'hui sur une toiture en zinc. Il s'agit d'un colombier comportant deux travées de quatre rangées de boulins, séparées par un cordon d'appui en saillie, le tout en parfait état mais ayant à peine 2 mètres de diamètre intérieur. Une corniche à gros modillons supporte le toit d'ardoise.

La maison de maître, qui semble s'appuyer sur cette fuie, comporte simplement un rez-de-chaussée partagé par un corridor débouchant sur la cour et donnant, par un vaste perron, sur le jardin bordant la route. Le côté occidental est occupé par la cuisine et la salle à manger et l'autre « par le salon de compagnie ». L'examen de la charpente à double faîtage montre qu'un élargissement important a été effectué, après 1851, qui a modifié la disposition intérieure. Chacune des grandes salles est chauffée par deux cheminées dont le style permettrait de dater l'édifice du XVIIe siècle; malheureusement, ce sont des restitutions et elles ont été remontées là, à une époque récente.

Perpendiculairement à ce corps de bâtiment, s'allonge, parallèlement au chemin, une aile assez longue, desservie par un vestibule ouvrant sur la cour avec un escalier en bois pour accéder au grenier.

Autrefois, une métairie occupait l'angle nord-est avec une portion de la cour de forme triangulaire, séparée par un mur. Elle disposait d'une vaste grange ayant deux grandes portes charretières sur chaque face. Plusieurs caves sont creusées directement dans le rocher.

Bécheron fut jadis un fief figurant sur le rôle de 1639 (1) pour un revenu de 25 livres. Son existence est attestée depuis 1464 où il appartenait à Jeanne Maurelle, veuve de Michel de la Planche (2). Les registres paroissiaux nous donnent le nom de leurs successeurs à partir de 1572 où, le 21 septembre, on baptisa René « fille de noble homme Jean Brachet, seigneur de Bécheron, archer de la garde du roi », et de René Héliot (3). C'est elle qui sans doute épousa André de Cocquebourne et dut mourir en 1592, ayant mis au monde, l'année précédente, Urbaine baptisée le 7 mars 1591 (3). Elle se maria à Henri Dadde dont le père, natif de Milan, obtint des lettres de naturalisation en 1586 (4). Son fils Charles Dadde, qui comparut lors de l'enquête sur la recherche de la noblesse en 1666, maintint sa qualité d'écuyer et se dit bien « petit-fils d'Hercule Dadde, originaire de Milan » (4). Le dernier de la lignée semble être Hyacinthe Dadde, capitaine d'une compagnie de marine, qui fut inhumé dans l'église, le 25 novembre 1725, étant décédé dans sa maison seigneuriale de Bécheron.

Puis, pendant un quart de siècle, les registres sont muets sur les tenanciers du fief. Ce n'est que le 5 juillet 1750, à la nomination du procureur fabricier, que l'on note la présence de « Louis Dupuy de Bécheron » enterré d'ailleurs, l'année suivante, le 5 septembre 1751. C'est vraisemblablement son fils Louis Dupuy, seigneur de Bécheron qui se maria à Françoise Foucher, d'où une fille, Françoise-Louise-Hélène, qui unit ses jours le 17 avril 1782, à Saché, à François Torterue, procureur et notaire à L'Ile-Bouchard (3). Ils devaient faire donation à leurs trois enfants, le 9 mai 1830. Ce fut Hélène, femme d'Alexis Huré, qui dans le partage qui suivit recueillit la terre de Bécheron. Dans le règlement de leur succession effectué le 18 novembre 1851 (5), leur fils Edouard Huré, prêtre, recueillit le second lot composé des bâtiments du maître et de fermier de Bécheron. Il les revendit presque aussitôt, le 14 décembre (6), moyennant une rente viagère, à François Baranger et Françoise Desaché, puis mourut « aumônier des armées », le 11 mars 1856, suivant l'acte dressé par l'officier comptable de l'hôpital de Constantinople. Il ne vit donc pas la fin de la guerre de Crimée.

Après la mort de Madame Baranger, le 28 août 1860 intervint un premier partage, suivi d'un second en 1893 qui amena un véritable morcellement de la propriété (7). Mais en 1920, par des acquisitions successives, Madame Barbe en reconstitua l'unité. Après deux mutations en 1922 et 1924, Bécheron fut acheté en 1926 par Jo Davidson, sculpteur. Il transforma en atelier l'immense grange où il fit remonter une cheminée du xve siècle. Le linteau incurvé à double corniche présente, au centre, deux angelots tenant un écu aux armoiries indiscernables. Dans le jardin au levant, au bord d'un bassin, il plaça l'une de ses œuvres : une femme allongée, le visage regardant la surface de l'eau où se reflète son corps et qu'il appela « In Mémoriam ». Ses cendres et celles de ses deux épouses y furent déposées face à elle.

C'est le 5 décembre 1972 que Bécheron fut racheté à ses héritiers par Monsieur de Gravelaine qui revendit, le 12 février 1985, à ses propriétaires actuels. Ces derniers s'efforcent de remettre en valeur cette gentilhommière méconnue dont l'histoire méritait bien d'être esquissée (8).

1/ Rôle des fiefs de Touraine, page 82. — 2/ Carré de Busserolle. Dictionnaire d'Indre-et-Loire, tome 1, page 199. — 3/ Registres paroissiaux de Saché et Azay-le-Rideau. — 4/ Chambois et Farcy. Recherche de la noblesse en 1666, page 3. — 5/ Archives départementales. Acte Joubert, 18 novembre 1851. — 6/ Archives départementales. Acte Deschamps, 14 décembre 1851. — 7/ Voir Bulletin des « Amis du Vieux Chinon », 1988, page 141. — 8/ Nous remercions Monsieur et Madame Jacquet qui ont bien voulu nous communiquer les actes en leur possession.

L'ancien Prieuré

L'abbaye de Beaumont-lès-Tours possédait jadis, à Saché, un prieuré dont une transaction de 1242 atteste qu'il existait déjà au xiiie siècle. Placé sous le vocable de Saint-Martin de Vertou, il relevait féodalement du fief de Montigny, en la même paroisse (1).

La fondation de la cure de Saché avait été faite par Mesdames les abbesse, prieure et religieuses de Beaumont. Le prêtre, qui était nommé par elles, devait faire des services solennels aux festes annuelles, fournir des cordes aux cloches et leur payer chaque année, à la Toussaint, 28 sols pour les « oblations » qui se font dans l'église.

Un dénombrement du 24 avril 1776, « rendu par Mesdames de Beaumont pour leur fief de Saint-Martin de Vertou à Saché à Madame veuve Péan de Livaudière comme relevant de son fief de Montigny énumère avec précision les différentes composantes de ce prieuré » (2) :

L'article I concerne « la maison seigneurialle et prieurialle, enclavée dans l'enceinte du cimetière de la paroisse ». L'emplacement est indiqué avec précision : « joignant du midi au chemin du bourg à la Croix du Chesne, du nord à divers particuliers, du levant au chemin de Saché au Pont-de-Ruan ». A l'article 5 figure : « la maison presbitéralle consistant en un corps de bâtiment, cour, cave, puits, jardin renfermé de murs. Elle touche du levant et d'un bout du midy à un demi arpent faisant partie du jardin du château de Saché, du nord à la rue allant du bourg à Pont-de-Ruan et au couchant au chemin de l'église au château ».

Il ne saurait donc y avoir de confusion : ce qu'une tradition locale désigne actuellement sous le nom de « prieuré » n'était en réalité que le presbytère qui en était, certes, un élément important et auquel seul nous nous intéresserons ici.

A la Révolution, la maison presbytérale fut estimée par Pierre Torterue-Dupuy le 28 prairial an IV (16 juin 1796), et elle fut adjugée, le 24 messidor suivant (12 juillet 1796), à René-François Foucher, conservateur au bureau des hypothèques d'Amboise (3).

Celui-ci, le 16 nivôse an VI (5 janvier 1798), revendit par acte sous seings privés à François-Pierre Torterue, notaire à L'Ile-Bouchard, qui avait épousé, à Saché le 17 avril 1782, Françoise-Hélène, fille de Louis Dupuy, seigneur de Bécheron. Il ne tarda pas à céder son acquisition à François-Michel Jahan, cultivateur à Villaines (4), le 10 ventôse an VI (26 février 1798).

D'une famille importante de la région, ce dernier s'était uni, à Thilouze le 9 janvier 1770, à Madeleine Desnoyers qui lui donna quatre enfants et fut inhumée, à Villaines, le 17 novembre 1782. En la même église de Thilouze, il se remaria le 26 avril 1784 à Catherine Brossin dont il eut trois autres enfants. Le père devait mourir le 4 août 1813, en sa maison du Grand Boulay à Villaines, et le partage de ses biens donna lieu à une scission de la maison presbytérale en deux. La partie nord fut attribuée aux enfants, celle du midi échut à la veuve (5). L'escalier restait commun aux deux lots, et une porte devait être percée pour communiquer avec le chemin. Les enfants Jahan s'empressèrent de revendre leur part, le 9 janvier 1814 (6), à Jean-François-Alexandre Margonne, propriétaire du château de Saché. Madame Jahan étant décédée le 9 juillet 1814, ses trois enfants, héritiers de sa moitié, la cédèrent le 17 décembre 1814 au même Monsieur Margonne qui absorbait ainsi cette enclave dans son parc (7).

A partir de cette date, l'immeuble fit partie du château de Saché dont l'histoire est trop connue pour que nous la retracions ici. Lorsque Monsieur Paul Métadier en fit don au département en 1978, ces bâtiments furent exclus de la donation et restèrent propriété du donateur (8).

Dans leur état actuel, ils forment un corps de logis central, à chaîne d'angle en pierres de taille et brique, limité au nord par un pignon à « rondelis », datant sans doute du xve siècle. Il est prolongé, au midi, par une construction moins élevée où l'on trouvait, en 1813, deux chambres servant de boulangerie avec four dedans. Si celui-ci a disparu, la cheminée a été remise en état avec hotte de brique sur une poutre reposant sur des corbeaux moulurés. L'escalier en bois dans le style du xviie siècle a été rénové. Le palier est éclairé par une baie étroite à deux panneaux et traverse de pierre. Une banquette occupe son embrasure et surveille les abords. Deux fenêtres superposées à meneaux de bois ont conservé des jambages chanfreinés. A l'intérieur, trois salles ont gardé de belles cheminées témoignant d'une restauration profonde, opérée peut-être en 1736, date qui figurerait sur une pierre (8).

Au nord est accolée une autre construction à deux niveaux, moins haute également, où l'on retrouve l'ancienne entrée ouvrant jadis sur la cour. Celle-ci débouche sur la chaussée par un portail à deux vantaux, entre deux piliers de pierre à chapeau pyramidal.

Le jardin communique encore maintenant, par une double barrière, avec le parc du château que les séjours de Balzac ont rendu célèbre. On y voit encore sa chambre meublée comme il l'a connue. Lorsque les Allemands occupèrent les lieux en 1940, ils mirent une affiche à la porte pour en interdire l'accès. Elle ne fut pas profanée pendant leur séjour !

1/ *Carré de Busserolle. Dictionnaire d'Indre-et-Loire, tome 6, page 5.* — 2/ *Archives départementales H 791.* — 3/ *Archives départementales Q 706.* — 4/ *Archives départementales 2 Q 544 et 3 Q 602.* — 5/ *Archives départementales. Acte Chatelin, à Azay, du 2 décembre 1813.* — 6/ *Archives départementales. Acte Chatelin, à Azay, du 9 janvier 1814.* — 7/ *Archives départementales. Acte Chatelin, à Azay, du 17 décembre 1814.* — 8/ *Nous remercions Monsieur Paul Métadier qui nous a fourni ces renseignements.*

SAINT-AVERTIN

Le Portail

Une grande allée d'ormes bordée de fossés conduisait, en 1816 (1), de la route de Tours à Loches et aboutissait à l'entrée de la « Gangnerie de Mauperthuis » appelée ainsi au XIVᵉ siècle et devenue tout simplement, au XVIIᵉ, « le Portail » (2).

Il n'en reste plus aujourd'hui qu'un court fragment devant les deux piliers en bossage, plaqués de pilastres doriques de la porte charretière. A droite de celle-ci s'ouvre un guichet pour piétons avec linteau en plein cintre mouluré. Le tout a été inséré vraisemblablement après 1757 où il n'est question que « d'un portail cintré » dans un mur d'enceinte qui a conservé deux tourelles. Edifiées en pierres de taille, ayant à peine 3 mètres de diamètre, elles sont coiffées en poivrières et percées d'archères, ce qui laisse supposer un système défensif disparu !

Ranjard les date du XVᵉ siècle (3) et attribue le manoir au XVIIᵉ siècle dont il a en effet certains caractères : linteaux incurvés, huisseries à petits carreaux, double bandeau limitant les allèges... C'est, dit l'acte de 1728 (4) : « un très grand corps de logis en pavillon ». Mais il est probable qu'il subit par la suite un certain nombre de remaniements. Au midi, les lucarnes en bois furent remplacées par deux en pierre à fronton courbe avec aux extrémités un œil de bœuf, disposés symétriquement de part et d'autre d'un tympan triangulaire, garni d'un double rameau de feuillage. Ils laissent entre eux un espace vide, destiné à mettre un blason qui ne fut jamais sculpté. Cet aménagement est antérieur à 1816 puisqu'il est indiqué dans l'acte (1).

A l'intérieur, si l'on retrouve les deux caves voûtées sur couchis, l'escalier en bois a été refait, mais la partie réutilisée pour accéder au grenier est XVIIᵉ siècle avec rampe à balustres à double poire. Le foyer d'une cheminée du rez-de-chaussée, reconstituée avec un linteau retrouvé, est protégé par une taque aux armes des « Cormier de la Picardière » ! Au mur oriental est adossé un petit bâtiment qui servait autrefois de chapelle, figurant comme étant en bon état dans les registres de visite de 1776 et 1787 (5). Elle était encore signalée, avec sa sacristie, en 1816 (1) mais fut par la suite utilisée comme cuisine. La cheminée portant la date de 1828 indique sans doute l'époque de cette transformation ?

On trouvait au levant de la cour, en 1728 (4), deux chambres à cheminée et une plus petite avec four. Ces dépendances semblent avoir été englobées dans une aile très longue venant rejoindre la tourelle sud-est, avec laquelle elle communique. Trois de ses portes sont en plein cintre, et le comble est éclairé par trois lucarnes de pierre à fronton triangulaire. Si on ne retrouve pas au couchant « la grosse tour servant de colombier », il y a à sa place un vaste corps de bâtiment en partie sur cave, avec trois grandes arcatures en anse de panier dont deux sont murées. Celles des extrémités semblent plus récentes !

Sur la « Gangnerie de Mauperthuis » était assignée une rente de 100 sols qui fut vendue « après la saint Maurice 1325 », par Jean Bordeau et sa femme, à Mᵉ Jean Moreau, chanoine et maître d'école en l'église Saint-Martin de Tours (6). Le 26 février 1431, le chapitre donna « en bail à rente » à Jean Boullant et son épouse « le lieu de Mauperthuis où il y avait 50 ans auparavant une gangnerie et maison » pour 30 sols de rente. Le 5 juin 1540, un jugement condamna René Rouillé à payer ces 30 sols assignés sur le lieu de Mauperthuis et, le 30 janvier 1643, la même sentence est infligée au sieur « Thillon du Portail » pour le paiement de cette redevance due sur « le lieu de Mauperthuis alias le Portail » (6). Déjà ce dernier terme avait supplanté le précédent puisque le registre paroissial citait, en novembre 1634 : « mr du Tillon, sieur du Portail et mesdames sa femme et sa fille » (7).

Le Portail devait être vendu le 5 mars 1720 par François Queneau, huissier au bailliage, à Pierre-François Baudrillé. Celui-ci est dit « ancien directeur des postes pour la France à Turin », quand il céda son acquisition le 7 mars 1728 (4) à Léonar Griffier, « entrepreneur des ouvrages du roi ». Après sa mort, ses cinq enfants, le 9 juillet 1757 (8), vendirent le domaine à Jacques Cormier de la Picardière, lieutenant-général au bailliage et siège présidial de Tours, et Anne-Marie-Françoise Desvergers pour 20 000 livres, y compris les ornements de la chapelle : calice, patêne... Le 27 juillet 1764, on procéda à la ventilation des terres qui relèvent pour la plus grande part des fiefs de Bréchenay et Mainfermé à Saint-Martin, le reste dépendant de ceux de la Charpraye, Saint-Venant, Cangé et Larçay, à l'archevêché de Tours.

Jean Cormier de la Picardière fut maire de Tours en 1764-1765 et mourut, à Paris, le 17 mai 1780 (9). Il avait eu deux filles portant les mêmes prénoms (10) : Anne Adélaïde Alexandrine. L'une d'elles se maria, à Saint-Venant, le 14 décembre 1778 (9) à Jacques-Philippe Renault des Vernières, de Pouzay. En 1793, il eut la fâcheuse idée, soi-disant pour vendre son vin, de se rendre à Chinon, puis à Saumur qui venait de tomber aux mains des insurgés vendéens. Arrêté sur le chemin du retour, accusé d'espionnage par la commission présidée par le sanguinaire et implacable Senar, il fut condamné à mort le 11 juillet 1793 et exécuté, le lendemain, sur la place d'Aumont (11). Lorsque le 15 janvier 1794 un commissaire du district vint apposer les scellés au Portail, il y trouva « la citoyenne veuve Desvernières » qui venait de décéder « suite de couche » !

Elle laissait trois enfants qui partagèrent après un jugement du 28 germinal an XIII (18 avril 1805), et le tribunal procéda au tirage au sort des lots le 3 floréal (23 avril). Le Portail échut à l'aîné, Alexandre-Philippe Renault des Vernières. Célibataire, ancien officier de cavalerie de l'armée impériale, il vendit son héritage, le 10 avril 1816, à Georges-Alexis Mocquery et Victoire-Anne Bonouvrier.

Ce dernier, né le 26 décembre 1771 à Auxon (Aube), était sergent au 2ᵉ bataillon de volontaires de l'Yonne en 1791, combattit de 1808 à 1813 en Espagne où, en 1811, il est chef d'état-major de l'armée. Mis en demi-solde le 1ᵉʳ octobre 1814 puis nommé, le 22 avril 1815, commandant du département de la Sarthe, il participa à la répression de l'insurrection soulevée par le retour de l'empereur (12). Le 23 juillet 1815, il est remis en non activité, et c'est alors qu'il acheta le Portail peu après. Rappelé en 1818, il prendra sa retraite définitive le 29 avril 1834 et sera maire de Saint-Avertin de 1837 à sa mort survenue à Tours le 19 mars 1847.

Par successions souvent réglées judiciairement, ses descendants vont garder la propriété jusqu'en 1901. Après deux nouvelles mutations en 1919 et 1922, le Portail, séparé de sa ferme, fut acquis le 12 juin 1923 par Monsieur et Madame de la Taille, parents des propriétaires actuels.

Autrefois complètement isolé à la limite méridionale de la commune, l'urbanisation de la localité arrive maintenant dans son environnement immédiat. Déjà le bois de la Papoterie, de l'autre côté de la route, a fait place à une vaste zone pavillonnaire. On peut se demander ce qu'il en sera dans un avenir proche !

1/ Archives départementales. Acte Bidault du 10 avril 1816. Tous ces renseignements sont dus à Monsieur et Madame O. Jeanson qui nous ont communiqué leur acte de propriété. — 2/ Carré de Busserolle. Dictionnaire d'Indre-et-Loire, tome 5, page 123. — 3/ Ranjard. Touraine archéologique (1968), page 564. — 4/ Archives départementales. Acte Chotard du 7 mars 1728. — 5/ Id. G 14, pages 3 et 23. — 6/ Id. G 456. — 7/ Renseignement de Monsieur Ramette. — 8/ Archives départementales. Acte Mouys du 9 juillet 1757. — 9/ Dates dues à P. Robert du CGT. — 10/ Archives départementales. Acte Thenon du 24 août 1780. — 11/ Bulletin de la Société Archéologique de Touraine, tome 29, page 127. — 12/ Id. Tome 26, pages 294 à 300.

Roidemont

Un tableau de Charles-Antoine Rougeot, qui en fit don aux administrateurs du département, visible au musée des Beaux-Arts de Tours, donne une « vue du moulin et de la côte de Saint-Avertin en 1791 ». Dans l'angle droit et dissimulé dans le feuillage, on discerne un logis assez étroit, précédé de deux tourelles : « Roy de Mont » !

A la même époque, un acte de 1795 nous en donne une description précise : « la maison et closerie de Roidemont, commune de Vancé (Saint-Avertin) est composée de deux corps de bâtiment, l'un pour le maître et l'autre pour le closier. Le premier consistant en une chambre basse, une autre au-dessus à

cheminée, grenier, cave dessous voûtée, sellier à côté, grange avec pressoir... au nord du jardin chambre construite dans une petite tour » (1). Le peintre a donc enjolivé son tableau par une seconde tourelle qui n'a, semble-t-il, jamais existé !

Au premier abord, il semblerait que la maison ainsi décrite n'ait aucun rapport avec l'habitation actuelle. Mais un examen attentif permet de voir qu'elle a été simplement agrandie vers l'ouest, à deux reprises, et entièrement remaniée à l'extérieur. Le pignon à « rondelis » du levant en est le seul témoin visible. Il est traversé par le conduit de deux cheminées. Celle du premier étage peut être datée du xve siècle avec sa large hotte droite reposant sur les consoles des jambages demi-cylindriques. L'une d'elles porte une inscription précieuse qui en authentifie l'ancienneté : « ESTIENNE CHEMIN 1620. » Celle de la salle basse est encore plus typique avec large linteau à corniche moulurée, mais là peut-être s'agit-il d'une reconstruction à l'identique ?

Dans le grenier, on retrouve la trace du pignon occidental de la construction primitive, élevée sur deux caves en voûte appareillée, perpendiculaires l'une à l'autre. Ce sont là les seuls éléments anciens qui ont servi d'assise à un édifice du xixe siècle en style néo-gothique, lequel en a doublé la longueur.

Devant ce logis s'étend une vaste terrasse soutenue au nord, et surtout à l'ouest, par un haut mur renforcé de contreforts. L'angle qu'il forme est flanqué d'une tourelle élancée en moellons enduits jusqu'à son cordon en cavet, en pierres de taille au-dessus. Ce détail indique qu'il s'agissait à l'origine d'un colombier, mais qui avait déjà perdu cette fonction en 1740, si l'on en juge par l'état des lieux dressé le 24 juillet 1740 (2).

En 1869, Mademoiselle Pannetier obtint de transformer la partie supérieure de cette tour, qui se trouve de plain-pied avec la terrasse, en un oratoire où seraient célébrées six messes par an. L'intérieur fut couvert d'une voûte à huit nervures toriques retombant sur des culots sculptés et dont les arcs formerets sont en plein cintre. Deux baies à double fenestrage sont garnies de vitraux datés et signés : « L. Lobin 1869. » Dans ceux de l'ouverture ouest, il semble qu'il ait enchâssé deux médaillons plus anciens représentant l'un saint Jean-Baptiste, l'autre une Vierge à l'enfant. L'autel de pierre est en place. Une niche abritant une statuette surmonte la porte à encadrement mouluré. Une corniche à petits modillons supporte un toit de tuiles plates en dôme donnant un aspect particulier à cette minuscule chapelle. Un acte du 25 février 1588 (3) indique déjà qu'elle était couverte « en dôme ». Cet état fut donc respecté en 1740 puisqu'il fallut refaire la charpente.

Une monographie, conservée dans les archives familiales et établie d'après des actes dont on avait les originaux, donne comme propriétaire, à la fin du XVIᵉ siècle, Pierre Turpin. Elle aurait été acquise après sa mort par Jehan Rastault qui la revendit, le 20 mai 1588, à Emery Chemyn, « receveur des épices taxés de Tours » ! C'est son fils Estienne, qui lui succéda, qui grava son nom en 1620 sur la cheminée. En 1665, les héritiers auraient revendu à Jean Lhuillier. Par la suite, Roidemont fut adjugé au Présidial de Tours, le 11 juillet 1693, à Antoine-Henry Lhuillier, premier échevin de la ville et bailli du comté. Nous verrons en quelles circonstances (4) son épouse, Adrienne Lefebvre, reçut les closeries du Petit Bois et de Roidemont le 31 juillet 1702 (5). Celles-ci devaient être mises en vente par les nombreux héritiers de Georges Lhuillier de la Grandière, et Roidemont fut adjugée le 24 juillet 1740 à Joseph Vallée et Marie Archambault, « maître rôtisseur, rue de la Rôtisserie à Tours » (2).

Leur fille Marie devait épouser, à Saint-Denis de Tours le 14 février 1752, Jacques Blot, et leurs descendants allaient garder la possession de Roidemont jusqu'en 1880 où, le 11 novembre, Mademoiselle Pannetier, fille de François Pannetier et de Louise Blot, en fit donation à Louis-Joseph Roze. Issu d'une vieille famille de soyeux connue à Tours depuis 1686, Louis-Joseph Roze, membre de la Chambre de Commerce, avait transféré avec ses fils son atelier de soieries rue d'Entraigues. C'est lui qui donna à Roidemont l'aspect que nous lui voyons aujourd'hui.

Après une licitation en 1921 qui en donna la propriété à Mademoiselle Louise-Thérèse Roze, celle-ci revendit le 14 janvier 1922 aux époux Motte. Mais six ans plus tard, le 4 mai 1928, Roidemont racheté par Louis-Joseph-Alexandre Roze, industriel, reprenait sa place dans le patrimoine ancestral à la grande satisfaction de la famille qui le possède toujours.

Au cours de la guerre, l'édifice reçut quelques éclats, au cours des bombardements, occasionnant de nombreux dégâts, notamment à la chapelle. Les traces en ont été effacées et Roidemont, sur son coteau abrupt, constitue un îlot de verdure qui, souhaitons-le, restera longtemps une zone non constructible !

1/ Archives départementales. Acte Juge du 18 nivôse an III. — Actes retrouvés par Monsieur Michel Maître. — 2/ Id. Acte Chotard le jeune du 24 juillet 1740. — 3/ D'après la monographie familiale mise à notre disposition par Monsieur Domec. — 4/ Voir l'article suivant sur le Grand Cèdre. — 5/ Archives départementales. Acte Gaudin du 31 juillet 1702.

Le Grand Cèdre

Cette dénomination récente désigne « la maison de maître » d'un domaine connu au XVIIᵉ siècle sous l'appellation qu'il avait conservée jusqu'à nos jours, où elle n'indique plus qu'un lieu-dit : « Le Petit Bois » !

En 1702 (1), le « lieu et closerie du Petit Bois » consiste en maison pour le maître et le closier, bâtiments abritant les dépendances, cour devant, jardin derrière, le tout renfermé de murailles. Lorsqu'elle fut vendue le 26 septembre 1740 (2), la description plus détaillée indique que le logis comporte une cuisine avec cheminée à manteau de bois, sur une cave voûtée où l'on descend par un escalier dans le cellier attenant. Il y a seulement deux chambres à feu au-dessus, avec comble couvert d'ardoises. La cour avec un portail cintré est renfermée de murailles en mauvais état, comme la plupart des dépendances dont certaines sont en ruines. Le tout dépendait du fief de Bréchenay, au chapitre de Saint-Martin de Tours.

On peut imaginer que l'importance des réparations amenèrent, au milieu du XVIIIᵉ siècle, une restructuration qui changea l'aspect des bâtiments. Ceci expliquerait cette date de 1740 figurant avec celle de 1900 à la clef du linteau de la porte principale.

L'expertise du 22 germinal an VII (11 avril 1799) (3) montre : « un principal bâtiment avec deux pavillons contigus, l'un au levant, l'autre au couchant, le tout construit en pierres de Bourrée, couvert en ardoises ». Il n'y a qu'un rez-de-chaussée avec quatre « cabinets sous les toits à la Mansard ». Au centre, un vestibule ouvrant au sud comme au nord sur un perron de deux marches. Toutes les huisseries sont à petits carreaux. Il y a une cuisine avec cheminée à faux manteau, plaque de fonte et un potager à quatre fourneaux. On retrouve la pièce contiguë donnant accès à la cave et au caveau voûté. Aujourd'hui encore, le sous-sol est formé de deux galeries en voûte appareillée, la première prolongée par un caveau où l'on descend par cinq degrés de pierre.

La cour intérieure des dépendances, avec une partie pavée, ouvre au levant « par une porte à pilastres à deux vantaux et porte simple à côté », comme aujourd'hui. Au midi du principal bâtiment ayant une terrasse dans toute sa longueur, il y a sur le chemin « une porte à pilastres à deux vantaux », un vaste jardin distribué en quatre « quarrés » et au milieu un « vivier », avec pont de bois « sur icelui établi sur des piliers en maçonnerie ».

Le premier cadastre dressé à partir de 1817 confirme cette disposition régulière des bâtiments autour d'une cour intérieure. Le plan moderne indique pour cette partie d'importantes modifications.

Le millésime 1900, accompagnant celui de 1740 au-dessus de l'entrée principale, en donne sans doute la date. Le cartouche existant au-dessus de l'ancienne sortie sur la cour porte deux D accolés dos à dos avec un G au centre. Sans doute les initiales de Gaston Delaire et sa femme née Danchez. C'est à eux sans doute que l'on doit toute la décoration actuelle : allèges à balustres de pierre en poire se continuant pour former attique à la base des toits à la Mansard, hautes lucarnes à fronton courbe, avant-corps à refends et tympan triangulaire orné de feuillage et de fruits, linteaux de fenêtres avec moulure en S à la clef et lourde guirlande. Le côté occidental a été flanqué d'une tourelle cylindrique abritant un escalier tournant en bois.

Tel est, en ce moment, l'aspect du Grand Cèdre (ex-Petit Bois), que ne reconnaîtrait certainement pas Anthoine-Henry Lhuillier, premier échevin de Tours et « bailly du comté », qui en avait la possession à la fin du XVIIe siècle. Par contrat passé à Paris le 15 septembre 1664, il s'était uni à Adrienne Lefebvre. Celle-ci demanda la séparation de biens, ce que lui accorda une sentence du 15 juillet 1699 (1). Pour la remplir de ses droits, elle reçut le 31 juillet 1702 les closeries de Roidemont et du Petit Bois, à Saint-Avertin, et la métairie de la Gaudière, à Chanceaux.

Leur successeur, Georges Lhuillier, sieur de la Gaudière, étant mort sans postérité, une longue procédure s'engagea dès 1734 entre les divers héritiers. Finalement, Roidemont (4) fut vendu le 24 juillet 1740 et, le 26 septembre, la closerie du Petit Bois était acquise par Martin Rouère, officier « de la noble et insigne église saint Martin de Tours », et Anne Loyer sa femme (2). Ils en prirent possession le 5 octobre 1740 et firent dresser par expert la liste des réparations à effectuer montrant une propriété en mauvais état. Il est donc probable que Martin Rouère procéda à une restauration de l'immeuble qui lui donna l'aspect révélé par les actes de 1799. Ses descendants allaient en garder la propriété jusqu'en 1926.

Son arrière-petite-fille, Marie-Justine Rey qui en hérita en mai 1848, décéda, à 86 ans, le 19 octobre 1878 laissant pour seule héritière, issue de son mariage avec Urbain Foucher : Justine, épouse de Philippe Delaire, morte le 20 septembre 1897 ayant eu deux enfants. Au partage du 4 novembre 1897, le Petit Bois échut au garçon : Gaston Delaire, conseiller et maître honoraire à la Cour des Comptes. C'est donc lui qui en avait la propriété en 1900, qui remodela l'œuvre de son lointain ancêtre, Martin Rouère, en 1740. Ainsi s'expliquent ces deux dates figurant à la clef de la porte centrale et les initiales de celle donnant jadis sur la cour intérieure, GD pour Gaston Delaire, et le D pour Danchez, sa femme !

Après sa mort à Paris le 19 avril 1925, sa fille, Denise-Augustine qui en devint propriétaire après licitation, revendit le domaine le 19 juillet 1926.

Il était composé alors par la réunion du Petit Bois de la Mauberdière et du Haut Bertin (5).

Après quatre nouvelles mutations en 1930, 1946, 1949, 1951, le Petit Bois fut acquis le 24 septembre 1955 par Monsieur Henri-Joseph Lazar. Celui-ci agissait en tant que représentant de la « Compagnie civile immobilière la Résidence du Grand Cèdre » qui fut dissoute le 4 décembre 1969. Monsieur et Madame Jacques Barthélémy, architecte, qui détenaient un grand nombre de parts restèrent seuls propriétaires de cet ensemble immobilier. On en fit un lotissement de 52 pavillons. Le lot n° 12, comprenant l'ancienne maison de maître située au n° 7, rue du Grand-Cèdre, fut alors acheté par ses propriétaires actuels le 7 décembre 1983 (6).

Sous son apparence moderne, cette belle résidence n'en a pas moins une histoire curieuse, marquée de 1740 à 1926 par au moins huit générations de la même famille qui lui donnèrent son aspect actuel.

1/ Archives départementales. Acte Gaudin du 31 juillet 1702. Tous ces actes ont été recherchés par Monsieur Michel Maître. — 2/ Archives départementales. Acte Michau du 26 septembre 1740. — 3/ Id. Actes Gervaize, 21, 22 germinal et 24 prairial an VII. — 4/ Voir Roidemont, article précédent. — /5 Archives départementales. Registre de transcription des hypothèques de Tours, volume 570, N° 2. — 6/ Nous remercions Monsieur et Madame Richard qui, en nous communiquant leur acte de propriété, ont permis cette étude.

L'Archerie

Au numéro 20 de la rue de ce nom, deux piliers d'une porte cochère appareillés en bossage avec une entrée pour piétons signalent l'accès à ce qui était autrefois une vaste closerie, comportant deux longs bâtiments disposés en équerre sur le plan cadastral de 1811. La plaque portant la date de 1622 ne saurait, en aucun cas, indiquer l'époque de la belle construction, dont la partie supérieure s'aperçoit par-dessus le mur de clôture qui a scindé la cour, réduite à la portion congrue devant elle !

En effet, lors de la vente du 15 septembre 1622 (1), comme du 6 septembre 1650 (2), il n'est question que d'une maison avec chambre basse et haute et comble dessus, ne pouvant être la demeure affectée du numéro 16 qui nous occupe ici. Par contre, un acte du 29 décembre 1713 décrit : « un grand corps de logis basty en pavillon, couvert d'ardoise, cave voûtée, couloir avec salle de chaque côté », c'est-à-dire un état voisin de ce qui existe encore actuellement. On peut donc émettre l'hypothèse d'une reconstruction réalisée dans le dernier quart du XVIIe siècle par la famille Suppligeau, marchands de Tours (3).

Raidi aux angles par des chaînages à refends, c'est un édifice uniquement en pierres de taille d'une rigoureuse symétrie. Les façades nord et sud sont coupées à mi-hauteur par un bandeau plat, un second semble prolonger au rez-de-chaussée les appuis de fenêtres, tandis que celles du premier étage en coupent un troisième. Tous les percements à linteau cintré et huisseries à petits carreaux sont disposés en trois travées verticales sous un comble à quatre pans portant, au faîte, un petit campanile. Les rangées extrêmes sont terminées par une lucarne à ample fronton courbe reposant sur des jambages accostés d'ailerons.

Le vestibule, au centre, ouvre d'un côté sur la cour, de l'autre sur le jardin. On y trouve le départ de l'escalier en bois, à balustres tournés, dans le style du XVII° siècle. Il dessert tous les niveaux par quatre volées rectilignes d'une dizaine de marches chacune. Sous la première, quelques degrés descendent à un caveau couvert d'une voûte en anse de panier appareillée. Il communique, à l'ouest, avec une cave sous plancher plus récente. La porte méridionale présente à la clef un cartouche en forme de cœur, orné d'un masque entouré de feuillage. La date de 1757, gravée sur deux pierres de l'assise supérieure, indique sans doute l'époque où l'on agrémenta le logis de motifs sculptés lui donnant beaucoup d'intérêt !

L'essentiel en est constitué par deux remarquables tympans soulignant, sur chaque façade, l'axe médian de l'édifice et presque semblables à quelques détails près. L'ornementation des deux oculus n'est pas rigoureusement la même, celle du midi, plus abondante, déborde même sur la corniche à petits modillons courant à la base du toit et se termine, au sommet, par des feuillages découpés, remplacés au nord par une sorte de palmette. Par contre, les consoles supportant les rampants sont à peu près identiques. Seule, la clef de la fenêtre septentrionale, au centre, est décorée !

L'Archerie, figurant sur la carte de Cassini et relevant de la Prévôté de la Varenne, n'est qu'un simple lieu-dit pour le dictionnaire d'Indre-et-Loire (4). Son histoire serait donc complètement inconnue si, par un heureux hasard, ses archives ne s'étaient transmises d'un propriétaire à l'autre depuis 1622 à nos jours !

Nous apprenons ainsi que, le 15 septembre 1622, Marie Barlays, épouse de Jean-Charles Cranier qui l'avait reçue en partage, vendit son héritage à Martin, tailleur en habits. Marie Martin, veuve de Pierre Marchandeau, maître passementier à Tours, revendit à Etienne Suppligeau, marchand bourgeois de cette ville, le 6 septembre 1650. Il ne s'agit toujours que d'une petite maison avec « chambre haute, comble et montée de viz » (sans doute un escalier à vis) (1). Par contre, lorsque Michel Jacquiau, procureur au siège présidial de Tours, acquéreur des héritiers Suppligeau en 1707, l'aliéna le 29 décembre 1713 à François Lambron, qualifié alors très simplement de « marchand bourgeois », l'état des lieux est tout autre. Ceci permet donc de supposer que l'édifice actuel a été élevé par Etienne Suppligeau ou son fils Alexandre à la fin du XVII° siècle. On notera que dans ces actes on s'exprime ainsi : « le lieu et closerie vulgairement appelé l'Archerie et à présent le "Clos Assis" paroisse de Vançay alias Saint-Avertin ». Ce nouveau toponyme est allié à l'ancien dans tous les actes du XVIII° siècle, mais a disparu par la suite.

Le 28 novembre 1730, François Lambron, qui se dit alors « écuyer, seigneur de Boisleroy, intendant général des turcies et levées » (5), vendit le domaine, qui passa en 1735 à Jacques Sorbières. La veuve de celui-ci avec ses enfants céda la closerie, le 22 juillet 1754 (6), à Louis Durand, dessinateur. Ce dernier en ayant été possesseur jusqu'en 1761, il a pu exercer son talent en agrémentant l'immeuble de ces deux élégants frontons qui en font tout le charme, ce qui expliquerait la date de 1757 gravée avec tant de soin ?

Depuis, une bonne quinzaine de propriétaires se sont succédés à l'Archerie (7) dont les bâtiments apparaissent, sur le cadastre de 1811, isolés au milieu des parcelles de vigne. Aujourd'hui, il ne reste plus, au nord de la maison, qu'une étroite bande de terre en pelouse qui la met pleinement en valeur. Formulons le vœu que l'avenir lui conserve cet environnement constituant un îlot de verdure dans ce quartier en pleine urbanisation !

/1 *Archives de l'Archerie mises à notre disposition par Monsieur et Madame Barbier. Acte Groussard du 15 septembre 1622. — 2/ Id. Acte Vacher, 6 septembre 1650. — 3/ Id. Acte Venier du 29 décembre 1713. — 4/ Carré de Busserolle. Dictionnaire d'Indre-et-Loire, tome 1, page 53. — 5/ Archives départementales. Acte Gervaize du 28 novembre 1730. — 6/ Id. Acte Michault du 22 juillet 1754. .. 7/ Recherches de Monsieur Michel Maître.*

La Singerie

Cette appellation, qui peut surprendre aujourd'hui, est cependant le nom ancien et authentique de cette maison. Elle fut débaptisée il y a environ un demi-siècle pour perpétuer le souvenir de l'escadrille fameuse : « les Cigognes », à laquelle appartenait Pierre Demarzé, lieutenant aviateur tué en 1918, fils des propriétaires d'alors.

La description d'une extrême précision faite en 1776 (1) l'indique comme composée de « dix corps de bâtiments ». L'habitation du « maître », de plan rectangulaire, présente au nord une façade très sobre, sans aucune concession du point de vue ornemental, mais d'une parfaite symétrie. L'axe médian est simplement marqué par deux chaînages à refends rapprochés supportant un mince fronton triangulaire. De part et d'autre, deux travées de percements à linteau légèrement incurvés sont surmontées, aux extrémités, par deux oculus circulaires, les autres par une haute lucarne à jambages droits et couronnement

cintré éclairant le comble à quatre pans portant, au faîte, un petit campanile avec cloche et girouette. La même disposition se retrouve au midi mais sans les lucarnes et avec trois rangées, de chaque côté, de baies ayant encore, la plupart, leurs huisseries à petits carreaux. La fenêtre centrale sur les deux faces est munie d'un garde-corps en fer forgé comportant, au milieu, un médaillon où s'entrelacent des initiales, notamment deux B accolés, l'un à l'envers, l'autre à l'endroit, première lettre de « Bourassé » qui en fut peut-être le constructeur ?

Le logis est séparé de la rue « des Cigognes » par une cour ouvrant sur la voie par une porte métallique à deux vantaux, avec grille entre deux courtes piles épaulées d'ailerons et sommées d'une sphère. Il semble que l'on y arrivait jadis par une grande avenue bordée d'arbres, figurant sur un plan de Saint-Avertin du XVIIIe siècle (2). Une entrée charretière existe également, faisant face au levant, à portail de bois entre deux hauts piliers de pierre, accompagné à gauche par un guichet pour piétons.

La disposition intérieure, distribuée de part et d'autre du vestibule carrelé « de carreaux blancs et d'ardoise », n'a guère varié depuis 1776. La moitié de l'édifice, est-il signalé alors, est élevée sur une grande cave à voûte appareillée en berceau, prolongée par deux petits caveaux. Quelques degrés de pierre y descendent sous un escalier en bois à rampe formée de balustres torsadés. Il n'est pas impossible, vue sa situation et sa disposition, que ce sous-sol soit le vestige d'un immeuble disparu ?

La façade méridionale est encadrée par deux tourelles basses, coiffées d'un étrange clocheton hexagonal d'ardoises. Selon le descriptif d'estimation du 28 ventôse an II (18 mars 1794), l'une aurait « servi autrefois de colombier » (ce dont on ne parle pas en 1776), la seconde abritait déjà un « siège d'aisance » (3). Les bâtiments de servitudes existant encore au couchant étaient séparés autrefois du « logis du maître » ; une petite construction, aujourd'hui, assure la communication.

Tout l'espace au midi était occupé « par un grand jardin, formant quatre carrés avec allée de charmilles, renfermé de murs, ayant une porte en fer » pour accéder au clos de vigne faisant suite, ce qui est bien conforme au plan du XVIIIe siècle !

Le « lieu et closerie de la Singerie » relevait de la Prévôté de la Varenne à 5 sols de service au jour de Saint-Brice (4). Lorsqu'elle sera vendue comme bien national, on la décrit comme « une belle maison bâtie à la moderne » (3). L'édifice ne devait donc pas avoir une grande ancienneté, et il est probable que son constructeur fut Jean Bourassé, avocat, sieur de la Singerie qui, en 1712, procéda à l'échange d'une parcelle de terre joignant sa propriété avec les chanoines de Saint-Martin (5), ce qui expliquerait les initiales figurant aux balcons.

Jean Bourassé, conseiller et avocat du roi au siège présidial de Tours, s'était uni en l'église Sainte-Croix, le 3 février 1689, à Catherine Decop qui lui donna six enfants (6). Jean-Louis-Mathieu, qui devait un jour lui succéder à la Singerie, fut baptisé, à Saint-Venant, le 4 juin 1695. Ecuyer, contrôleur général de l'extraordinaire des guerres et général des vivres de la marine, ses fonctions devaient souvent le tenir éloigné de la Touraine. De son union avec Louise-Françoise Loyseau d'Alençon, il eut au moins sept enfants qui, dès 1761, entrèrent en conflit pour régler leurs successions. A la requête de Jean-André Gairal, seigneur de Sérézin, secrétaire du roi près la Cour des « monnayes » de Lyon et mari de Louise-Marguerite Bourassé, la licitation des biens fut ordonnée. Le 17 mai 1776, la Singerie restait aux demandeurs pour 46 225 livres (1).

Ils devaient l'aliéner le 30 novembre 1779 à Jean-Baptiste Cossart, supérieur du Grand Séminaire de Tours, au profit duquel cette acquisition fut faite comme il le déclara le 29 novembre 1780 (7). C'est cependant sur lui, inscrit comme émigré, que la Singerie fut saisie. Il protesta, n'ayant jamais quitté le territoire national, mais condamné à la déportation en mars 1793, il se réfugia dans la clandestinité. On devait le trouver mort, chez un vigneron de la paroisse Saint-Etienne, le 24 octobre 1796 (8). Le 18 germinal an II (7 avril 1794), la Singerie avait été vendue comme bien national pour 73 000 livres à deux marchands de Tours, Urbain Baranger et Jacques Serrée. Ils s'empressèrent de la revendre 7 000 livres de plus, le 9 brumaire an III (30 octobre 1794), à René-Toussaint Lemoine, laissant à celui-ci le soin d'acquitter les 61 350 livres encore dues sur leur achat à la caisse du district (9).

Revendue en 1804 et 1810, la Singerie appartint de 1820 à 1864 à la famille Gilbeuf (10). Paul Lefranc, qui l'acheta le 27 juillet 1876, l'aliéna le 20 juin 1918 à Louis Demarzé dont le fils Pierre, sous-lieutenant aviateur de l'escadrille des Cigognes, mourut à la fin de la guerre. C'est sa mère, devenue veuve en 1925, qui vendit la maison baptisée « les Cigognes », le 27 juin 1950 aux parents de l'actuelle propriétaire.

Un arrêté du 18 août de la même année a inscrit à l'inventaire supplémentaire des monuments historiques les façades, toitures, mur nord et la grille ainsi que le parc du manoir de la Singerie, « dit les Cigognes » !

1/ Archives nationales. Licitation aux requêtes de l'Hôtel du 17 mai 1776. — — 2/ Archives départementales C 188. — 3/ Id. I Q 734. — 4/ Id. Acte Thenon du 30 novembre 1779. — 5/ Id. Acte Boutet du 20 février et 9 mars 1712. — 6/ Archives municipales de Tours. — 7/ Archives départementales. Acte Thenon du 29 novembre 1780. — 8/ Bulletin de la Société Archéologique de Touraine, tome 16, page XCVI, et renseignements de Monsieur le chanoine Prêteseille. — 9/ Archives départementales. Acte Petit le jeune du 9 brumaire an III. — 10/ Tous ces actes dus aux recherches de Monsieur Michel Maître.

La Fourmillière

Tel était le nom donné, en 1725, à une closerie occupant l'emplacement situé au n° 86 de la rue de Grand-Cour. Elle comprenait alors une petite maison avec une chambre basse à cheminée avec four, grenier au-dessus couvert en tuiles, « sellier » à côté abritant un mauvais pressoir. Le tout était déjà en très mauvais état de réparations en 1741 (1), et les choses ne firent qu'empirer au fil du temps. La prise de possession en 1777 par Saturnin Phellion s'accompagne de cette remarque : « Il a été reconnu que le bâtiment est en ruine totale, prêt à tomber, qu'il est urgent de le faire relever à neuf en se servant des vieux matériaux dont majeure partie sont péris de vétusté » !

Ce que nous voyons aujourd'hui est donc le résultat d'une reconstruction effectuée après 1777 par Saturnin Phellion. Sur le mur bordant la rue, l'un de ses enfants, sans doute, a gravé plus tard : « Phellion 1813. » Il s'agit d'un immeuble très simple, d'un seul étage, entièrement en pierres de taille, coupé à mi-hauteur par un large bandeau à base très moulurée. Une corniche à petits modillons court sous le toit à trois pans d'ardoise, épaulé à l'arrière par un pignon triangulaire. Sur celui-ci s'appuie une addition en appentis,

reliée par un petit bâtiment couvert d'une toiture de tuiles à deux versants à une vaste grange. Vestige possible de la closerie primitive, elles est élevée sur une cave voûtée en berceau appareillé. La porte à linteau de bois qui y donne accès, située dans la salle contiguë, présente des jambages en pierre de taille curieusement cintrés, pour faciliter probablement le passage des barriques ? La description faite en 1814 (2) montre en plus, à l'arrière de ces dépendances, le logement du closier avec cheminée de bois et « four en icelle ». Celui-ci existe toujours, mais sa bouche est maintenant sur la cour ! La charpente est à double faîtage relié par des croix de saint André.

Le logis, autrefois, était séparé de la rue par une bande de terre supprimée lors de la mise à l'alignement en 1957. Les deux piliers, à chapeau en tronc de pyramide, de l'ancien portail ont été remontés dans le prolongement du mur de la maison.

Cette ancienne closerie relevait pour l'essentiel du fief des Essards et appartenait, en 1725, à Jeanne Cocher, veuve de Gilles Besnier. Vendue le 18 septembre de cette année, elle le fut à nouveau en 1741, puis en 1761 (3), avant d'être acquise le 26 août 1777 par Saturnin Phellion pour le prix modique de 942 livres, en raison de son délabrement (4)

L'acquéreur était alors « ouvrier en soye » avant de devenir fabricier. Peut-être appartenait-il à cette famille Phellion de vieille bourgeoisie tourangelle qui portait même des armoiries : « D'azur à une bande d'or accompagnée de deux glands de même » (5). Il s'était uni le 9 février 1768, en l'église Sainte-Croix, à Marie-Madeleine Graslin (6). Ils procédèrent à une restructuration de la propriété qui comprit maison de maître et de closier séparées l'une de l'autre, et le tout resta en possession de leurs descendants jusqu'en 1855.

De nombreuses mutations sont intervenues depuis cette date (7), en 1860, 1935, 1965, 1975 (8). Enfin, en 1979, ce qui était devenu le n° 5 du lotissement des Fontaines fut acheté le 8 juin par ses propriétaires actuels qui, depuis cette époque, ont œuvré pour en faire une demeure très agréable (9).

Certes, ce n'est qu'un vieux logis qui n'a pas en lui-même un intérêt architectural très remarquable, mais son nom aujourd'hui très oublié méritait bien de revivre un instant. Il rappelle le souvenir de ces innombrables closeries qui composaient alors la commune de Saint-Avertin et que l'urbanisation actuelle, en les morcelant, amputant ou les noyant dans des constructions modernes, a plus ou moins fait disparaître !

1/ Archives départementales. Acte Georget du 5 septembre 1741. — 2/ Archives départementales. Acte Josse, 28 juillet, 12 et 28 septembre 1814. — 3/ Archives départementales. Acte Bigot, 8 octobre 1761. .. 4/ Archives départementales. Acte Bidault, 26 août 1777. — 5/ Bulletin de la Société Archéologique de Touraine, tome 19, page 243, n° 1. — 6/ Renseignement dû à Monsieur Pierre Robert. — 7/ Archives départementales. Registre de transcription des hypothèques de Tours, volume 332, N° 1888. — 8/ Actes recherchés par Monsieur Michel Maître. — 9/ Nous remercions Monsieur le docteur Muh qui, en nous confiant son acte de propriété, a permis cette étude.

SAINT-CYR-SUR-LOIRE

La Perraudière

Le rôle de 1639 (1) mentionne l'existence d'un fief appelé « Chaumont », nommé aussi le fief de Saint-Cyr.

Selon le dictionnaire d'Indre-et-Loire (2), c'était au commencement du XIXᵉ siècle la propriété de l'archevêque de Tours. L'un d'eux, Adelard, le donna au chapitre de son église en 885, lequel en était déjà dépossédé en 1042. Ce n'est que le 8 novembre 1460 que celui de Saint-Martin en acquit les deux tiers pour 2 300 écus d'or, et le surplus le fut le 9 février 1477 (3). Les revenus en furent affectés aux offices claustraux de « chambrier et de chefcier ». Le fief avec bailli, greffier, sergent et notaire avait droit de haute, moyenne et basse justice et possédait la moitié du droit de passage sur la Loire, l'autre moitié appartenant à l'abbaye de la Clarté-Dieu (3).

Le 10 septembre 1653, le chapitre vendit à René Bouault, seigneur de la Cantinière, « la maison seigneuriale de Saint-Cyr consistant en plusieurs corps de logis dont l'un était bâti comme un moulin à vent sur un pivot tournant ». Ces bâtiments, ajoute-t-on, sur le terrier de 1785, n'existent plus et sont aujourd'hui les terrasses, jardins, vignes de Monsieur le chevalier du Coudreau, lequel était propriétaire de la Grande Perraudière.

René Bouault, commissaire des guerres, avait épousé Marie Perrault qui lui avait apporté en 1624 la « Perrigaudière », à Saint-Cyr-sur-Loire, reçue dans le partage des biens de son père Claude Perrault. Ce dernier, d'après le tableau généalogique établi par Louis de Grandmaison (4), serait l'oncle de Claude (l'architecte) et de Charles (célèbre auteur des contes), fils de Pierre décédé en

1652, chef de la branche parisienne de la famille. C'est probablement René Bouault qui remplaça l'appellation de « Périgaudière » par celle de « Perraudière » qui sera dorénavant le seul toponyme employé. Simple « maison et closerie », elle continua de relever à foi et hommage simple « de l'insigne église Saint-Martin de Tours ».

Le successeur de René Bouault fut son fils Etienne baptisé, à Saint-Cyr, le 23 juillet 1640 (5). Conseiller et secrétaire du roi, seigneur de la Cantinière et de Fontenailles, il reçut à la Perraudière, en 1669, Claude et Jean Perrault lors de leur voyage de Paris à Bordeaux (6). Mais en 1687, une procédure s'engagea entre ses créanciers et le chapitre. Celui-ci demandait que les biens saisis sur Etienne Bouault de Fontenailles ne soient vendus qu'à charge de recevoir chaque année « une rente de 200 livres assignée sur une grande place vague où était autrefois construit le bâtiment et manoir de Chaumont sur une pièce de terre étant au bas d'une autre de vigne renfermée depuis dans la closerie de la Perraudière et sur une autre appelée "la Garenne" » (7). La contestation durait encore avec ses héritiers au début du XVIII⁰ siècle et, le 20 mars 1713, la Perraudière fut acquise par Pierre Denis, écuyer (4). La succession de ce dernier donna lieu à une licitation au bailliage de Tours et, le 1ᵉʳ juin 1737, le domaine fut acquis par la veuve de Mathieu Augeard, procureur du roi à Tours (8). Baptisé en cette ville le 14 septembre 1651, il en fut nommé garde des sceaux de la Chancellerie le 7 mai 1679. L'année suivante, en la même paroisse de Saint-Saturnin, le 4 mars 1680, il unit ses jours à Anne de Cop (9). Lui mourut le 3 mars 1724 et elle le 29 mars 1739. Leurs deux garçons, Mathieu et Jacques, partagèrent entre eux le 19 janvier 1741 (10). La Perraudière échut au cadet Jacques, baptisé à Tours le 19 octobre 1687. Ecuyer, maître d'hôtel ordinaire de Mgr le duc d'Orléans, régent du royaume, il vendit son héritage le 6 novembre 1747 à Françoise d'Hallais, veuve du sieur Joseph Pézeron, marchand (11).

La description qui en est faite mérite d'être relevée : « La maison et closerie de la Perraudière, paroisse de Saint-Cyr, consiste en un grand corps de logis pour le maître avec grande salle, cuisine et corridor, deux grandes chambres hautes avec chacune leur petit cabinet dans les tourettes... Tout en haut de l'escalier de bois était une chapelle, grand grenier couvert d'ardoises, deux grandes caves sous les dits logements. »

Bien qu'incorporé dans une construction plus récente, ce corps de bâtiment est parfaitement reconnaissable par son haut pignon septentrional à « rondelis ». Il est flanqué à l'angle nord-ouest, sur un cul-de-lampe mouluré, d'une élégante tourelle en encorbellement où quelques assises de briques alternent avec la pierre de taille. Celle qui lui faisait pendant au sud-ouest, encore expressément mentionnée en 1785 (7), a regrettablement disparu. Les percements au nord ont été modifiés, mais il est probable que ceux du premier étage étaient des fenêtres à meneaux. A la base du mur occidental se trouve un escalier de pierre qui descend dans une cave voûtée, communiquant avec une seconde qui est aujourd'hui entièrement sous la cour. Ce sont là les seuls vestiges de l'édifice primitif qui fut enclavé, avant 1785, dans une construction quadrangulaire plus vaste, présentant au levant une courette intérieure qui a disparu depuis lors. L'édifice était construit sur une petite terrasse d'où l'on descendait sur une plus grande par un perron de deux rampes. Un grand escalier de pierre conduisait à deux autres plus basses. De l'une d'elles, on pouvait aller à l'église par une porte, de la seconde une allée de marronniers d'Inde ouvrait sur le chemin bordant la Loire où il y avait une maison à deux niveaux avec cave et grenier.

Le 28 février 1749 (8), le syndic des créanciers de Madame Pézeron fit vendre la Perraudière qui fut achetée 12 000 livres par Jean Tabareau, marchand fabricant à Tours, et Françoise Leroux. La presque totalité de cette somme alla à Jacques Augeard en déduction de ce qui lui était dû.

Jean Tabareau agrandit son domaine en achetant aux fabriciers de Saint-Cyr, le 19 septembre 1751, un terrain appelé le « Grand Cimetière » joignant les murs de la Perraudière. Il se chargea de payer un dais à la paroisse en échange d'un emplacement dans l'église pour un banc. Il déclara ne pas avoir usé de cette faculté quand il céda la propriété, le 18 avril 1768, à Louis-Julien Bellanger et Geneviève Abraham (12). Ce droit est encore signalé quand ils revendirent le 3 septembre 1779 (13) à Jean-André Coudreau, capitaine en premier dans le corps royal du génie à Saumur, et à sa sœur Gertrude demeurant à Angers. C'est probablement lui qui comparut par fondé de pouvoir à l'assemblée électorale de la noblesse de Touraine en 1789, avec la seule mention, écuyer, chevalier de Saint-Louis (14).

Deux ans plus tard, le 6 juin 1791, le frère et la sœur aliénèrent la Perraudière dont il est fait à nouveau une description très précise : on y indique même, au milieu du jardin, un bassin alimenté par une source qui ne tarit jamais (15). Usant de la faculté accordée par décret de l'assemblée nationale, ils ont racheté « les droits casuels dus en cas de mutation au fief de Chaumont dépendant de Saint-Martin » devenu bien national.

L'acquéreur était Jean-Baptiste Chicoisneau de la Vallette, ci-devant fermier général de sa Majesté, qui désirait mettre sa famille en sécurité loin de Paris. C'est à la Perraudière que naquit son troisième enfant, un garçon cette fois, auquel il ne put donner ses prénoms ; on l'appela Absinthe, nom de la plante figurant au 9 messidor an II. Il faudra un jugement du tribunal de Châtellerault du 16 juin 1830 pour rectifier son état civil. Un deuxième garçon naquit à la Perraudière, le 10 mars 1796 : Joseph-Octave, auteur de la branche de la Borde à Neuillé-Pont-Pierre (16).

Peu de temps après sans doute, la Perraudière changea de mains. On voit en effet le nouveau maire, Monsieur Moreau, installé le 16 fructidor an VIII (3 septembre 1800), réunir le conseil général de la commune le 10 frimaire an IX (1er décembre 1800) au lieu de la Perraudière, « en notre maison servant de maison commune » (17). Il aurait quitté ses fonctions en 1801, et il nous a été impossible, à ce jour, d'éclaircir en quelles circonstances Bazile Félibois, de Monin (Pyrénées-Atlantiques), Marie Touya sa femme et Jean Touya recueillirent la Perraudière qu'ils revendirent le 5e jour complémentaire de l'an XII (22 septembre 1804), devant Me Petit. Les minutes de ce notaire ayant été détruites en 1940, il n'a pas été possible de retrouver l'origine de propriété (18).

L'acquéreur était François-Charles Moisant et Joséphine le Gobien. Lui mourut quelques années plus tard, le 18 mai 1808, laissant quatre enfants mineurs. Par plusieurs actes en 1825, la veuve garda la propriété de la Perraudière où elle décéda le 24 juin 1834. Dans les biens de la succession figurent notamment le château de Langeais et sa forêt (19). Devant l'intention des enfants de vendre la Perraudière, leur oncle Mériadec Moisant s'en rendit acquéreur le 4 décembre 1834 (19). Il mourut le 4 décembre 1836, laissant un testament du 24 avril précédent, exprimant sa volonté de voir ses biens revenir à ses neveux. Après partage entre eux en 1837, l'une des nièces, Zéphirine, épouse de René Boisseau de Beaulieu, recueillit la Perraudière dans sa part (20).

Devenue veuve le 14 mars 1861, elle revendit, le 24 mai 1870, la propriété dont la maison de maître semble avoir l'aspect qu'on lui voyait à notre époque. On notera que le mur de séparation avec la Grenadière est percé « d'une claire voie avec grille, dont les titres ne sont pas connus, mais remontent à plus de 30 ans » (21). Un siècle plus tard, on constate que les choses sont restées en l'état !

Le nouvel acquéreur, François-Washington Mélizet, né à Philadelphie, avait un garçon, François-Louis, et deux filles, Madame de Seroux et la baronne de Noirfontaine. D'après les lois des états de New York et de Pensylvanie, il avait le droit de disposer de toute sa fortune en faveur de son fils. Aussi, quand il décéda à Cannes le 30 janvier 1887, François-Louis garda la Perraudière.

Vers 1880, le jardinier, en arrachant du lierre sur le pignon septentrional du logis du XVe siècle, trouva deux niches, à droite et à gauche de la porte percée à la place d'une cheminée, et toujours visibles. Il s'y trouvait deux bustes en terre cuite du XVIe siècle qui furent placés, à l'intérieur, de part et d'autres du grand escalier. Plus tard, Messieurs de Seroux et de Noirfontaine les vendirent à la société des Amis du Louvre qui, en 1949, en fit don au musée (22). On les plaça dans l'une des salles des sculptures françaises de la Renaissance. Pierre Pradel, qui en fit une étude détaillée, y voyait « deux documents inappréciables » (23). Il identifia le buste féminin comme étant celui de Louise de Savoie et avança le nom du chancelier Dauprat pour le second.

François Mélizet était célibataire quand il décéda, à Saint-Symphorien, le 3 juin 1928, léguant la Perraudière alors en très mauvais état à ses neveux qui la vendirent le 19 janvier 1931 à Alain de Malleray et Andrée Dargouge son épouse. En 1964, c'était un bien de la « société civile immobilière Rabelais Perrault », anciennement dénommée : « société en nom collectif Alain Malleray et Cie » (24) qui l'aliéna, le 30 octobre 1975, à Madame Piston d'Eaubonne, épouse de Monsieur Patrick de Warren. Ces derniers procédèrent à une profonde restauration, et une colonnade plaquée sur la façade septentrionale figurant sur une gravure de Georges Pons en 1976 (25) ainsi qu'une véranda furent supprimées.

Par une délibération du 15 septembre 1980, la commune décida de faire jouer son droit de préemption sur la Perraudière alors mise en vente. Une déclaration d'utilité publique intervint par arrêté préfectoral du 29 octobre suivant et, le 6 juin 1981, l'acte d'achat fut signé par Monsieur Griveau, alors conseiller général et maire de Saint-Cyr.

D'importants travaux ont rénové l'intérieur de ce bâtiment pour l'adapter d'une manière fonctionnelle à l'usage des services administratifs de la commune. L'ancien hôtel de ville, très original et datant de 1934, n'est pas abandonné pour autant et va être inclus dans ce vaste complexe, enchâssé dans l'écrin de verdure constitué par le parc magnifique d'où l'on a une vue sans égale sur Tours et la vallée du fleuve royal !

Curieusement, on pourrait presque dire que la municipalité retrouve les lieux qui furent le berceau de l'agglomération actuelle, mais les chanoines de Saint-Martin n'y reconnaîtraient point la propriété vendue en 1653 à René Bouault !

1/ Rôle des fiefs de Touraine (1639), page 164. — 2/ Carré de Busserolle. Dictionnaire d'Indre-et-Loire, tome 2, page 446. — 3/ Archives départementales G 394, page 20. — 4/ Id. Dossier Grandmaison 8 F-83/J. Voir également Mémoires de la Société Archéologique de Touraine, tome 44, pages 275, 277, 279, 281, 333, 339. Les généalogies de P. Robert du Centre généalogique familles Bouault, Abraham et Moisant. — 5/ Actes fournis par la mairie de Saint-Cyr. — 6/ Bonnefous P. Mémoires de Charles Perrault (Paris, 1909). — 7/ Archives départementales G 395. — 8/ Id. Acte Gervaize (Tours), 28 février 1749. — 9/ La Chesnaye Desbois-Badier. Dictionnaire de la noblesse, tome 2, page 30. — 10/ Archives nationales. Acte Sellier (Paris), 19 janvier 1741, Et. LXIII-721. — 11 Archives départementales. Acte Chotard (Tours), 6 novembre 1747. — 12/ Id. Acte Gaudin (Tours), 18 avril 1768. — 13/ Id. Acte Hubert (Tours), 3 septembre 1779. — 14/ Mémoires de la Société Archéologique de Touraine, tome X, page 95. — 15/ Archives départementales. Acte Hubert (Tours), 6 juin 1791. — 16/ Généalogie des Chicoisneau de La Valette due à Mademoiselle de Lavallette, de la Borde à Neuillé-Pont-Pierre. — 17/ Archives départementales L 331, document fourni par Madame Gasnault. — 18/ Cet actes et les suivants recherchés par Michel Maître. — 19/ Archives départementales. Acte Bonneville (Tours), 4 décembre 1834. — 20 Id. 12 janvier 1837. — 21/ Id. Registre de transcription des hypothèques de Tours, volume 1098, N° 3037. — 22/ Lettres du 29 janvier et 24 février 1987 de Madame Geneviève Bresc, conservateur au département des sculptures du Musée du Louvre. — 23/ Monuments Piot, 1951, tome 45, pages 141-153. — 24/ D'après l'acte du 6 juin 1981 et les délibérations qui nous ont été aimablement communiquées par la municipalité de Saint-Cyr qui ont permis cette étude. — 25/ Dom Oury. La Touraine au fil des siècles, I, La vallée de la Loire (C.L.D.), pages 82, 83.

La Grenadière

« La Grenadière, une petite habitation située sur la rive droite de la Loire...
à mi-côte du rocher, à une centaine de pas de l'église, est un de ces vieux
logis âgés de deux ou trois cents ans qui se rencontrent en Touraine dans
chaque jolie situation. » Ainsi s'exprimait Balzac, aux premières pages de l'une de
ses œuvres, écrite en 1832, intitulée : « La Grenadière » (1). S'il revenait
aujourd'hui, il reconnaîtrait sans peine :

« La maison sur un perron voûté sous lequel se trouve la porte d'une
vaste cave creusée dans le roc. La façade composée de deux larges fenêtres,
séparées par une porte bâtarde très rustique et de trois mansardes prises sur
un toit à deux pignons d'une élévation prodigieuse relativement au peu de
hauteur du rez-de-chaussée » (1). On a scrupule à ajouter à une description
si précise dans sa briéveté et qui peint si bien le lieu. Mais il faut bien toutefois
noter quelques différences avec ce tableau embelli par le génie de l'écrivain.
En un siècle et demi, les choses ne sont pas restées immuables !

Si le logis « du closier chargé de faire les façons de la vigne est toujours
adossé au pignon de gauche », il n'est plus couvert de chaume, mais d'ardoises.
Il n'y a plus de closier et plus de vignes. Le pignon à « rondelis » oriental a
été remonté en 1950. La « construction en colombage dont les bois extérieurs
étaient garantis par des ardoises dessinant sur les murs de longues lignes bleues
droites ou transversales » a complètement disparu. Cependant, un tableau de
Muraton, conservé au nouveau château de la Grenadière, confirme la description

de Balzac. Disparue aussi, la porte de style gothique en ruine, couverte de giroflées sauvages où aboutissait le « chemin pierreux » montant le long du coteau !

La cave voûtée en plein cintre sur couchis communique avec le jardin par un couloir en berceau de pierres de taille portant le perron. Une deuxième entrée ouvre sur un caveau en voûte appareillée moitié moins large. Une porte à encadrement mouluré est datée de 1685. Pour Ranjard (2), la maison serait du XVIe siècle et fut prolongée au XIXe siècle. Mais les restaurations successives ont fait disparaître tout caractère architectural de cette époque pouvant conforter cette hypothèse !

Le « lieu et closerie » de la Grenadière relevait du fief de Chaumont, en la même paroisse, suivant une déclaration du 5 mars 1651 rendue par Michel Chartier (3). Michel Belon est cité le 30 mars 1690, et cette date est rappelée par Balzac qui s'exprime ainsi : « La Grenadière ne sera jamais à vendre. Achetée une fois en 1690 et laissée à regret pour 40 000 francs (!), elle est restée dans la même famille dont elle est l'orgueil » (1).

C'est là une affirmation toute gratuite de l'écrivain qui est complètement démentie par les faits, car la Grenadière, avant le court séjour qu'il y fit en 1830, avait déjà connu plusieurs propriétaires. Au début du XVIIIe siècle, elle était une possession de la famille Frémon dont l'un des fils, qui en avait hérité en 1728, Claude Frémon, négociant en « l'Isle de Saint-Domingue », la vendit le 20 janvier 1731 (4) à Vincent Barbet, marchand à Tours, pour 3 596 livres. Les enfants de ce dernier s'en séparèrent le 5 février 1786 au profit de François Renard et Jeanne Huau. Leur fille Jeanne-Françoise, qui la recueillit dans leur succession le 8 frimaire an VIII (29 novembre 1799), était veuve de Gabriel Coudreux quand elle fit donation de ses biens, le 19 avril 1831, à ses deux petits-enfants. La Grenadière, avec une maison place d'Aumont, fut attribuée à la fille Amédée qui se maria à Paul Masson de Longpré, conservateur des hypothèques. C'est donc Madame Coudreux mère qui loua à Balzac en 1830 (5) !

178

Après le décès de son épouse, Monsieur de Longpré qui était alors en poste à Vervins (Oise) et sa fille Marie mirent en vente la Grenadière, en 1860 (6). Dans les joignants au nord, on cite « Blot-Vallée ». Il s'agissait d'une vaste propriété appelée la Haye Bodin, ayant appartenu aux religieux de Marmoutier sur lesquels elle avait été vendue le 1er février 1791 à Joseph-Jacques Blot (7). Le 31 juillet 1860, leur fils Jacques-François Blot et sa femme Victoire-Caroline Luzy achetèrent la Grenadière qui désormais fut unie à la Haye Bodin dont le nom disparut au profit de la Grenadière. Sur son emplacement, où existait auparavant un pavillon Louis XV doté d'un escalier monumental à double rampe demi-circulaire selon le plan conservé aux archives départementales (8), Louis Blot et Louise-Ernestine Dhomée construisirent l'imposant château actuel avec comble à la Mansard, flanqué au midi d'une grosse tour à trois niveaux. Le parc fut dessiné « par Bülher, le paysagiste du jardin des Prébendes » (1).

Le modeste logis où Balzac logea à l'été 1830 avec Madame de Berny, puis Béranger en 1836 et le peintre J.-C. Cazin en 1870 n'est plus que la « Petite Grenadière ». De là, disait Balzac : « les yeux embrassent la rive droite de la Loire, la fertile plaine où s'élèvent Tours, ses faubourgs, ses fabriques... L'âme se perd dans le fleuve immense où naviguent à toute heure les bateaux à voile blanche enflée par les vents... » (1). Mais que sont les mariniers d'antan, devenus ?

1/ Balzac. La Grenadière (Arrault, 1946), pages 15, 16, 18, 22, 73, 81. — 2/ Ranjard. La Touraine archéologique (1968), page 595. — 3/ Carré de Busserol'e. Dictionnaire d'Indre-et-Loire, tome 3, page 247. — 4/ Archives départementales. Acte Gaudin, 20 janvier 1731. Actes recherchés par Monsieur Michel Maître. — 5/ Id. Registre de transcription des hypothèques de Tours, volume 252, N° 83. — 6/ Id. volume 1088 (364), N° 4319. — 7/ Id. Q.P.V. 8-7 du 1er février 1791. 8/ Id. H 315.

SAINT-ÉPAIN

Vieux logis restauré

De la Prévôté de Saint-Epain relevaient plusieurs maisons, dans le bourg, présentant un intérêt architectural et dont on pouvait regretter qu'elles ne soient pas mises en valeur. Nous avons signalé en son temps (1) l'heureuse rénovation du « logis des Angelots », au n° 68 de la Grande-Rue. Grâce à l'Office Public d'Aménagement et de Construction d'Indre-et-Loire (OPAC), un autre immeuble vient à son tour d'être restauré !

Bien situé au n° 56, face à la place de l'église, il occupe l'angle formé par la rue des Fontaines d'où l'on peut voir sa belle tour polygonale, coiffée d'une pyramide d'ardoise. Elle abrite le classique escalier à vis de pierre dont les marches ont été remodelées. Il dessert tous les niveaux et descend jusqu'au sous-sol formé par deux caveaux parallèles en voûte appareillée : l'un en plein cintre et l'autre en arc brisé !

Sur le pan coupé, à l'intersection des deux rues, existe une élégante tourelle en encorbellement, toute en pierres de taille comme la façade occidentale qu'elle semble protéger. Elle repose sur un cul-de-lampe en tronc de cône renversé, très mouluré, et est percée de deux petites ouvertures rectangulaires. Sur une vieille carte postale où elle servait de support publicitaire à une marque d'apéritif, sa poivrière d'ardoise semble plus élancée. Par contre, la regrettable potence métallique supportant les fils électriques et les pylônes en ciment encadrant la maison ont été heureusement supprimés. Une ititiative qui mérite d'être soulignée !

A part le cordon festonné reliant les appuis droits des fenêtres du premier étage de la façade, aucun autre élément décoratif n'est à noter. Tous les percements ont été remaniés au fil du temps et n'offrent plus un seul indice permettant de dater avec exactitude ce vieux logis qui est sans doute celui attribué au XVIe siècle par Ranjard (2).

Nous ignorons tout du passé de cet édifice probablement élevé par un notable ou un officier de la Prévôté ? Le plus ancien acte retrouvé (3) ne comportant pas d'origine de propriété, il s'est avéré impossible, à ce jour, de remonter au-delà du début du XIXe siècle ! Il était alors partagé entre René Daguin et Pierre Lacoua. Celui-ci avait droit de passage dans la cour et l'escalier, et il était à sa charge de couper en deux le grenier par une cloison en colombage.

Le 26 brumaire an XIII (17 novembre 1804), Marie Gaudron, veuve de René Daguin, avec ses cinq enfants, vendit sa part à Louise Pallu, également veuve de René Fey. Le 4 mai 1843, « son grand âge ne lui permettant plus d'administrer ses biens », elle fit donation à sa fille Catherine, à son fils Simon et à sa petite-fille Louise Martin (4). Le troisième lot ,composé de la maison au bourg de Saint-Epain, échut à Simon Fey qui, le 22 avril 1854 (5), l'échangea pour une autre appartenant à Pierre Mourruau, percepteur des contributions directes, et Ursule Rouillé. Ceux-ci, le même jour, la revendirent à Frédéric Deffond, menuisier et cabaretier, et Jeanne Liénart. Ces derniers, le 18 novembre 1855, rachetèrent la seconde partie à Jean-Martin Queneau et Madeleine Ferrand qui la tenait de son grand-père René Lacoua (6), faisant ainsi cesser toute communauté.

Le ménage Deffond n'ayant eu qu'un garçon, Benjamin, mort avant ses parents, ce sont leurs trois petits-enfants qui en héritèrent en 1892. Mais deux d'entre eux ayant abandonné leurs droits à leur frère Benjamin-Félix, celui-ci en resta seul propriétaire. Il exerçait son métier de menuisier à Paris quand, le 2 septembre 1908, il vendit la maison « avec tourelle à l'angle sud-ouest et escalier dans une tour de la cour » à Napoléon Millet et Marie-Léontine Savatier. La grande salle du rez-de-chaussée sert alors de café, d'où le panneau publicitaire apposé sur la tourelle !

Napoléon Millet mourut en 1925, laissant une fille unique, Madame Genévrier, qui décéda en 1982. Ce sont ses trois enfants qui, les 7 et 18 novembre 1985 (7), ont cédé l'immeuble à l'Office Public d'Aménagement et de Construction d'Indre-et-Loire.

Cet organisme a terminé, depuis, la réhabilitation de cet édifice qui, au centre de la localité avec l'église toute proche et le logis prévôtal, forme un ensemble architectural digne de la Touraine et du passé de Saint-Epain !

1/ Voir le tome 7 des « Vieux logis de Touraine », page 163. — 2/ Ranjard. La Touraine archéologique (1968), page 598. — 3/ Recherches de Messieurs Maître et Pierre Bourgne. Acte Collas, à Saint-Epain, du 26 brumaire an XIII, archives départementales. — 4/ Id. Acte Maurice, 4 mai 1843. — 5/ Id. Viau, à Sainte-Maure, 22 avril 1854. — 6/ Id. Acte Maurice, 8 juillet 1844. — 7/ Nous remercions la direction de l'OPAC qui a bien voulu nous communiquer l'acte du 7 novembre 1985 qui a permis cette étude.

SAVONNIÈRES

Le Petit Moulin

Face à l'horrible cicatrice laissée au flanc du coteau par la démolition du « Château Vert » (1), un autre vieux logis a été, par contre, l'objet d'une restauration soignée !

Il s'agissait d'un moulin dont l'activité n'a cessé que le 1ᵉʳ septembre 1949. Le meunier, Monsieur Faguet, le transmit par donation, en 1957, à sa fille Madame Billault qui, le 23 janvier 1981, l'a vendu à ses propriétaires actuels (2). Tout en y aménageant leur demeure, ils ont tenu à conserver le moulin dans son état. Il est installé en bordure de la rue de Paradis, dans un bâtiment épaulé sur la cour par deux contreforts. Le mécanisme est intact, seule la roue « à godet » fournissant la force motrice a disparu, et l'eau s'écoule en cascade dans le petit canal, au bord du chemin, et va se perdre dans le Cher.

L'habitation, un peu plus élevée, est terminée par une aile en retour d'équerre vers le nord, et son unique étage donne sur la levée de l'étang retenant les eaux du ruisseau. L'extrémité de cet ensemble, formant une propriété distincte, constitue un élément original datant du xvᵉ siècle. Le bâtiment principal, terminé au couchant par un pignon « à rondelis », est flanqué d'une tour polygonale en pierres de taille. Elle abrite un escalier à vis de pierre dont les huit derniers degrés sont en bois.

Ce moulin faisait partie de la terre de Savonnières, dont le dictionnaire d'Indre-et-Loire donne la liste des propriétaires depuis 1093 (3). Elle fut achetée le 4 mars 1532 par Jean le Breton. L'un de ses descendants, Balthazar-

Léonard le Breton, marquis de Villandry, eut une fille, Henriette-Marguerite, qui reçut les biens en dot lors de son mariage avec Louis-François d'Aubigné, le 6 juin 1713 (4).

C'est leur fils aîné, Louis-Henri, qui vendit le marquisat de Villandry et la châtellenie de Savonnières, le 23 juillet 1754, au comte de Castellane, ambassadeur de sa Majesté à la Porte Ottomane. Il eut lui-même deux garçons dont l'un renonça à la succession de ses parents, laissant son frère, Esprit-Henri de Castellane, seul propriétaire de Villandry et Savonnières. C'est en cette qualité qu'il comparut par fondé de pouvoir à l'assemblée électorale de la noblesse de Touraine en 1789 (5).

Mais le 26 février 1791, il revendit son héritage à François Chesnais, capitaine d'infanterie en « l'isle de Saint-Domingue » (6). Dans la liste des biens acquis figurent expressément les moulins de Savonnières. Le 28 nivôse an III (17 janvier 1795), celui-ci en détacha « le petit moulin à godet appelé également des Fontaines » et le vendit aux époux Jeuffrain. La veuve Jeuffrain, Ursule Bourgeot, déclara le 24 pluviôse an III (12 février 1795) avoir agi pour le compte de Louis Jacquet et Marie-Françoise Petit (7). Après la mort de ce dernier dont elle avait eu deux filles, elle se maria avec Jean Arrault qui lui donna un garçon et, en troisièmes noces, épousa Pierre Laville : tous trois sont dits meuniers à Savonnières.

Le partage de la première communauté amena une scission du « petit moulin ». La partie avec la tourelle échut, le 6 mars 1822, à Françoise Jacquet, femme de Pierre Tessier. Depuis cette date et jusqu'à ce jour, cette partie de l'édifice a toujours appartenu à la même famille.

Quant au moulin proprement dit, vendu le 4 mai 1823, il allait connaître au XIXe siècle de nombreuses mutations en 1829, 1835, 1837 et en 1881. Françoise Petit, qui l'eut en partage, était l'épouse d'un médecin, Louis-Eugène Fey. Leur fille Noémie le revendit en 1895, et la description montre un état qui n'a pas varié : « un moulin à godet, la halle où sont les tournant, virant, moulant, ustensiles composés d'un mécanisme anglais. Au couchant, logement de maître avec escalier en pierre dans la cour servant d'arrivée à la maison de maître dans laquelle on entre également du côté de l'étang » (8).

Il appartenait aux nouveaux acquéreurs de 1981 de remettre en état l'immeuble abritant ce vieux moulin. Depuis un temps immémorial, il fait partie du patrimoine de Savonnières. Tant du point de vue architectural qu'industriel, il mériterait bien d'être inscrit à l'inventaire supplémentaire des monuments historiques !

1/ Voir l'article sur le « Château Vert » dans le tome 7 des « Vieux logis de Touraine », page 179. — 2/ D'après l'acte de propriété que Monsieur Geffroy a bien voulu mettre à notre disposition. — 3/ Carré de Busserolle. Dictionnaire d'Indre-et-Loire, tome 5, page 27. — 4/ Archives nationales. Acte Quinquet (Paris), 23 juillet 1754. — 5/ Mémoires de la Société Archéologique de Touraine, tome X, page 109. — 6/ Archives départementales. Acte Hubert (Tours), 26 février 1791. Recherches de Monsieur Michel Maître. — 7/ Id. Acte Archambau.t de Beaune (Tours), 24 pluviôse an III. — 8/ Id. Registre de transcription des hypothèques de Tours, volume 3073, N° 44.

La Maison dite "le Prieuré"

Avant la Révolution, il existait, à Savonnières, un prieuré sous le vocable de Sainte-Anne qui dépendait de l'église Saint-Martin de Tours (1) et qui fut vendu comme bien national, le 21 mars 1791, à Etienne Lelarge (2). Par la description précise qui en est faite, il ne saurait être confondu avec l'immeuble situé au n° 10 de la rue Chaude.

Mais on peut émettre l'hypothèse que celui-ci, situé à proximité immédiate, aurait pu être une dépendance du prieuré dont les jardins, en 1788, étaient contigus (3), aucun acte cependant n'en apporte la confirmation. Quoiqu'il en soit, l'intérêt architectural de cet édifice est loin d'être négligeable.

Il s'élève en bordure de rue, entre deux pignons « à rondelis », et sa façade du XV° siècle en pierres de taille lui donne tout son caractère. Un bandeau continu la coupe au niveau des appuis des trois fenêtres du premier étage. Une seule a conservé son encadrement chanfreiné et sa croisée de pierre, les autres, remaniées, ont des huisseries à meneaux de bois. Les percements du rez-de-chaussée, également modifiés, n'offrent guère d'intérêt. Cependant, on remarque la trace d'un arc plein cintre d'une ouverture murée partiellement. A côté se voient les premiers claveaux d'une seconde arcature condamnée de part et d'autre d'une baie à linteau cintré. Il s'agissait sans doute d'un porche dont un jambage est visible à l'intérieur. Pour faire une salle supplémentaire, il fut aveuglé peut-être au XVIIe siècle, si l'on en juge par la cheminée qui y fut aménagée. La salle au-dessus, qui a conservé la sienne de la même époque, est éclairée sur chaque face par une croisée de pierre. Celle sur la rue est dotée d'une banquette dans son embrasure.

Une autre pièce au rez-de-chaussée, donnant sur la cour au midi, est chauffée par une cheminée à faux manteau et hotte droite avec un arc de décharge venant reposer sur de larges consoles. Celle du premier étage est typiquement du XVe siècle avec des jambages en forme de demi-colonnes engagées qui, seuls, subsistaient. La hotte a été entièrement reconstruite. A la suite d'un partage en 1795, pour rendre cette salle accessible, il fallut aménager un escalier extérieur en pierre d'une seule volée rectiligne. Toute cette partie de l'immeuble, qui peut être datée du XVe siècle, possède une charpente en carène de navire inversée avec quatre poinçons taillés en fines colonnettes.

A une époque largement postérieure, on ajouta une aile perpendiculaire, plus étroite, dont la charpente à double faîtage vient s'appuyer sur la précédente. Dans une cage en colombage, on plaça un escalier en bois « en tambour » dont la partie supérieure comporte une rampe très courte avec deux balustres tournés en double poire. Ces travaux doivent être contemporains de la suppression du porche, sans doute au XVIIe siècle ?

Le premier propriétaire connu de ce vieux logis qu'il a été possible de retrouver (4), Pierre Rousseau, fut inhumé, à Savonnières, le 9 octobre 1788 (5), bientôt rejoint par sa femme, Françoise Lesouësvre, le 23 novembre. Les enfants demandèrent le partage des biens dont il fut fait quatre lots. Trois d'entre eux concernent uniquement l'immeuble de la rue Chaude qui se trouva ainsi démembré, la cour restant commune. L'une des parts, en 1795, fut l'objet d'une nouvelle division, et l'on voit chaque propriétaire recevoir « un quart du tiers de la boulangerie » !!!

De là vient ce terme de « communauté Rousseau » qui est employé comme lieu-dit dans un acte du 9 janvier 1897 (6). Chacune de ces parties connurent des fortunes diverses jusqu'à une époque récente qu'il serait assez fastidieux d'énumérer.

Par un premier acte du 24 décembre 1955, suivi d'un second le 18 juin 1966 et d'un troisième le 29 novembre 1969, l'unité de l'immeuble fut reconstituée par Monsieur et Madame Caré-Moreau. Depuis lors, ils se sont efforcés de remettre en état l'intérieur du logis en rénovant les cheminées anciennes ou en restituant celles qui avaient disparu. En 1970, un portail avec une étroite porte piétonne ont été construits à l'alignement d'un petit bâtiment neuf remplaçant l'ancienne boulangerie. Seules la plupart des caves sont restées la propriété de particuliers qui ont gardé le droit de passage dans la cour (7).

Il n'en reste pas moins que cet édifice reste un témoin architectural intéressant du passé de Savonnières et rappelle aussi, avec la rue qui en porte le nom, le souvenir du prieuré Sainte-Anne !

1/ Archives départementales. G 514. — 2/ Id. Q 621, N° 23, article 8. — 3/ Id. Acte Guierche (Savonnières), 24 octobre 1788. — 4/ Actes recherchés par Monsieur Michel Maître. — 5/ Renseignements de P. Robert du CGT. — 6/ Archives départementales. Registre de transcription des hypothèques de Tours, volume 3161, N° 13. — 7/ D'après les actes mis à notre disposition par Monsieur Caré.

SONZAY

Les Cartes

En 1105, d'après le dictionnaire d'Indre-et-Loire (1), Gauthier des Cartes aurait donné à l'abbaye de Marmoutier « la terra de Scartis » (2). Le cartulaire de l'archevêché parle du « Féodum de Cartis junxte Sonzaium » appartenant, vers 1226, à Johannès de Courcelles et le fief des « Quartis » à Geoffroy de Channay, pour la période 1348-1398. On peut donc affirmer que ce site fut occupé dès le XIIᵉ siècle (3).

La monographie inédite de l'abbé Mesnage du début de ce siècle, basée sur les registres paroissiaux, permet d'établir, dès 1598, la liste des titulaires de ce fief « relevant du duché paierie de la Vallière à foy et hommage lige et 5 sols de service ». Le 5 janvier 1598, Hardouyn Espron, seigneur des Cartes, fit donation au curé de Sonzay, exemple qui sera suivi par son fils, René, qui lui succéda en 1601.

Par la suite, les Cartes passèrent à Nicolas Cornuau de la Grandière qui vendit, le 29 octobre 1643, à Alexandre-Nicolas Lhuillier (4). Contrôleur général des tailles de la généralité de Tours, il fut inhumé, le 1ᵉʳ novembre 1657, dans l'église de Sonzay. Le 18 mai 1701, son fils, prénommé comme lui, vendit la terre des Cartes à Balthazar le Breton, marquis de Villandry, seigneur de Savonnières et autres lieux. Il y résidait parfois, puisque c'est ici que la mort le surprit, à 71 ans, le 21 mars 1724 (3).

Il avait donné ses biens en dot à sa fille unique, Henriette-Marguerite, lors de son contrat de mariage le 6 juin 1713 avec Louis-François d'Aubigné. Lorsque celui-ci décéda en 1745, il laissait deux garçons qui réglèrent sa succession le 21 avril 1746 (5). Le cadet, Balthazar-Urbain, chevalier d'Aubigné, dut se contenter du fief des Cartes.

Il ne le garda pas longtemps car, le 6 avril 1748 (6), il céda à Michel-Denis de la Ruë du Can, baron de Champchevrier, « la seigneurie des Cartes consistant en un château en très mauvais état et menassant ruine ». Le chevalier d'Aubigné étant mort en 1762, c'est son frère Louis-Henri, marquis de Villandry, qui donna quittance du solde encore dû sur le montant de la vente à Jean-Baptiste-Pierre-René de la Ruë du Can, le 6 avril 1765, agissant au nom de l'acquéreur. Or, quelques mois plus tard, ce même Jean-Baptiste-Pierre-René achetait à son frère Michel-Denis, avec les deniers provenant à sa femme de la succession de ses parents, le fief des Cartes. Si le château n'est pas décrit, aucune mention n'est faite de sa reconstruction, ce qui indique que l'édifice ancien était encore debout.

S'il n'en subsiste aucun vestige, un plan ancien conservé aux Cartes le situe avec exactitude. Il était composé de deux corps de bâtiment en retour d'équerre, le plus important occupait le côté oriental de l'actuelle cour d'honneur. Le potager s'étendait à l'ouest, un espace au nord était formé de parterres, le tout entouré d'un parc aux allées rectilignes.

C'est Jean-Baptiste-Pierre-René de la Ruë du Can qui, après 1765, éleva l'édifice que nous voyons aujourd'hui. « J'ai bâti un château, planté des avenues avec une belle cour, trois terrasses, grille de fer sur toute la face », lit-on dans son journal (4). Il était à peine achevé à sa mort, le 17 décembre 1787.

Il fut élevé sur un terre-plein artificiel, formant devant lui une terrasse d'environ 80 mètres de long sur 10 de large s'allongeant d'est en ouest, accessible au centre par un escalier rectiligne de dix marches. A droite de celui-ci une porte dans le talus débouche dans un couloir conduisant notamment à une vaste cave voûtée en berceau.

La façade méridionale, d'une parfaite symétrie, présente un long bâtiment se développant de part et d'autre d'un avant-corps à tympan triangulaire. Il est accosté, à chaque extrémité, d'un pavillon en légère saillie sur les deux faces, limité aux angles par des chaînages à refends. Les percements à huis-series de petits carreaux sont à linteau incurvé au rez-de-chaussée, mais droit au premier. La base des allèges est soulignée d'un cordon plat continu. Sauf dans la partie médiane, chaque travée est surmontée d'une lucarne éclairant les combles à la Mansard. Elles ont été refaites en pierre avec jambages en bossage, fronton courbe dans la partie centrale, brisé aux ailes par un fleuron à la fin du siècle dernier. Deux œils de bœuf, visibles sur d'anciennes cartes postales et sur une aquarelle de 1934 (7), ont disparu depuis. La façade sur le parc est identique, mais les lucarnes en bois sont d'origine.

Chaque pavillon est contigu à un bâtiment d'un seul niveau avec un comble mansardé, placé un peu en retrait, mais terminé chacun par une petite aile perpendiculaire en léger relief. Dans celle du couchant, l'architecte Rohard aménagea, vers 1876, une chapelle formée d'une nef à deux travées à croisée d'ogives et clef pendante. L'une des baies en plein cintre qui l'éclairaient a gardé un vitrail où sont encastrés deux blasons sous une couronne de baron, l'un aux armes des « de Champchevrier », l'autre des Quarré de Boiry.

Tous les niveaux de cet imposant édifice sont desservis par un large escalier en bois avec rampe de fer forgé de style Louis XVI. Au midi du château s'étendent de vastes pelouses limitées par un mur de chaque côté de l'allée pavée allant du perron à la grille de fer forgé. De là, une longue avenue de 700 mètres de long, autrefois bordée d'arbres, conduit à la route de Sonzay à Souvigné, d'où l'on a une perspective lointaine de l'édifice qui n'est pas sans attirer l'attention du promeneur. ! Sa construction devait déjà être très avancée en 1784, puisqu'on y rédigea le contrat de mariage de la fille Charlotte avec Alexandre-Victor-Gilles de Fontenailles, le 27 décembre (8).

187

Trois ans plus tard, le 17 décembre 1787, son père disparaissait comme le rappelle une plaque de marbre noir, près de la chaire, dans l'église de Souvigné.

Sa veuve, Rosalie-Charlotte de Chastres, comparut par fondé de pouvoir à l'assemblée électorale de la noblesse de Touraine en 1789 (9). L'émigration d'un neveu lui valut par la suite de nombreux ennuis. Le calme revenu, elle se retira chez une nièce, à la Tortinière de Veigné, où elle mourut le 19 septembre 1810. Le partage de la succession effectué le 30 décembre (10) laissa les Cartes à l'aîné, Armand-Pierre de la Ruë du Can, qui fut maire de Sonzay de 1812 à 1816. Il eut pour successeur, en 1825, Casimir Ier du nom qui avait participé brillamment, en 1812, à la campagne d'Allemagne. Mais en 1815, il fit partie des troupes du duc d'Angoulême qui s'opposèrent au retour de Napoléon Ier. Il se distingua, à la tête de sa compagnie, à l'attaque d'un pont sur la Drôme qu'il enleva sous une grêle de balles. Le duc d'Angoulême le décora de la Légion d'Honneur en lui fixant sur la poitrine le ruban qu'il arracha de son uniforme.

N'ayant pas eu d'enfant, il légua la propriété des Cartes à son neveu Casimir, 2e du nom, qui en eut la jouissance après sa mort, le 2 avril 1865. C'est ce dernier qui fit procéder, par l'architecte Rohard, à la réfection de la façade sud et à l'aménagement de la chapelle, ce qui explique la présence de ses armes et celles de sa femme sur le vitrail.

C'est à leurs arrière-petits-enfants qu'incombe aujourd'hui la sauvegarde d'un monument qui est un bel exemple de l'architecture civile de la seconde moitié du XVIIIe siècle. Un arrêté du 22 mai 1948 a inscrit les façades et toitures à l'inventaire supplémentaire des monuments historiques.

1/ Carré de Busserolle. Dictionnaire d'Indre-et-Loire, tome 2, page 30. — 2/ Mémoires de la Société Archéologique de Touraine, tome 38, pages 308, 59. — 3/ Monographie inédite de l'abbé Mesnage mise à notre disposition par Monsieur Briot de la Crochais. — 4/ D'après les archives de la famille communiquées par Mademoiselle et Monsieur Henri de la Ruë du Can. — 5/ Archives nationales. Acte Laidequive du 21 avril 1746, à Paris. — 6/ Id. Acte Dalion, à Paris, du 6 avril 1748. — 7/ K. Reille. 200 châteaux et gentilhommières d'Indre-et-Loire, page 41. — 8/ Archives départementales. Acte Petit, à Tours, du 27 décembre 1784. — 9/ Mémoires de la Société Archéologique de Touraine, tome 10, page 121. — 10/ D'après le sous-seing privé du 30 décembre 1810 déposé au rang des minutes de Me Rondeau-Martinière, à Neuvy, le 18 janvier 1811. Cet acte et les suivants dus aux recherches de Monsieur Michel Maître.

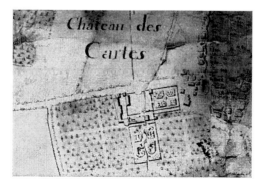

La Brosse

Ce ne fut longtemps qu'une ferme, à quelques centaines de mètres à vol d'oiseau au sud-est du château des Cartes.

Mais le caractère ancien de l'édifice est indéniable, et il est probable qu'il y eut là, jadis, un lieu fortifié avec douves et pont-levis ? De cet appareil défensif, il ne reste qu'une bretèche supportée par trois corbeaux au-dessus de la porte d'entrée au linteau creusé d'une accolade et quelques meurtrières pour armes à feu qui, ici ou là, percent les murs de leur orifice rectangulaire.

La Brosse est composée essentiellement d'un corps de logis central à haut pignon à « rondelis » accosté de deux pavillons à toits à quatre pans : l'un en retour d'équerre au midi, l'autre au nord en forte saillie sur lui pour en assurer le flanquement. Une photographie du début de ce siècle montre qu'il n'y avait, au couchant, que des baies étroites, éclairant des bâtiments en assez mauvais état s'élevant au milieu d'une cour de ferme en désordre !

L'aspect actuel résulte d'une très profonde restauration effectuée entre 1911 et 1918 (1). C'est ainsi que les lucarnes à gâble aigu des combles furent aménagées en 1914 (2). Tous les percements à l'ouest furent agrandis, et ceux du rez-de-chaussée transformés en portes. Par contre, les ouvertures du pavillon méridional ont gardé leur grandeur primitive.

A l'intérieur, la grande salle de la partie médiane présente un plafond aux chevrons apparents sur une maîtresse poutre. Plusieurs pièces sont chauffées par des cheminées à hotte droite reposant sur les consoles de jambages rectangulaires. L'une, au premier étage, est à linteau de bois.

la partie centrale laisse passer les souches de deux cheminées à damier de pierre et brique.

La tour sud-ouest est contiguë à une chapelle rectangulaire de 6 mètres sur 4, entre deux pignons à « rondelis » et datant sans doute du XVe siècle. Les nervures prismatiques de sa croisée d'ogives retombent aux angles sur des colonnettes sans chapiteau. La clef, comportant deux carrés placés l'un sur l'autre pour former une étoile, contient un blason meublé d'un lion et de cinq roses qui n'a pas encore été identifié. C'est certainement celui du constructeur qui, de ce fait, nous est inconnu ! La baie romane, au-dessus de l'emplacement de l'autel, est murée mais conserve à la base deux supports de statuettes. Une niche à burettes est aménagée dans la paroi méridionale dont le percement est également condamné. Le pignon occidental, sans ouverture, est épaulé par deux contreforts.

Dans les dépendances de la ferme actuelle, on remarque une vénérable grange en colombage très ancienne. Elle est expressément mentionnée dans le procès-verbal d'expertise, déposé le 16 mars 1791, avec un pigeonnier « construit carrément en pierre » qui a complètement disparu (1).

Il est logique de penser que ce châtelet servait d'entrée à une enceinte fortifiée entourant tout l'espace en jardin cinq fois plus étendu que lui, mais il n'en subsiste aucune trace permettant de l'affirmer !

Le dictionnaire d'Indre-et-Loire cite seulement le lieu-dit, sans autre précision (3). Ce site, cependant, était occupé de façon certaine au XIVe siècle, suivant le cartulaire de l'archevêché de Tours (4), et appartenait à l'abbé du Bouchet, chanoine de Saint-Martin. Geoffroy du Chastelet rend aveu à l'archevêque entre 1363 et 1380 (5). Mais la liste continue des propriétaires de ce fief, mentionné sur le rôle de 1639 pour un revenu de 110 livres, ne peut être établie qu'à partir des registres paroissiaux (6). Le 10 novembre 1524, on baptisa Perrine, fille « de noble homme René Gallebrun, sieur du Châtelet, et dame Jeanne Daron ». Il est tentant de faire le rapprochement avec le P figurant sur la lucarne nord et, dans ce cas, René Gallebrun serait l'auteur de la restauration de l'édifice dans le goût de l'époque. A Jean Gallebrun, qui est encore parrain en 1561, succéda René de Souvigny qui, le 9 septembre 1587, eut sa demeure pillée par les huguenots qui, pendant cinq jours, envahirent la paroisse et la dévastèrent (7).

En tenant compte des dates où leurs noms apparaissent pour la première et dernière fois sur le registre, on trouve ensuite : Hilaire de Nivert, seigneur du « Chastelet » et de la Charpentière (1607-1609) ; François du Reynier (1611-1624) ; Adrien Luthier, seigneur du Chastelet et d'Armançay (1636-1649) ; François Dutinel, major au régiment de Belzunce, mourut le 13 décembre 1714, un mois avant la naissance de son dernier fils, Charles-François, le 14 janvier 1715. Le 29 avril 1725, Gilles Anguille des Ruaux, président trésorier de France au bureau des finances de Tours, seigneur de Thaix et du Châtelet, est parrain d'une cloche. Sa femme, Françoise du Bouchet, fut marraine de la grosse cloche le 16 septembre 1732. Ils ne doivent guère résider au Châtelet, car aucun acte connu ne mentionne leur nom. N'ayant sans doute pas eu d'enfant, le Châtelet passa à leur nièce, Marie-Louise Ducasse, épouse de Pierre Lawhernes, trésorier général des turcies et levées de la Généralité de Tours. Elle était veuve quand elle mourut dans cette ville le 25 janvier 1789, et leur énorme patrimoine foncier, avec le Châtelet, la Ripaudière et la Richardière à Thilouze, la Grande Jonchère à Veigné (8), la Trévandière à Tauxigny, des fermes à Sorigny..., fut partagé entre une bonne quinzaine d'héritiers (1). Le Châtelet fut attribué aux parents de la ligne maternelle et adjugé au tribunal de Tours, le 7 prairial an VII (26 mai 1799), à Michel Pichard et Louise Rolland (9).

C'est leur descendante en ligne directe à la cinquième génération qui a la lourde charge d'assurer la sauvegarde de ce remarquable édifice classé monument historique le 22 octobre 1962. Pour la petite histoire, nous rappellerons qu'il servit de cachette pendant 18 mois, de 1942 à 1943 (10), à un homme de lettres franco-anglais, Loys Masson, qui a romancé son séjour dans un ouvrage intitulé « La Douve », paru en 1957 (11).

1/ Archives départementales. Acte Petit le jeune, mars 1791. Ces actes dus aux recherches de Messieurs Bourgne et Michel Maître. — 2/ Ranjard. La Touraine archéologique (1968), page 667. — 3/ Carré de Busserolle. Dictionnaire d'Indre-et-Loire, tome 2, page 178. — 4/ Archives départementales G 9. — 5/ Mémoires de la Société Archéologique de Touraine, tome 38, page 153. — 6/ Rôle des fiefs de Touraine, page 64. — 7/ Registres paroissiaux de Thilouze. — 8/ Voir la Grande Jonchère, à Veigné, dans le tome 3 des « Vieux logis de Touraine », page 232. Généalogie de la famille Anguille dressée par P. Robert. — 9/ Archives départementales. Acte Pelisson du 17 juillet 1880. — 10/ J. Maurice. Les trois châteaux de Thilouze. Bulletin des Amis du Vieux Chinon (1975), page 897. — 11/ Loys Masson. La Douve (Laffont, 1957).

Le Plessis

Largement à l'écart à l'est du bourg, près du cimetière qui semble prolonger son parc, le Plessis se laisse entrevoir à l'extrémité d'une longue avenue qui, jadis, était bordée d'ormeaux (1). Il y avait même, en 1793, « séparés par l'entrée de la maison deux fossés remplis de poissons » (2).

Le logis seigneurial date vraisemblablement, dans son gros œuvre, du xvᵉ siècle, mais a subi à l'époque contemporaine une restauration radicale. Heureusement, son rez-de-chaussée a conservé les deux cheminées qui chauffaient l'une « le salon de compagnie », l'autre la salle à manger. Elles sont à peu près semblables avec leur hotte droite débordant légèrement sur le large linteau supporté par deux fines colonnettes rectangulaires. Au xviiiᵉ siècle, elles étaient « boisées et peintes » (1). L'élément le plus caractéristique est la tour polygonale, enrobée de verdure, qui flanque la façade occidentale de la maison. Elle abrite un escalier à vis de pierre qui est indiqué dans tous les actes. Celui de 1739 (3) précise qu'au sommet était un colombier couvert en pavillon dont il ne subsiste aucune trace ? Par ailleurs, il descend jusqu'au sous-sol, par onze marches plus étroites, à deux caves parallèles, voûtées sur couchis, séparées par un mur. Les combles sont éclairés par des lucarnes de pierre à gâble aigu, terminé par un fleuron. Beaucoup de crochets de feuillage garnissant les rampants ont disparu, mais à leur base veille un petit animal accroupi. Elles doivent être le résultat de la restauration du XIXe siècle, car on retrouve la même perçant la poivrière de la tour qui, nous venons de le voir, n'était pas ainsi à l'origine. Deux ailes d'un seul rez-de-chaussée et plus récentes sont adossées à chaque pignon.

Le fief du Plessis, qui figure sur le rôle de 1639 pour un revenu de 50 livres (4), relevait pour l'essentiel de la baronnie d'Artannes dépendant de l'archevêché de Tours « à foy et hommage lige et 25 sols à muance de seigneur et de vassal » et avait droit de basse justice, de chasse et de pêche. Le nom du Plessis Gerbault apparaît pour la première fois dans l'acte de 1774 (1) et sera employé pendant tout le XIXe siècle. En 1894, on écrit même le « Plessis Valesne » (5) pour écrire, en 1941 : « Plessis Gerbaux ».

Le logis seigneurial aurait été construit, au milieu du XVe siècle, par Jacques de la Porte, seigneur du Ponceau (6), puis serait passé à un archer écossais, Thomas Thorton, dont la famille aurait encore des représentants en Ecosse (6). Son nom fut francisé en « Tourneton », sans doute quand il fut anobli avec blason : « De gueules au chef d'argent chargé de trois cœurs de gueules », et cette devise parlante : « Quand on a cœur, tourne-t-on. » Ils ne quittent guère Thilouze où leurs noms se retrouvent continuellement sur les registres paroissiaux et permettent d'établir, de façon certaine, leur filiation continue depuis 1517. On voit même qu'en 1587 un parti de huguenots mit le Plessis à sac (7). Lors de la grande enquête sur la recherche de la noblesse, René de Tourneton comparut le 20 septembre 1667, maintint sa qualité d'écuyer et fit la preuve de sa noblesse depuis 1505 par son trisaïeul qui devait être l'archer écossais ou son descendant immédiat (8).

Le 30 avril 1739, le dernier de la lignée, Louis-Henri, avec son épouse, Renée de Cantineau, vendit le Plessis (3) à Marie-Anne Lecorchée de la Fontaine, veuve de Charles Salier, qui le transmit à Henri de Salier, époux de Marie-Anne Delamarre. Le 21 mai 1774, le ménage vendit « la nue propriété du Plessis Gerbault » (1) à deux marchands associés de Tours, Jean-Antoine Padelinetti pour deux tiers et Jean-Nicolas Lecomte pour un tiers, s'en réservant la jouissance jusqu'à leur mort. Le 6 mai 1785 (7), on inhuma le corps d'Henri de Salier, âgé de 64 ans, et Marie Delamarre renonça à ses droits par acte du 3 août 1787.

Le 14 mars 1793, Madame veuve Padelinetti avec ses trois enfants et Jean-Nicolas Lecomte cédèrent le « Plessis Gerbault » à André Cuvier, coutelier à Paris (2). Celui-ci allait en garder la possession jusqu'en 1821 où, le 8 février, Pierre-Antoine Delagrange, médecin, en fit l'acquisition. Ce dernier est dit habitant Saint-Germain-en-Laye quand, le 3 mai 1828 (9), il vendit la terre du Plessis à Jean-Alexandre-François Margonne. C'est ainsi que le châtelain de Saché devint le propriétaire du « Plessis Gerbault ». Il est probable qu'il y mena parfois son invité habituel, Balzac, puisque celui-ci cite le Plessis dans l'un de ses contes, « La Pucelle de Thilouze » (6). Lorsque Monsieur Margonne fit son testament, il institua comme légataire universel Mademoiselle Marie-Alix Salley mais, par legs particulier, il donna le « Plessis Gerbaux » à ses cousins, Monsieur Salmon de Maison Rouge et sa sœur Marie-Angélique, épouse Estave. Monsieur Margonne mourut, à Paris, le 2 mai 1858 et, par acte du 6 décembre 1859, Monsieur Salmon de Maison Rouge resta seul propriétaire du Plessis qu'il restaura dans le goût de l'époque, avec une certaine fantaisie exhubérante (6).

Les 22 et 26 mai 1880, il aliéna le domaine à Félipe Gomez de Junco (10) qui vit saisir ses biens à la requête d'une banque d'Azay-le-Rideau. Le Plessis fut adjugé, au tribunal de Chinon le 6 novembre 1884, à Pierre Chatry et à Paul Compain. A la suite d'un échange le 13 août 1906, la propriété passa aux époux Albert Menau qui en firent une ferme (6). N'ayant pas d'héritiers, leurs dix-sept ayants droit à leur succession mirent en vente le Plessis qui fut acheté par Monsieur et Madame Proux-Brunet. Après trois nouvelles mutations en 1951, 1960, 1971 (11), le château, avec moins de trois hectares de terre, fut acquis, le 7 novembre 1972, par sa propriétaire actuelle.

Celle-ci s'est efforcée, avec beaucoup de patience, à remettre en valeur le vieux logis seigneurial des Tourneton, dont les propriétaires sont ainsi connus du début du XVIe siècle à nos jours, ce qui n'est pas si courant et représente cinq siècles du passé de Thilouze !

1/ Archives départementales. Acte Gervaize, 21 mai 1774. — 2/ Id. Acte Gervaize du 14 mars 1793. — 3/ Id. Acte Mangot (Artannes), 30 avril 1739. Ces actes recherchés par Monsieur Michel Maître. — 4/ Rôle des fiefs de Touraine, page 64. — 5/ Archives départementales. Registre de transcription des hypothèques de Chinon, volume 1784, N° 1. — 6/ J. Maurice. Les trois châteaux de Thilouze. Bulletin des Amis du Vieux Chinon (1975), page 899. — 7/ Registres paroissiaux de Thilouze. — 8/ Chambois et Farcy. Recherche de la noblesse en 1666, page 737. — 9/ Archives départementales. Acte Chesneau (Azay) du 3 mai 1828. — 10/ Id. Registre de transcription des hypothèques de Chinon, volume 1208, N° 42. — 11/ Actes signalés par Monsieur P. Bourgne que nous remercions de son aide.

TOURS

La Roche le Roy

Rattachée à la ville de Tours par arrêté préfectoral du 11 juin 1965, « la Roche de Limançon », comme on l'appelait au XIIIe siècle, était naguère située sur le territoire de la commune de Saint-Avertin.

Suivant le chartrier du chapitre de Saint-Martin (1), celui-ci aurait acheté, après l'Epiphanie 1267, « l'hébergement de la Roche de Limançon », avec ses terres, vignes, prés, bois, « saullaye », vivier, colombier et autres appartenances sur la paroisse de « Vançay » à Charles de la Haye, chevalier. Comme le bien provenait des propres de sa femme Jeanne, il lui constitua en récompense une rente de 30 livres. Désormais et jusqu'à la Révolution, le lieu appartint à « la noble et insigne église Saint-Martin de Tours ». Il y eut bien, le 29 juin 1575, une vente à réméré du « lieu, fief, terre et seigneurie de la Roche le Roy » à la veuve Chalopin mais, dès le 21 juillet suivant, les religieux remboursèrent à celle-ci les 2 400 livres de la transaction, motivée sans doute par un besoin momentané de cette somme.

Pour ces Messieurs du chapitre, ce n'est qu'une ferme dont beaucoup de baux ont été conservés depuis 1461. Celui du 15 février 1768 précise que le preneur ne pourra prétendre à aucune indemnité pour les prés qui pourraient être pris pour former la nouvelle route de Tours à Saint-Avertin. Dans un état de réparations du 30 mars 1746, on mentionne : « la tourette servant de cabinet à la chambre haute et la chapelle qui s'est trouvée entièrement décarlée » (2). Elle est toujours reliée par un portail cintré à ce qui était alors la maison du closier. Une cave est entaillée dans le coteau couvert de vignes, et l'acte de vente de 1837 (3) parle encore d'une ouverture pour la descente directe des raisins.

Cette chapelle est un charmant et minuscule bâtiment entre deux pignons « à rondelis », sommés d'un fleuron. La nef unique, éclairée au nord par une baie en plein cintre, est formée de trois travées limitées par des nervures retombant sur des culots sculptés. Des blasons armoriés figurent aux clefs et au-dessus de l'entrée à linteau cintré. Ils ont servi de modèles pour les écus reproduits à la façade du logis rénové.

Celui-ci se présente aujourd'hui agrandi, au levant, par un pavillon qui lui est perpendiculaire aux pignons aigus, et ajouté au xixe siècle car il ne figure pas sur le cadastre de 1811. Mais l'épaisseur des murs de refends (plus de 80 centimètres) permet de délimiter facilement l'édifice ancien, de dimensions modestes qui n'en faisaient bien qu'un simple hébergement. La façade septentrionale est flanquée à chaque angle de tourelles dont l'une, en encorbellement, est assurément d'origine. Le comble, sur ce côté, est éclairé par deux lucarnes inégales à gâble aigu, l'une à croisée de pierre, l'autre plus étroite à simple traverse.

A la Révolution, la ferme de la Roche le Roy, appartenant au ci-devant chapitre de Saint-Martin, fut saisie. Dans la liste des terres qui composent la propriété, on note que trois parcelles de pré ont été amputées d'environ un demi arpent par la nouvelle route de Tours à Bourges (4) ! Le domaine, qui est alors loué pour 1 200 livres à Paul Lecomte dont le bail se termine en 1796, fut vendu comme bien national, le 17 juillet 1791, et adjugé pour 45 400 livres à un sieur Louis Almaine, citoyen de Tours. Le 25 juillet, il déclara avoir agi pour le compte de Laurent-Vincent Lecouteulx, banquier à Paris. Celui-ci complétait ainsi son achat du 15 avril précédent de la propriété de Grandmont (5). Il n'en profita guère car il mourut en brumaire de l'an III (octobre 1794), et sa femme, Françoise-Charlotte Pourrat, en nivôse de l'an IV (décembre 1795), laissant pour héritiers un garçon, Auguste, et une fille, Hélène, tous les deux mineurs et qui décédèrent dans les années qui suivirent. Leurs biens furent alors recueillis indivisément et par moitié par leurs grands-mères : Hélène-Olympe Palerme, veuve de Jean-Jacques-Vincent Lecouteulx-Lanoraye, et Augustine-Madeleine Boisset, veuve de Louis Pourrat (6). Toutes les deux, le 21 nivôse an XIII (11 janvier 1805), vendirent la Roche le Roy à Pierre-Hypolyte Letissier, ainsi que Grandmont, pour « 220 000 francs numéraire » (6). Celui-ci est dit propriétaire à Vouvray quand, avec sa femme, il revendit « La Roche le Roy » en 1816. Aliénée de nouveau en 1827, elle fut acquise par Charles Duboy. Lorsque celui-ci revendit le 24 novembre 1837 (3) à Madame Elisabeth Lesueur, épouse de Bernard Sourzac, médecin à Port Cordon à La Riche, il se réserva une partie de la cave, qui devait être scindée en deux, et toutes les dépendances situées au couchant. Un mur devait être élevé pour séparer la Roche le Roy des parties réservées par le vendeur.

De 1858 à 1983, plus de neuf mutations, parfois à des intervalles très rapprochés, affectèrent cet immeuble. Enfin, le 3 septembre 1986 (7), ses propriétaires actuels en firent l'acquisition, et ce charmant manoir est devenu « l'Hostellerie de la Roche le Roy » après une rénovation complète de l'édifice. D'anciennes cartes postales le montrent limité, sur la route, par un haut mur de clôture ajouré en partie par une grille. Il a été supprimé pour mieux mettre en valeur cette élégante construction vers laquelle monte une verte pelouse, et ce bel ensemble suscite l'admiration des Tourangeaux et des touristes !

En 1987, ce site magnifique fut menacé par un projet de bretelle auto-routière qui l'aurait complètement défiguré. Les protestations qui s'élevèrent de toutes parts amenèrent l'abandon du tracé initial, épargnant au maximum la Roche le Roy. On ne saurait trop s'en réjouir !

1/ *Archives départementales G 456. — 2/ Id. G 448. — 3/ Id. Acte Bedouet, à Tours, du 24 novembre 1837. — 4/ Id. Q 629. — 5/ Bulletin de la Société Archéologique de Touraine, tome 37, page 174. — 6/ Archives nationales. Acte Dousset, à Paris, 21 nivôse an XIII. — 7/ D'après l'acte mis à notre disposition par Monsieur et Madame Couturier que nous remercions, et ceux recherchés par Monsieur Rousseville.*

Beauséjour

De son jardin où l'on est à la hauteur du clocher de l'église toute proche de Saint-Symphorien, on domine la vallée de la Loire, et l'on jouit d'un panorama superbe sur toute l'agglomération tourangelle. Ainsi, le nom de cette charmante résidence se trouve pleinement justifié : « Beauséjour » !

C'est une construction vraisemblablement de la fin du XVIIᵉ siècle, composée d'un corps de logis central d'une quinzaine de mètres de long entre deux pavillons, aux angles raidis par des chaînages à refends, en forte saillie sur chaque façade. Les murs de l'étage sont en pierres de taille sur un rez-de-chaussée en moellons où les encadrements de pierre des ouvertures ressortent fortement sur l'enduit. Elles sont disposées symétriquement avec des linteaux légèrement incurvés, des huisseries à petits carreaux. Des garde-corps en fer forgé remplacent les allèges au niveau supérieur. Les toits d'ardoise à faible pente sont à deux égoûts sur la partie centrale, à quatre versants sur les ailes. Ils couvrent un « grenier perdu », sans aucune lucarne (1), où l'on peut toujours accéder par une trappe. Sous une fenêtre du pavillon oriental, une porte donne accès à une cave voûtée, presque carrée, d'environ 4 mètres de côté. Tous ces détails sont énumérés avec une extrême précision dans l'inventaire du 27 messidor an IV (15 juillet 1796) et, à peu de choses près, on peut dire qu'ici rien n'a changé depuis plus de deux siècles ! Aussi, peut-on regretter que l'on ait cru devoir ajouter au levant de cet édifice, si bien équilibré, une première construction vers 1890, avec comble à lucarnes de pierre à fronton triangulaire, mais en imitant assez bien le style de la maison. Une seconde est venue s'y accoler vers 1920 avec pignon aigu dominant l'ensemble, et celle-ci est vraiment mal venue !

En 1796, on arrivait face au vestibule par une allée plantée de tilleuls débouchant entre deux « tourettes aujourd'hui disparues, l'une abritant un puits, l'autre un fruitier ». A côté de ce dernier, la chapelle, par contre, a subsisté, petit bâtiment rectangulaire sous une toiture à quatre pans. La porte s'ouvre dans le mur sud, entièrement surmonté d'un fronton triangulaire. La voûte en plâtre forme un tronc de pyramide reposant sur une corniche moulurée. La paroi septentrionale est occupée par un retable avec deux pilastres doriques supportant un tympan triangulaire. Le conduit d'une cheminée moderne est venu en dissimuler une partie. Il y avait deux baies latérales, mais celle de l'est a été murée. Elles étaient peut-être garnies de vitraux dont deux fragments ont été conservés : une Vierge les mains jointes et un homme barbu, assis l'air songeur.

Cette chapelle est mentionnée dans les registres de visites de 1776 et 1787 comme étant en bon état (2). C'est d'ailleurs le seul renseignement que donne le dictionnaire d'Indre-et-Loire (3) qui cite simplement ce lieu-dit de Saint-Symphorien. Elle appartenait alors à monsieur de « Courcerié » qui, pour le moment, est le premier propriétaire connu de Beauséjour dont les origines restent enveloppées de mystère. C'est ainsi que nous ignorons à la suite de quelles circonstances Bonne-Dorothée de Menou en avait la possession au moment de la Révolution ?

Fille de René de Menou, seigneur de la Roche d'Alès à Marray (4), elle s'était unie, par contrat signé à Vendôme (5) le 9 octobre 1750, à René-Luc-Albert Paris de Rougemont, et la bénédiction nuptiale leur fut donnée en la chapelle de la Roche d'Alès. Elle était veuve et sans enfants lorsqu'elle y mourut le 25 fructidor an III (11 septembre 1795). L'inventaire dressé le 27 messidor an IV (1) dresse la longue liste des immeubles que nous avons donnée par ailleurs (4), et l'article premier est constitué par : « une maison, commune de la "Réunion du nord" nommée Beauséjour où la citoyenne Rougemont faisait sa demeure ». Comme nous l'avons vu pour la Roche d'Alès, de nombreux héritiers se partagèrent ses biens (6) le 29 brumaire an V (19 novembre 1796). Ce sont ceux de la ligne paternelle, cinq membres de la famille de Menou, qui recueillirent le second lot composé notamment de Beau séjour estimé 12 500 livres et de six métairies. Il s'agissait de René-Louis-Charles et Philippe-François de Menou à Boussay, Jacques-François, général de division au service de la République, Elisabeth et son mari Armand Dujon, Agathe, veuve de Guillaume-Louis Brogli.

Chacun d'entre eux, par contrat séparé au cours de l'an VIII et le dernier le 3 floréal an IX (23 avril 1801), vendit le cinquième lui appartenant dans la propriété de Beauséjour à Pierre-Martin Froger, juge au tribunal civil de Tours, et Marie Moreau, son épouse, dont les descendants vont en garder la propriété jusqu'en 1881. Le 1er juillet, leur petit-fils, Georges-Armand Froger, vendit Beauséjour à Louise-Coralie Martineau, veuve de Charles-Maurice Archedeacon, demeurant au château de Beaumarchais, à Autrèche. Le 28 mai 1896, elle fit donation de ses biens, et sa fille Marie-Louise, épouse d'Edouard-Etienne Boulay, recueillit Beauséjour. Elle décéda le 4 avril 1924 (7), et le règlement de sa succession en donna la possession à Jane-Coraly Boulay le 26 septembre de la même année. Celle-ci se maria à Pierre Cochin qui, d'une première union, avait trois filles. C'est à l'une d'elles, Marie-Elisabeth, femme de Guy-Louis le Couteulx de Caumont, général de division, que son père fit donation le 29 décembre 1937. Elle devait l'aliéner, le 4 octobre 1958, à ses actuels propriétaires (8).

Bien que privé de ses communs construits avant 1881 par Monsieur Froger (9) et de certaines autres dépendances par les différents partages, Beauséjour le bien nommé est un logis méconnu du Grand Tours qui a conservé beaucoup de charme et dont l'intérêt architectural méritait bien qu'on lui consacrât quelques lignes.

1/ Archives départementales. Acte Petit le jeune, 15 messidor an IV. Tous ces actes recherchés par Monsieur Michel Maître. — 2/ Id. G 14, page 12 verso, 30 verso. — 3/ Carré de Busserolle. Dictionnaire d'Indre-et-Loire, tome 1, page 193. — 4/ Voir la Roche d'Alès dans le tome 6 des « Vieux logis de Touraine », pages 135-136. — 5/ Archives départementales C 868. — 6/ Id. Acte Petit le jeune, 29 brumaire an V. — 7/ Bulletin de la Société Archéologique de Touraine, tome 22, page 150. — 8/ Nous remercions Monsieur Lemonne qui nous a confié son acte de propriété. — 9/ Archives départementales. Registre de transcription des hypothèques de Tours, volume 2065, N° 3955.

TROGUES

Le Profond Fossé

Les chanoines de la Collégiale de Plessis-lès-Tours possédaient, avant la Révolution, sur la rive droite de la Vienne, à 1 500 mètres environ de la rivière, la seigneurie du Profond Fossé appelée parfois Parfond Fossé et même « Preffonds Foussé » (1).

Devenu aujourd'hui simple dépendance de sa ferme, le manoir seigneurial, très rarement signalé, est encore partiellement debout. Il en subsiste essentiellement un long corps de logis dont le pignon occidental est flanqué d'une tour quadrangulaire, coiffée d'un toit à trois pans. Elle abrite un escalier à vis de pierre dans une cage cylindrique prenant jour par de petites ouvertures rectangulaires. La partie du mur qu'elle a laissé à découvert présente, au premier étage, une fenêtre à croisée de pierre dont l'un des panneaux inférieurs a perdu son allège mais a conservé, à l'intérieur, une banquette dans l'embrasure. Celle du dessous a été transformée en porte.

Au midi, les arrachements de murailles à chaque extrémité indiquent qu'il devait y avoir deux bâtiments accolés dont l'un a disparu ne laissant apparentes que ses portes de communication en plein cintre, simplement aveuglées. Elles sont reliées par une ligne de corbeaux destinés à supporter la poutre servant d'appui aux chevrons du plancher ?

La façade septentrionale, en petits moellons formant des assises presque régulières, était percée, au rez-de-chaussée, de deux portes dont l'une est murée complètement, l'autre seulement dans sa partie basse. Au-dessus de cette dernière, une fenêtre entièrement condamnée laisse voir ses meneaux, tandis que la baie plus étroite qui l'accompagne a perdu sa traverse, toutes deux possèdent leurs banquettes intérieures. Le grenier, de ce côté, était éclairé par des ouvertures moins larges à encadrement chanfreiné.

La présence de deux cheminées superposées, accrochées dans le vide au pignon oriental, prouve que le bâtiment se prolongeait au levant. La première est à faux manteau, celle qui la surplombe est très bien conservée, avec large linteau sur des jambages rectangulaires et hotte oblique venant se raccorder à la paroi. De part et d'autre s'ouvraient deux portes en plein cintre, l'une est béante, l'autre complètement obstruée. La grande pièce du premier étage, qui n'a pas moins de 17 mètres de long sur 7 de large, était chauffée par deux cheminées du même type en bon état. L'une est à l'est ,l'autre presque au centre du mur goutterot méridional. Du second étage qui a perdu son plancher, on a une vue plongeante sur cette immense salle, vraiment impressionnante, et digne d'un château. Une cheminée d'une ampleur dépassant 3 mètres, avec haut linteau à corniche prenant appui sur de simples consoles, existe également au rez-de-chaussée, mais coupée à son extrémité par une cloison de soutènement. L'entrée charretière toute proche, avec une arcature légèrement cintrée, est assez récente.

Bien que le bâtiment qui la protégeait ait disparu, il existe, à l'ouest de la tour d'escalier, une cave d'une dizaine de mètres de profondeur, couverte d'une voûte en berceau brisé. Une porte aveuglée, dans l'angle proche de l'entrée, devait donner accès à une galerie se dirigeant vers le puits au coin occidental du logis. Des effondrements dans la cour en ont révélé l'existence. En descendant dans la petite salle abritant le réservoir, on remarque l'arcature murée qui la terminait.

L'état de réparations de 1642 parle « d'un pont-levis sur la douve » (2), et il est encore question, en 1785, d'une chapelle (3). Par contre, le colombier, dont on signale le mauvais état à ces deux dates, n'a pas complètement disparu. Deux de ses murs sont englobés dans la grange. Celui qui sert de refend présente encore 11 rangées visibles d'au moins 20 boulins chacune. Il devait s'agir d'une fuie à peu près carrée de 6 mètres de côté ?

Profond Fossé était un fief relevant de Dorée (4) à foi et hommage simple (1). D'après un aveu rendu par Jean Martin, sieur de la « Martinière Vireton », le 15 août 1377, Jacques de Possé était alors seigneur de Profond Fossé (5). Le dictionnaire d'Indre-et-Loire cite, en 1435, Jacques Pelleteau (1) mais, dès la seconde moitié du XVe siècle, la terre était entrée dans le vaste patrimoine de la famille de la Jaille qui possédait déjà Crouzilles (6). Hector de la Jaille, titulaire du fief en 1451 (6), fonda, dans l'église de Ferrière-Larçon, une chapelle en l'honneur de sainte Catherine. Dans son testament daté de 1480, il en institua comme protecteur Pierre de Betz qui, le 27 novembre 1444, avait épousé sa nièce, Catherine de la Jaille (6). Or, c'est un autre Pierre de Betz qui vendit Profond Fossé au chapitre de Plessis-lès-Tours, sans doute vers 1672 où l'on voit les religieux réclamer divers aveux qui leur sont dus (3). Cette communauté va en garder la possession jusqu'à la Révolution, louant à des fermiers comme Antoine Simon qui renouvelle son bail en 1785 moyennant 1 300 livres (7).

Saisi comme bien ecclésiastique, Profond Fossé fut adjugé pour 34 600 livres au district de Chinon, le 20 avril 1791, à Pierre-François-Jacques le Breton de Nueil, « ci-devant trésorier de France, » en cette ville (8). Celui-ci y mourut le 15 pluviôse an IX (4 février 1801). Son fils François ayant eu Vonnes et la Chevrière (9), il est probable que Profond Fossé échut à l'une de ses filles, Adélaïde et Louise-Cécile-Catherine, épouse de Daniel de Pierres, à Cravant ?

A l'établissement du cadastre en 1831, Profond Fossé appartenait à Martin Arpin, voiturier par eau, et Victoire Néron (10). Cette famille Arpin allait en garder la propriété jusqu'en 1907 où, le 22 octobre, Alphonse Arpin et Léontine Durand vendirent à Pierre-Jean-Marie Bricault, journaliste (11). Celui-ci étant mort le 31 août 1935, sa veuve et ses deux filles aliénèrent la terre de Profond Fossé à Ernest Lespagnol, le 11 août 1949 (12). C'est le fils de ce dernier qui l'aliéna, le 10 avril 1972, à Monsieur et Madame Pierre Sassier.

Malgré les amputations qui lui ont été infligées au cours du temps et dont la comparaison des cadastres permet de se faire une idée, Profond Fossé est un édifice d'un grand intérêt architectural, bien que très méconnu, et dont il faudrait à tout prix assurer la sauvegarde !

1/ Carré de Busserolle. Dictionnaire d'Indre-et-Loire, tome 5, page 225. — 2/ Archives départementales G 328. — 3/ Id. G 327. — 4/ Voir la Dorée dans le tome 3 des « Vieux logis de Touraine », page 154. — 5/ Archives départementales G 331. — 6/ Marquis de Brizay. Maison de la Jaille. Paris (1910), pages 274 et 259. — 7/ Archives départementales. Acte Petit, à Tours, 6 septembre 1785. — 8/ Id. Q 1099, N° 133. — 9/ Bulletin de la Société Archéologique de Touraine (1986), page 461. — 10/ Recherches de Monsieur Michel Maître. — 11/ Archives départementales, registre de transcription des hypothèques de Chinon, volume 2148, N° 10. — 12/ D'après l'acte de propriété mis à notre disposition par Monsieur et Madame Sassier.

La Haute Martinière

De la route qui descend à Profond Fossé, on aperçoit sur la gauche, dominant les bâtiments d'une ferme, un haut pavillon quadrangulaire qui attire les regards par sa masse imposante.

Il s'agit d'une véritable tour presque carrée, d'environ 6 mètres de côté, entièrement en pierres de taille, dont les deux dernières assises supérieures sont séparées par un cordon en saillie qui la ceinture entièrement, sauf à l'angle sud-ouest. De larges embrasures horizontales pour armes à feu sont visibles en plusieurs endroits, notamment sous les appuis des baies aveuglées au midi et au levant. La salle qu'elles éclairaient était chauffée par une cheminée à hotte peu saillante, rendant le premier étage habitable. Le second est occupé par un colombier encore en assez bon état. Les boulins forment quatorze rangées de bas en haut, les quatre dernières constituant une travée munie de son bandeau repose-pied en relief. Sur chaque face ont été percées deux larges embrasures de meurtrières pour armes à feu dont les orifices circulaires sont à peine visibles de l'extérieur. Cette tour jouait donc un rôle défensif et devait protéger l'angle d'une enceinte dont il ne reste qu'une portion de la muraille septentrionale. C'est en surface le seul vestige d'un ensemble qui devait être important, comme le montre le cadastre de 1831.

Au nord-ouest de la cour, là où était la maison de maître, une vingtaine de degrés de pierre descendent à une cave creusée directement dans le rocher, dont le plafond est consolidé par trois arcatures de pierre de taille. Sur le côté droit de cette galerie existent deux petits caveaux.

Le pignon d'une servitude, sans importance, est curieusement surmonté d'un étrange bloc, grossièrement sculpté, sur une base carrée, tout à fait hors de proportion avec ce modeste bâtiment et placé ici en réemploi, vestige possible de décoration de l'édifice disparu.

La carte de Cassini indique deux « Martinière », de part et d'autre de la Rollandière, et relevant féodalement de Profond Fossé. Celle de l'ouest, présente une cour fermée par un portail entre deux piliers avec, à droite, une large porte piétonne en plein cintre. A l'arrière s'élève une fuie cylindrique dont la toiture est presque entièrement ruinée, mais le nombre des boulins indique l'importance du domaine. De la « Haute Martinière », située plus loin à l'est de la Rollandière, demeure surtout l'imposant colombier que nous venons de décrire !

Mais à laquelle de ces deux « Martinière » se rapporte l'article du dictionnaire d'Indre-et-Loire qui en indique plusieurs variantes du nom : « Petite Martinière », « Martinière Vireton » et « Martinière Bascle » (1). La famille le Bascle l'a possédée en effet de 1485 jusque vers 1594. Aux XVIIᵉ et XVIIIᵉ siècles se succédèrent celles de Thienne, d'Argy et de Sassay. Les recherches entreprises n'ont pas permis d'établir avec certitude si cette liste concerne aussi la Haute Martinière.

On peut seulement affirmer que celle-ci appartenait, en 1781, à Vincent Loizillon, marchand à L'Ile-Bouchard, qui reçut, le 14 avril de cette année, une assignation du chapitre de Plessis-lès-Tours pour comparaître aux assises de la seigneurie de « Parfond Fossé », le mercredi 13 juin, comme propriétaire de la « Martinière-Virton » pour rendre foi et hommage et payer les droits de « lods et ventes », ce qui indique une acquisition récente (2).

En 1819, c'est Marie-Jeanne Torterue, veuve de Jean Loizillon qu'elle avait épousé à L'Ile-Bouchard le 25 avril 1793, qui en a la possession avec son fils Frédéric. Celui-ci, né à Saint-Gilles le 5 floréal an VI (24 avril 1798) (3), est « étudiant en droit à Paris » quand avec sa mère il procéda à un véritable démembrement du domaine qui resta partagé, pendant près d'un demi-siècle, en quatre parcelles d'importance différente (4). Le propriétaire de l'une d'elles, René Legros, réunit la sienne à la métairie toute proche de la Joumeraie achetée le 2 février 1818 (5) et qu'il revendit le 26 octobre 1821 à Antoine Richard et Marie Mirault (6). Ceux-ci en firent donation, le 7 mars 1840, à leur fille, épouse de René-Joseph Chapelle. A la suite de nombreuses transactions, notamment le 7 juillet 1862 (7), Monsieur et Madame Chapelle reconstituèrent à peu près l'unité de la Haute Martinière. Mais le 3 décembre 1907, leur fille Louise, femme de Pierre Meunier, l'échangea à Monsieur et Madame Jean-Joseph Bureau, grands-parents des actuels propriétaires (8).

Le cadastre moderne montre l'ampleur des destructions opérées depuis 1831. Heureusement, la haute et magnifique tour servant en partie de fuye a résisté au temps et aux hommes et continue d'attirer l'attention. Il serait bien souhaitable de la voir l'objet d'une mesure de protection officielle au titre des monuments historiques !

1/ Carré de Busserolle. Dictionnaire d'Indre-et-Loire, tome 4, page 210. — 2/ Archives départementales G 331. — 3/ Date indiquée par Pierre Robert et actes recherchés par Madame Charrault. — 4/ Archives départementales. Registre de transcription des hypothèques de Chinon, volume 69, N° 71 ; volume 70, N° 102 ; volume 71, N° 37 et 105. — 5/ Id. Acte Giron, à L'Ile-Bouchard, du 2 février 1818. — 6/ Id. Acte Martin, à Sainte-Maure, 26 octobre 1821. — 7/ Id. Acte Guiet, à L'Ile-Bouchard, du 7 juillet 1862. — 8/ Tous ces actes recherchés par Messieurs Bourgne et Michel Maître.

TRUYES

Chaix

Isolé, loin de la route, l'antique manoir de Chaix n'a guère, jusqu'ici, suscité l'intérêt des historiens.

Sur ce plateau de Champeigne, sans défense naturelle, il dut y avoir à son emplacement une forteresse importante dont il subsiste quelques vestiges remontant peut-être au XIIIe siècle. Une vue aérienne permet de voir les bâtiments groupés dans une vaste enceinte à peu près quadrangulaire, cantonnée de tours à chaque angle et sur l'un des flancs. Cinq figurent encore sur le cadastre de 1823, mais il n'en reste plus que deux. La première, la mieux conservée, veille comme une sentinelle à l'ouest du logis. La seconde, enrobée de lierre, se dressait au centre de la courtine orientale, mais à l'angle Est un amas de pierre indique l'emplacement d'une troisième. Bâties en moellons, arasées au sommet, leur rôle défensif est marqué par quelques archères.

Le logis d'habitation, long bâtiment couvert d'un toit d'ardoise à quatre pans, peut être dans son gros œuvre un édifice du XVe siècle. Il est flanqué, sur la cour, d'une tour polygonale abritant le classique escalier à vis de pierre de l'époque. Le comble est éclairé par deux lucarnes à fronton triangulaire et croisée de pierre. On y remarque la charpente en carène de navire inversée et le reste d'un pignon qui apporte la preuve d'un agrandissement effectué peut-être au début du XVIIIe siècle. La façade sur le jardin fut alors agrémentée par un tympan triangulaire, percé d'un oculus, supporté par deux consoles moulurées avec une ligne de denticules soulignant les rampants. Tous les percements sont modernes et sans caractère. Deux ailes plus basses accostent la maison de part et d'autre et sont antérieures à 1751. Celle du levant, couverte d'une charpente à « la Philibert Delorme », aurait été suivant une tradition la chapelle ?

Selon l'acte du 24 septembre 1751 (1), le lieu de Chaix consistait en basse-cour avec maison de fermier... autre cour avec celle du closier, grange, chapelle, puits dans chaque cour, grand colombier dans la première, autre cour où est le château composé d'un grand corps de logis avec deux ailes, jardin et parc clos de murs... Le colombier dont il est question est une tour carrée d'environ 6 mètres de côté avec chaînages d'angle en pierre de taille. Tous les boulins ont disparu, ce qui indique un réaménagement intérieur pour une utilisation différente.

La terre de Chaix, était dans la censive du fief et seigneurie « du maître d'école de l'église Saint-Martin de Tours », devait 10 livres au curé de Truyes et 40 sols pour droit de chapelle et de banc dans l'église.

Si elle appartenait en 1529 à Marie Brugière, veuve de Guillaume Girard (2), elle était passée, dès 1568, à Jacques Gourry, d'une famille originaire de Paris. Antoine Gourry, seigneur de Chaix, receveur des tailles à Tours en 1621, eut de Marguerite Cottereau une fille Marie qui, par contrat du 7 novembre 1633, épousa Jean Guillon, trésorier de France à Tours, qui mourut le 15 septembre 1645 (3). Elle avait eu trois garçons dont le second René, né en 1639, se maria à Saint-Venant de Tours, le 4 août 1669, à Marie Dublineau. Celle-ci obtint avant 1696 la séparation des biens et se fit adjuger, le 18 novembre 1700, le fief de « Rochecot » à Saint-Patrice. C'est sur leur fils, Jean-François Guillon de Valbray, que la terre de Chaix et dépendances furent saisies dès le 8 octobre 1693. Par sentence aux requêtes du Palais, le 14 février 1697, l'ensemble avec le moulin à papier de Truyes fut adjugé à Henry de Briqueville, comte de la Luzerne (près de Saint-Lô, en Normandie). Son fils qui en hérita, Jean-François de Briqueville, l'aliéna le 24 décembre 1719 à Pierre de Saint-Marc (4) qui agrandit le domaine par plusieurs achats (5). Le 16 juillet 1736, en l'église de Truyes, sa fille Rosalie-Emilie (6) s'unit à « honorable homme » Michel Tourtay, capitaine de bourgeoisie à Tours. Devenue veuve, elle vendit tous ces biens, le 24 septembre 1751, à Charles-Pierre Moisant (1).

Celui-ci, baptisé le 29 juin 1702, devint juge conseil des marchands de Tours et se maria, le 8 novembre 1734, à Claude Banchereau (3). Par lettres patentes du 13 septembre 1745, il obtint l'office de second avocat du roi au bureau des finances de la généralité de Tours (7). N'ayant pas remboursé un

emprunt de 150 livres à Jacques Dauphin, chanoine de Saint-Martin, celui-ci ne pouvant toucher son dû fit saisir les biens de Monsieur Moisant qui furent adjugés, le 19 juin 1756, à Me Guesdier. Ce dernier déclara sur-le-champ avoir agi « pour et au profit du sieur et dame Moisant pour ne valoir avec le contrat d'acquest par eux faits des dits biens qu'un seul et même titre » (8).

Désormais, Chaix allait rester en la possession de leurs descendants jusqu'en 1869, malgré des vicissitudes qu'il convient de rappeler. Leur fille, Claude-Madeleine, unit ses jours, le 24 avril 1758, à Louis Bouin de Noiré, président lieutenant général au bailliage de Chinon, qui décéda le 9 novembre 1782. Il laissa pour héritière Madeleine Bouin de Noiré qui s'était mariée, par contrat du 20 mai 1779, à Benoît-Jean-Gabriel-Armand de Ruzé, comte d'Effiat. A la Révolution, le ménage émigra avec leur garçon, Armand, baptisé à Saint-Venant le 6 septembre 1780. La mère devait mourir, à Aix-la-Chapelle, le 22 mai 1792. Tous leurs biens avaient été saisis, mais la grand-mère, Madeleine Moisant, défendit avec tant d'acharnement le patrimoine de son petit-fils (9) que celui-ci, radié provisoirement de la liste des émigrés le 13 ventôse an VII (4 mars 1800) puis définitivement le 19 ventôse an X (10 mars 1802), en retrouva l'entière possession.

Le 28 février 1808, à Chézelles, il épousa Charlotte-Barbe de Mondion. Ancien Pair de France, ancien membre de la Chambre des députés, n'ayant pas eu d'enfant, il commença, en 1857, à rédiger son testament, y ajoutant, au fil des ans, de nombreux codicilles. Le quinzième, établi le 26 juin 1868, léguait 34 000 francs à l'évêque de Poitiers dont 10 000 assignés sur la terre de Chaix (10). Mais le 31 mars 1869, il la vendit à Henri Douineau, baron de Charentais. La veuve de celui-ci devait l'aliéner, le 8 décembre 1886, à Jean-François Fillon, cultivateur, et Catherine Lefort (11). Depuis quatre générations et jusqu'à ce jour, ce sont leurs descendants qui en ont la possession.

Ils s'efforcent de redonner à ce vieux manoir un aspect digne de son long passé et d'atténuer les transformations maladroites qui ont altéré profondément son caractère architectural.

1/ Archives nationales. Acte Hurtelle, à Paris, du 24 septembre 1751. — 2/ Carré de Busserolle. Dictionnaire d'Indre-et-Loire, tome 2, page 63. — 3/ Id. Armorial de Touraine, page 317. — 4/ Archives nationales. Acte Meusnier, à Paris, du 24 décembre 1719. — 5/ Voir l'article sur Chaix dans le bulletin de liaison N° 7 des Maisons paysannes de Touraine. — 6/ Registres paroissiaux de Tours et de Truyes. Recherches de Mademoiselle Monique Fournier. — 7/ Archives départementales C 441. — 8/ Id. B. Bailliage de Tours. — 9/ R. Caisso. Vente des biens nationaux de deuxième origine (1977), pages 48, 22. — 10/ Archives départementales 3 Q 3953. — 11/ D'après l'acte du 8 décembre 1886 mis à notre disposition par Madame Fillon qui a permis cette étude.

La chapelle Saint-Blaise

Bien située au sommet du coteau de la rive droite de l'Indre, une haute tour carrée surveille les abords du plateau de Champeigne pour guider le voyageur. C'est le clocher de l'ancienne chapelle Saint-Blaise dont le clos dépendait de l'office de sacristain de l'abbaye de Cormery (1).

En 1791, on la décrit comme « un bâtiment ayant 33 pieds de long sur 12 de large, couvert en tuiles et ardoises, avec au couchant et midi, une tour servant autrefois de clocher d'une hauteur de 40 pieds » (2).

Son architecture très rustique, sans aucune ornementation, lui confère un caractère très original. L'ensemble est édifié en petits blocs minces et horizontaux. « Les encoignures, remarquait l'abbé Plat (3), sont faites de moellons aplatis, infiltrés de silex sans aucune taille. » La nef est couverte d'une charpente dont les poinçons reposant sur les entraits sont taillés en colonnettes. La porte est soignée avec ses jambages et les claveaux de son arc brisé en pierre de taille. Au-dessus d'elle s'ouvre une petite baie en plein cintre, restaurée. Presque à la même hauteur, une ouverture semblable éclaire le clocher. Les deux percements rectangulaires du rez-de-chaussée sont du XIXᵉ siècle. Le premier est une entrée de cave n'existant pas en 1791 où l'on n'aurait pas manqué de la signaler. L'autre donne accès à la base du clocher communiquant jadis avec la nef par une porte actuellement murée.

L'abside semi-circulaire présente la trace de deux baies romanes, aveuglées, et toute la partie supérieure du pignon a été reconstruite.

Au nord de la nef, on ajouta au siècle dernier des appentis que la restauration a respectés, mais leur extrémité a été mise en alignement avec la façade, et la maison édifiée en prolongement a été rasée.

Cette chapelle figure sur le registre de visites de 1776 avec cette mention : « Chapelle publique de Saint-Blaise en bon état, excepté quelques réparations à la toiture » (4). En 1787, on la dit seulement « en bon état ».

Quatre ans plus tard, le 4 septembre 1791, la chapelle fut mise en vente comme bien national et adjugée, le 23 septembre, à Joseph Petit, chirurgien, et Louis Aubry, marchand. Elle fut alors scindée en deux parties par le mur de refend actuel : celle de l'est attribuée à Joseph Petit, celle de l'ouest resta à Louis Aubry.

Ce dernier devait décéder à Esvres, le 19 nivôse an V (9 janvier 1796), et c'est son épouse, Marie-Anne Deplaix, qui en hérita. Elle se remaria à Pierre Mabilleau, alors gendarme à Cormery. Tous deux rachetèrent sa part à Joseph Petit, « officier de santé », le 14 ventôse an VI (4 mars 1798) (5), recréant pour un temps l'unité de l'édifice. Car, le 25 février 1814, ils revendirent : « une chambre basse à cheminée, cellier... », le tout faisant partie de la chapelle Saint-Blaise, et « séparée du surplus d'icelle par un mur de refend au couchant qui demeurera commun aux parties » (6). L'acquéreur, Sylvain Girard, était dit « voiturier par terre ». Par la suite, cette partie de l'immeuble passa en 1852 à la famille Blancheton, en 1931 au ménage Roullet et, en 1947, aux propriétaires actuels.

Quant à la partie bordant la route, elle était encore, à l'établissement du cadastre, à Pierre Mabilleau dont l'épouse mourut, à Courçay, le 18 mai 1825. Sa fille, issue du premier mariage, Anne-Louise Aubry, femme de Jacques Moreau, recueillit dans sa part d'héritage, le 30 juin 1825 (7), « le bâtiment appelé la chapelle Saint-Blaise ». Ses descendants en gardèrent la possession jusqu'en 1911 où, le 30 novembre, la communauté Crespin-Hervé en fit l'acquisition. Ils revendirent le 9 août 1919 (8) à Jean Chrétien dont l'un des petits-fils, Emile Chrétien, en devint seul propriétaire en 1981 (9).

L'édifice était en très mauvais état puisque Ranjard, en 1949, parle « des ruines de la chapelle Saint-Blaise » (10) qu'il date du XIIe siècle. Sur la proposition de Monsieur Avenet, maire de Truyes, qui ne se résignait pas à voir disparaître ce monument historique, en proposa l'acquisition à son conseil municipal. Celui-ci adopta le projet le 28 août 1982. Un arrêté préfectoral le déclara d'utilité publique le 21 octobre, et l'acte fut signé, le 23 décembre, par Monsieur Avenet, agissant en tant que maire.

Le plan initial de restauration de l'architecte Perrin-Houdon prévoyait la démolition de la maisonnette sordide au bord de la route, la remise en état des ouvertures, la reprise du couronnement de la tour et la pose d'une toiture à quatre pans. Le permis de construire accordé le 30 octobre 1984 conseilla la suppression de ce toit : décision très regrettable donnant l'impression d'une restauration inachevée et qui, nous l'espérons, sera rapportée dans un avenir proche !

A la fin de 1986, les travaux de maçonnerie étaient terminés. La charpente a été entièrement refaite à neuf, à l'identique, en prenant pour modèle celle de la partie orientale mieux conservée. Des huisseries nouvelles ont été posées en 1987, et un tapis vert met l'édifice en valeur !

Cette portion de la chapelle Saint-Blaise avec sa tour est maintenant sauvée pour des générations. On ne saurait trop féliciter la municipalité de Truyes et son maire pour ce bel exemple de sauvegarde du patrimoine qui console de bien des vandalismes !

1/ Archives départementales H 79. — 2/ Id. Q.P.V. N° 91-8. — 3/ Abbé Plat Architecture religieuse en Touraine (1939), page 87. — 4/ Archives départementales G 14, page 3 verso, page 24 verso. — 5/ Id. Acte Lacoua (Cormery), 14 ventôse an VI. Tous ces actes recherchés par Michel Maître. — 6/ Id. Acte Gillet (Montbazon), 25 février 1814. — 7/ Id. Acte Javary (Cormery), 30 juin 1825. — 8/ Id. Registre de transcription des hypothèques de Tours, volume 4497, N° 42. — 9/ Nous remercions Monsieur Bessé, maire de Truyes, qui en nous communiquant l'acte de propriété de la commune a permis cette étude. — 10/ Ranjard. Touraine archéologique (1949), page 660.

VOUVRAY

La Brianderie

Lorsque l'on gravit l'abrupt chemin des Renardières, le regard est irrésistiblement attiré par la haute et étrange silhouette d'un logis du XVᵉ siècle édifié dans l'espace réduit, limité au couchant par la falaise calcaire et, au levant, par la route.

Il dresse sur celle-ci un imposant pignon « à rondelis », en moellons enduits, percé d'une baie étroite à simple traverse surmontée de deux petites ouvertures aux arêtes abattues par un chanfrein. Une tourelle en pierres de taille moins élevée, coiffée d'un toit à trois pans, flanque l'angle sud-est en formant saillie sur la chaussée. Il faut entrer dans la cour pour voir la façade, édifiée en moyen appareil, présentant au midi une travée de fenêtres dont les croisées de pierre ont été restaurées en replaçant les meneaux d'origine. Les deux lucarnes des combles sont modernes. On accède au premier étage par un escalier plaqué sur le rocher, dont 17 degrés sont en pierre et 10 en bois sous un appentis ouvert. Il était, en 1831, entièrement en bois et dans une cage en colombage (1).

Six des chevrons apparents de la salle basse reposent sur des corbeaux de deux modules différents. La cheminée à hotte a son linteau limité par une double corniche très moulurée sur des consoles prenant appui sur des jambages demi-cylindriques, accompagnés d'une fine colonnette en retrait. Cette pièce communique avec la cuisine entièrement taillée dans le roc. L'ample cheminée à faux manteau comportait un four à pain détruit. Celle de la chambre à l'étage est très sobre avec linteau cintré et pieds droits rectangulaires. Près d'elle s'ouvre la porte débouchant dans la petite salle du niveau supérieur de la tour éclairée par deux baies à huisseries à petits carreaux. Les combles sont aménagés sous une charpente à surcroît où chaque chevron fait ferme, et se trouvent de plain-pied avec une terrasse dallée d'où, par quatre marches de pierre, on accède au jardin. A son extrémité s'élève une petite loge carrée d'environ 3 mètres de côté dont la toiture a disparu. Quelques légères traces sur les parois intérieures peuvent laisser supposer l'existence d'une fuie ? Mais, en 1831, on parle seulement d'un pavillon sans fermeture (1) et, en 1962, d'un pavillon isolé en ruines (2).

Trois caves sont creusées dans le coteau ; la plus vaste forme une galerie de carrière d'une trentaine de mètres de long, ayant à l'entrée les vestiges d'une cheminée avec un joli four à pâtisserie intact !

D'une architecture trop soignée pour une closerie, mais d'une importance trop modeste pour avoir été logis seigneurial, la Brianderie garde le mystère de ses origines. Le nom du premier propriétaire connu, décédé le 20 janvier 1765, nous est donné par le registre du Centième denier de Vouvray : Jean-Jacques de Saint-Jean, « écuyer, capitaine réformé, ingénieur du roy au château de Saumur, Angers demeurant au Pont de Cez » (3). Ses héritiers, parmi lesquels « messire Charles-Louis du Rozel, chevalier, seigneur du Roncé le Neuf » (4), vendirent le 22 août 1774 par « décret de la cour du Bouchet les lieux et closeries de Gaimont et la Briandrie, paroisse de Vouvray, relevant en roture des fiefs du Bouchet et la Prévôté d'Oë », à Thomas Bouchet, entrepreneur des « ouvrages du roy » à Tours.

Les actes permettant de faire la liaison avec ce dernier ayant disparu dans l'incendie de 1940 (5), nous ignorons à la suite de quelles circonstances la Brianderie fut, au début du XIXe siècle, incorporée au domaine du Patis à Vouvray. Elle forme le 23e des 67 lots composés pour la vente de la succession d'Elisabeth Chenais, ordonnée par jugement du tribunal de la Seine du 22 janvier 1831. Ceci à la requête de son mari, le baron Thiébault, et de ses trois enfants.

Née dans la paroisse Saint-Pierre-du-Baynet, à Saint-Domingue, le 29 janvier 1781, elle était la fille de François Chenais qui avait amassé dans cette île une des plus grosses fortunes coloniales, estimée à 1 200 000 livres, ce qui lui permit d'acheter à la famille de Castellane le château de Villandry pour 850 000 livres (6). Divorcée de Martin-Louis Delaveau le 14 nivôse an X (4 janvier 1802), elle se remaria, à Tours, le 2 thermidor an XII (21 juillet 1804 (7) avec Paul-Charles-François Thiébault, général de brigade. Lui-même était séparé de Betti Mackeroher, une Anglaise dont il avait deux enfants. Né à Berlin, le 14 décembre 1769, où son père était professeur à l'école militaire, il eut au moins trois filles de cette nouvelle union, dont l'une était encore mineure au règlement de la succession de sa mère. Le général Thiébault, qui sera fait baron d'Empire le 30 avril 1811, a laissé des Mémoires contenant des anecdotes curieuses sur les personnalités qu'il rencontra, à Tours, sous le Consulat et la Restauration : le général Pommereul, l'archevêque de Boisgelin et le président noir Toussaint Louverture (6). La révolte suscitée par de dernier ruina son beau-père qui dut revendre Villandry, à moitié prix, à Ouvrard.

Détail amusant : le 19 août 1802, il avait été chargé d'assurer la surveillance de Toussaint Louverture qui traversait le département, allant de Brest au fort de Joux (6) où il fut emprisonné et mourut l'année suivante !

Donc, le 25 septembre 1831, la Brianderie fut vendue à la demande de Naïs Thiébault, épouse du comte Laure de la Lauzade, à Richelieu, de Charlotte-Claire, fille majeure, et du baron Thiébault comme tuteur de sa fille Charlotte-Appolyne (1). L'acquéreur, Joseph Ernous, de Château-du-Loir, n'en garda la possession qu'un an et revendit, le 2 octobre 1832, à Joseph Brunet, grainetier, et Françoise Gourron qui durent abandonner leurs biens à des créanciers, lesquels les mirent en adjudication. Le 16 décembre 1849, la Brianderie était acquise par Urbain-Vincent Carré (8). Avec ses quatre enfants, celui-ci aliéna la closerie, le 10 mars 1895 (9), à Alexandre-François Veau dont les descendants la possédaient encore en 1962 où, le 10 janvier, elle fut achetée par la société Paul Lateyron, dont le siège social était à Montagne (Gironde), qui six mois plus tard, le 12 juin, revendait à Madame Foulon (2).

Une dernière mutation, intervenue le 9 avril 1964 (10), a donné la Brianderie à Monsieur et Madame Lemonne, demeurant à Beauséjour (11), qui ont procédé à la restauration de ce curieux édifice en rétablissant, notamment, les croisées de pierre défigurées. Bien que frappé d'une servitude d'alignement, il faut espérer que tout sera fait dans l'avenir pour conserver cet énigmatique témoin du passé de la commune !

1/ *Archives départementales. Registre de transcription des hypothèques de Tours, volume 259, N° 33. Actes recherchés par Michel Maître.* — 2/ *Acte David, à Vouvray, 12 juin 1962, communiqué par Monsieur Lemonne.* — 3/ *Archives départementales. Centième denier de Vouvray, volume 3142, page 5 verso.* — 4/ *Voir Roncée Neuf, « Vieux logis de Touraine », tome 4, page 227.* — 5/ *Actes Petit, à Tours, 13 février 1808, 18 décembre 1813, disparus.* — 6/ *Bulletin de la Société Archéologique de Touraine, tome 21, page XCVI, tome 25, pages 89, 90, 93, 94, 105.* — 7/ *Etat civil de Tours. Acte transcrit par Mademoiselle Monique Fournier.* — 8/ *Archives départementales. Registre de transcription des hypothèques de Tours, volume 594, N° 22.* — 9/ *Id. Acte Veillet, à Vouvray, 10 mars 1895.* — 10/ *Acte David, à Vouvray, du 9 avril 1964, de Monsieur Lemonne.* — 11/ *Voir Beauséjour, à Tours, dans le même volume.*

TABLE DES MATIÈRES

Les photographies illustrant cet ouvrage sont de l'auteur, à l'exception des suivantes :

Bernadette Chabretou (article sur la Maison Blanche, Amboise) ;
Alain Fève (article sur les Cordeliers, Loches) ;

TABLE GÉNÉRALE

Index par commune des 635 vieux logis de Touraine étudiés dans les huit séries

Le premier chiffre indique la série, le deuxième, la page dans la série.

218

221